АЛЕКСАНДРА
МАРИНИНА

КОРОЛЕВА ДЕТЕКТИВА

АЛЕКСАНДРА МАРИНИНА

СМЕРТЬ КАК ИСКУССТВО

МАСКИ

ЭКСМО

МОСКВА

2011

УДК 82-3
ББК 84(2Рос-Рус)6-4
М 26

Разработка серии Geliografic

Маринина А.

М 26   Смерть как искусство. Кн. первая : Маски : роман / Александра Маринина. — М. : Эксмо, 2011. — 352 с. — (Королева детектива).

ISBN 978-5-699-36298-1

«Жизнь — театр, а люди в нем — актеры». Известное шекспировское изречение как нельзя лучше подходит к новому роману королевы современного детектива Александры Марининой. Ведь Театр — не только высокое искусство, он как живой организм, не терпящий лжи, предательства и порой мстящий очень жестоко.

В театре «Новая Москва» совершается загадочное и непонятное для окружающих преступление — покушение на режиссера и художественного руководителя Л.А.Богомолова. Теперь уже частный детектив Анастасия Каменская и молодой оперативник с Петровки Антон Сташис приступают к расследованию, которое приводит их к удивительным и неожиданным результатам. Подозреваемых много, все они лгут, и у каждого для этой лжи есть свои причины: и родительская любовь, и слепая страсть, и гнусный шантаж, и жажда успеха, достающегося слишком дорогой ценой, и страх разоблачения. Казалось бы, все вращается вокруг Театра, но одно маленькое, вроде бы незначительное событие, уходящее корнями в прошлое и ставшее в результате роковым, порождает новое зло. И сегодня пришло время восстановить справедливость...

УДК 82-3
ББК 84(2Рос-Рус)6-4

ISBN 978-5-699-36298-1

СМЕРТЬ КАК ИСКУССТВО

МАСКИ

Просто вы не знаете, что такое театр. Бывают сложные машины на свете, но театр сложнее всего...

М. Булгаков.
«Театральный роман»

У подполковника Сергея Кузьмича Зарубина были две слабости. Даже не слабости, а так, обстоятельства. Первое: у него чрезвычайно маленький для подполковника милиции рост, но это не порождало у Сергея Кузьмича никаких комплексов, а напротив, служило поводом для всяческого подшучивания над самим собой. И второе: он не любил артистов. Ну, не то чтобы совсем не любил, боялся он их. И даже не то чтобы совсем уж боялся, просто опасался и как-то сторонился. Дело в том, что отец Сергея Кузьмича, незабвенный Кузьма Сергеевич Зарубин, очень любил играть в самодеятельном театре, при этом лупил сынка почем зря и периодически напивался по-черному, а мама Сергея говорила, утирая слезы то сыночку, то себе самой:

— Папка у нас с тобой человек творческий, надо с пониманием относиться.

С каким таким пониманием надо было относиться к ремню и бутылке, Сережа не знал, но с детства у него сложилось твердое убеждение, что люди творческие, и в особенности артисты, — это те, понять кого ему не дано никогда. И лучше всего дела с ними не иметь.

Но иметь дело, судя по всему, придется, потому что, когда совершается покушение на художественного руководителя театра, избежать общения с артистами и прочей творческой публикой никак не возможно. А как с ними общаться? Это же всю голову сломаешь! Надо заметить, что в свое время к женитьбе друга и начальника Юрия Викторовича Короткова на актрисе Ирочке Савенич Сергей Зарубин отнесся вполне индифферентно. Ирка ему нравилась, она была своя в доску, простая, понятная, ужасно красивая, ужасно веселая и ужасно вкусно умела готовить. Какая-то она была обыкновенная, совсем не артистическая, не творческая, без всяких там специфических особенностей. Так что, наверное, не все артисты такие, с вывертом, что и не понять ничего. Однако слишком хорошо Сергей Кузьмич помнил своего батюшку, не будь он тем помянут. А жену Короткова продолжал считать редким исключением из общего правила.

Как бы эдак вывернуться, чтобы все-таки с артистами работал кто-нибудь другой? Покушением на режиссера Богомолова занимались два опера с территории, на которой находилось место происшествия, но они отрабатывали версию о том, что на художественного руководителя театра «Новая Москва» напали или случайные бандиты, или местная шпана, а тот факт, что у него ничего не взяли, может свидетельствовать о том, что преступников просто спугнул запоздалый прохожий или совершавшая объезд машина патрульно-постовой службы. Оперативники с территории шерстили уголовников и хулиганов, поднимали агентуру, если она у них вообще была, искали очевидцев, в общем, совершали рутинную, скучную, но обязательную в таких случаях работу. Через два дня после покушения к делу подключили Петровку, а конкретно — Сергея Зарубина и нового сотрудника Антона Сташиса, пришедшего в отдел пару месяцев назад из Восточного округа Москвы. Сергей вместе со следователем Блиновым отрабатывали версию, связанную с отношениями Богомолова в высоких управленческих кругах, а также с возможными финансовыми нарушениями или махинациями. А всем, что связано непосредственно с театром, занимался один Антон, молодой и не особо опытный. А театр-то — не кот начхал, двести человек как одна копеечка. Ну куда молодому зеленому оперу такую махину поднять? Понятно, что Сергей должен вместе с ним по театру работать. Но до чего ж не хочется... Смех смехом, а ему, подполковнику милиции, даже порог здания театра переступить страшно.

Зарубин с тоской подумал о том, что сегодня День милиции, 10 ноября, но отметить праздник в кругу друзей-коллег вряд ли удастся. И вместо того чтобы радостно поднимать бокал за прошлые и будущие служебно-розыскные успехи, он должен сидеть и разговаривать с родственником потерпевшего Богомолова, родным братом его жены, на предмет: не жаловался ли Лев Алексеевич на финансовые трудности, не рассказывал ли, что на него «наезжают». Может быть, он в кругу семьи упоминал о ярых завистниках или о людях, которые его за что-то ненавидят? Конечно, правильнее было бы все эти вопросы задавать все-таки жене Богомолова, а не ее брату, но жена потерпевшего для разговоров совсем не пригодна, она днями и ночами сидит в больнице и ждет, никак от шока оправиться не может. А Лев Алексеевич лежит с проломленным черепом в реанимации без сознания, и что будет дальше — врачи прогнозировать не берутся. У них один ответ: мозг — структура, до конца далеко не познанная, как он себя поведет — никто не знает, может, больной придет в себя через пять минут, а может, через пять месяцев.

Брат жены Богомолова, мелкий бизнесмен Вадим Дмитриевич Вавилов, крепенький и плешивенький, совершенно не похожий на свою красавицу сестру, явно переживал и за нее, и за деверя и очень хотел быть полезным, старательно вспоминал все, что когда-либо за время знакомства слышал от Богомолова, но пока во всех этих воспоминаниях не было ничего, проливающего свет на причины преступления или хотя бы позволяющего выстроить очередную версию. И Зарубин решился. Идея осенила его примерно полчаса назад, и он, задавая вопросы Вавилову и выслушивая его ответы, параллельно пытался оценить то, что пришло ему в голову. И чем больше оценивал, тем больше собственная идея ему нравилась.

— Вадим Дмитриевич, вы хотите, чтобы покушение на Льва Алексеевича было раскрыто?

— О чем вы, Сергей Кузьмич?! Разумеется, хочу.

— И вы готовы платить за это?

— Кому? — несказанно изумился Вавилов. — Вам? Это что, новые правила такие?

— Видите ли, Вадим Дмитриевич, — терпеливо принялся объяснять Зарубин, — вы сами говорите, что Лев Алексеевич — человек тяжелый, неуживчивый, грубый, не сдержанный на язык, а если так, то врагов у него видимо-невидимо. А наши милицейские силы и возможности весьма и весьма ограничены, на одно дело никак не выделить столько сотрудников, сколько требуется, потому что есть и другие дела, а сотрудников все-таки не хватает. Если вы действительно заинтересованы в том, чтобы преступник был найден, я готов подсказать вам один вариант. У нас на Петровке много лет работал сотрудник, которого можно было бы привлечь к работе. Но это будет стоить денег.

— Что, бывшие милиционеры все такие корыстные? — усмехнулся Вавилов. — За идею работать не хотят?

— Бывшие милиционеры работают не за идею, а за зарплату, впрочем, как и действующие, — холодно откликнулся Зарубин. — Человек, о котором я говорю, работает в частном детективном агентстве, и его время стоит денег, потому что оно — рабочее, а свободного времени у сыщиков не бывает. Вы готовы платить?

— А вы гарантируете результат?

— Гарантирую.

Зарубин очень старался, чтобы голос его прозвучал твердо, но ему самому послышалась некоторая неуверенность. Настя Пална, конечно, человек надежный, но кто его знает... Все-таки театр — это тебе не бандитская группировка.

— У меня нет свободных денег, — ответил Вавилов, немного подумав. — Масштаб моего бизнеса не так велик, как вам, вероятно, кажется. Но если вы уверены в целесообразности того, что предлагаете, я найду деньги, это моя проблема.

И Зарубин с облегчением перевел дух.

— Ну купи, Настенька, сделай себе подарок ко Дню милиции, — уговаривала Настю Каменскую Ирина Савенич. — Смотри, как тебе идет.

Настя добросовестно смотрела в высокое зеркало и признавала, что да, действительно, этот темно-серый трикотажный костюм, с узкой юбкой чуть ниже колена и облегающим коротким пиджаком, ей очень идет. Костюм ей нравился, а вот цена — нет. Но для нее главное — уловить идею, понять, из каких тканей и какого фасона и цвета вещи хорошо сидят на ней и не делают еще более блеклой ее и без того бесцветную внешность, которую Настя категорически отказывалась совершенствовать при помощи макияжа. На макияж нужно тратить время, а времени ей жалко. С тех пор как Настя стала работать в частном детективном агентстве у своего старинного друга Владислава Стасова, у нее появились деньги, и она в принципе нет-нет да могла бы позволить себе купить какую-нибудь по-настоящему дорогую одежду известной фирмы. Но тут Настя была непреклонна: в бутике она только примеряет и прикидывает, а потом ищет аналогичные вещи в магазинах с «человеческими», а не заоблачными ценами.

Жена Настиного брата Александра Каменского Даша была владелицей как раз такого вот бутика, забитого до отказа брендовыми шмотками, и каждый раз, приезжая сюда для «примерок и прикидок», Настя выслушивала Дашкины уговоры что-нибудь купить, но ни разу не отступила от собственных правил: переплачивать за бренд она не собирается, деньги не на улице нашла, а честно заработала и цену им знает очень хорошо. Сегодня натиск был удвоен: вместе с Настей к Даше приехала и жена Юры Короткова Ира, которая, в отличие от самой Насти, делала в Дашином магазине покупки с нескрываемым удовольствием и при этом не уставала причитать:

— Господи, какая же я толстая корова! На меня совершенно ничего нельзя подобрать, мне все мало. Если бы я была такой худышкой, как ты, Настюша, я бы уволокла весь магазин на себе. Ты какую вещь ни возьмешь — на тебе все отлично сидит, а я пока найду хоть что-нибудь — рак на горе свистнет.

Все-таки Ире удалось найти платье, которое хоть и обтянуло ее аппетитные формы, но выглядело на ней отлично и даже делало стройнее. Поняв, что уговорить Настю на покупку не удастся, Даша горестно вздохнула и повела своих гостей в кабинет пить кофе.

— Как Юрка? — спросила Настя Иру. — Справляется? Или скучает?

Вопрос был не праздным. Юрий Коротков был старше Насти и в отставку с должности заместителя начальника отдела ушел раньше ее. Сначала он попытался устроиться в частной фирме, но очень быстро выяснилось, что мужчины его возраста и квалификации востребованы только в одном направлении: уметь решать вопросы и заносить конверты. В первый же раз, как только Коротков позвонил по телефону, указанному в объявлении о том, что требуются сотрудники в службу безопасности, его открытым текстом спросили:

— В каких службах можете решать вопросы?

Тогда он подумал, что ему просто не повезло, и позвонил еще в несколько мест, разместивших такие же объявления. Однако вопросы он услышал те же самые. Что же касается конвертов с деньгами, которые нужно будет «заносить», тут никто ничего впрямую не говорил, но Юре хватило ума самому догадаться.

Он загрустил и чуть было не запил, и тут подвернулся Александр Каменский со своим банком, у которого был, помимо всего прочего, и целый ряд непрофильных объектов.

— Пойдешь директором пансионата в Подмосковье? — предложил Александр.

Первой реакцией полковника в отставке Короткова был категорический отказ. Он, профессиональный сыщик, милиционер с тридцатипятилетним стажем, — и директор пансионата? Это же курам на смех! Однако время шло, а такой работы, которая заинтересовала бы Короткова и не отпугивала тем, что ему претило, так и не появлялось. И он, скрипнув зубами, принял предложение банкира Каменского.

С тех пор прошло пять лет, и совершенно неожиданно для себя самого Коротков увлекся и загорелся своей работой. Энергичный, инициативный, трудяга, он все время что-то придумывал и усовершенствовал: то стал создавать оздоровительный комплекс, то вводил в столовой разные программы питания — для вегетарианцев, диабетиков, язвенников, детей, то специальные детские программы, чтобы освободить родителей и дать им возможность провести время в фитнес-центре или все в том же оздоровительном комплексе с разнообразными СПА. Кроме того, Юра как человек, который отнюдь не понаслышке знал, до чего доводит пустое времяпрепровождение с водкой, старался максимально занять вечера отдыхающих разными культурными мероприятиями, и в этом ему очень помогло то, что пансионат располагался в живописном месте на берегу озера. Как-то, по случаю, его жена Ирина порекомендовала режиссеру, у которого в тот момент снималась, при выборе натуры обратиться к Короткову. Юра колебался недолго, разрешение на съемки на огромной территории пансионата дал, но взамен договорился, что, помимо официальной оплаты через бухгалтерию, будут проводиться творческие вечера с актерами для отдыхающих во всех заездах на протяжении всего периода съемок. Период оказался длительным, потому что снимали сериал, действие которого происходило как раз на берегу озера, и практика встреч с известными артистами и режиссерами стала для пансионата привычной. После этих съемок последовали и другие, уж больно красивой оказалась местность и превосходными — условия работы, а Коротков через Ирину и режиссеров, с которыми знакомился, стал регулярно приглашать экранных звезд на радость всем обитателям вверенного ему пансионата.

Так что с работой у Юры все утряслось, а вот с семьей нелады продолжались. Ира была его второй женой, от первого брака у него остался сын. Сын женат, у него растет дочка, и все они живут вместе с первой женой Короткова Лялей. Главная беда состояла в том, что сын и его супруга крепко пристрастились к алкоголю и Ляля ничего не может с этим поделать. Конечно, Коротков тоже вмешивался неоднократно, и вел с сыном жесткие мужские разговоры, и пугал, и ругал, и устраивал на лечение, но молодой человек, сначала соглашаясь лечь в больницу, через три-четыре дня убегал оттуда, и все начиналось сначала. И Юрий задумал отсудить пятилетнюю внучку у сына, чтобы воспитывать ее вместе с Ириной, у которой детей быть не может. Ира сразу согласилась, ей так хотелось, чтобы у них с Юрой была полноценная семья с детьми, но Коротков все не мог решиться на первый шаг: все-таки это не шутка — затевать судебную тяжбу с собственным сыном. А то, что судиться придется, не вызывало сомнений, потому что предложение отца решить дело полюбовно и просто отдать девочку деду на воспитание без каких либо правовых оснований было встречено сыном и невесткой категорическим, хотя и немотивированным отказом.

— Юра хочет еще раз попробовать договориться, — вздохнула Ирина, тряхнув пышными смоляными кудрями. — Все-таки родной сын, никуда от этого не денешься. Жалко его.

— Но ведь малышку тоже жалко, — заметила Даша. — Как она будет расти рядом с вечно пьяными родителями? Что из нее получится в результате?

— Ничего хорошего, — согласилась Ирина. — Будем надеяться, что Юрка найдет какие-то слова, которые их убедят. Не хочется дело до суда доводить. Кстати, девочки, двадцать третьего ноября Юрка назначил мне встречу с отдыхающими в своем пансионате. Приезжайте, а?

— Да мы тебя и так видим, — рассмеялась Настя. — Зачем нам для этого в пансионат ехать?

— Ну при чем тут я? — возмутилась Ира. — Не ради встречи со мной вы приедете, а ради Юрки, он будет страшно рад вас видеть, шашлычки сделаем, на лошадках покатаемся. Ну правда, приезжайте, Дашка детей возьмет, ты, Настя, Чистякова своего привези, и будет у нас настоящий семейный выезд.

— Идея хорошая, — кивнула Даша, — только давайте я без Саши поеду.

Ира понимающе усмехнулась, а Настя не поняла и спросила:

— Почему без Саньки? Как же без него? Ведь он над этим пансионатом самый главный начальник.

— Вот именно поэтому и не надо ему туда ехать просто так, — пояснила Даша. — Если с инспекцией — это одно дело, а если отдыхать, это же весь персонал будет на ушах стоять. Ну как же, сам Каменский явился! Будут трястись, как осиновые листы, не зная, как встать, как подать, как сказать, как угодить. На фига это надо — так людей напрягать? Мы и без него отлично время проведем. Настя, по-моему, у тебя телефон в сумке надрывается.

Настя прислушалась. Действительно, надрывается, тоненько так, жалобно. Сумка стоит далеко, странно, что Дашка даже в пылу разговора услышала такой негромкий звук. Она потянулась к сумке и поняла, что не достанет, придется вставать. Вставать не хотелось.

Но пришлось.

— Каменская, ты где спряталась? Я уже в третий раз тебе набираю, а ты все не подходишь, — загудел в трубке зычный бас Стасова.

— Я у Даши, ты же сам меня отпустил, — растерянно ответила Настя, у которой сегодня, в День милиции, был совершенно законный выходной после сданного отчета о выполнении очередного задания.

— Как отпустил, так и отменяю твой отпуск, — отрезал Стасов. — Прыгай в машину и дуй в контору. Тут у меня сидит твой задушевный дружбан Серега Зарубин, у него есть интересное предложение.

Настя сама удивилась, насколько обрадовал ее этот звонок. И чего она так радуется? Ведь сидит же с девчонками, которых любит и которых давно знает, пьет вкусный крепкий кофе, ест вкусные маленькие пирожные, которые Дашка покупает специально для неё в соседнем ресторане, обсуждает милые женские вопросы, такие непринципиальные и в то же время такие важные. И вдруг — на тебе, бросай все и езжай на работу. Да от этого кто угодно взбесится! Кто угодно. Только не Настя Каменская.

Ей повезло. Иногда бывает, что, пока доедешь куда-нибудь, все пробки соберешь, а случается — пролетишь стрелой без единой задержки. Вот как сегодня. Наверное, это ей персональный подарок судьбы ко Дню милиции. Через сорок минут Настя уже парковала свой серебристый «Пежо» в Перово возле дома, где располагался офис агентства «Власта».

Она заглянула в приемную Стасова, и секретарь сказала, что ее ждут в переговорной. Распахнув дверь, Настя увидела за большим столом Стасова, Сережку Зарубина и еще какого-то полноватого плешивого дядьку. Интересно, кто это может быть?

— Знакомьтесь, это наш лучший специалист по преступлениям против личности Анастасия Павловна Каменская, — представил ее Стасов плешивому. — А это, — он бросил короткий взгляд на лежащую перед ним визитную карточку, — Вадим Дмитриевич Вавилов.

Плешивый привстал со своего места и крепко пожал Насте руку. Ладонь у него была сухая, теплая и шелковистая, что совсем не вязалось с его общим обликом. Настя с трудом сдержала улыбку.

— Сергей Кузьмич очень рекомендовал мне обратиться именно к вам, — произнес Вавилов. — Речь идет о покушении на жизнь мужа моей сестры.

— Позвольте, Вадим Дмитриевич, я сам изложу коллеге суть вопроса и все обстоятельства, — прервал его Зарубин. — Я полностью владею всей информацией, и мы с Анастасией Павловной сами договоримся о разделении сфер деятельности. Верно я говорю, Настя Пална?

Насте на мгновение стало неприятно. Ее ни о чем не спрашивают, никому не интересно, что она думает и чего хочет, за нее уже все решили, за ее спиной договорились, в общем, сторговали, как лошадь на базаре, и теперь Сережка Зарубин уже считает, что вопрос стоит только о разделении полномочий и раздаче заданий, а вовсе не о ее согласии. Но тут же осекла сама себя: она что, с ума сошла? Какое согласие? Какое мнение? Кого оно должно интересовать? Она здесь наемный работник, она в штате, получает зарплату и должна делать, что велят. У нее есть начальник, Владик Стасов, вот его мнение действительно имеет значение. В конце концов, Стасов дает ей возможность работать по специальности, и за это ему огромное спасибо. Настроение моментально улучшилось, и Настя лучезарно улыбнулась сначала Зарубину, который в ответ почему-то подмигнул ей, а потом и Вавилову, который посмотрел на нее растерянно и одновременно благодарно, как будто ждал, что она может отказаться, и радовался, что не отказалась.

Стасов увел Вавилова к себе в кабинет подписывать договор, а Зарубин остался с Настей в переговорной и принялся рассказывать о покушении на художественного руководителя театра «Новая Москва» Льва Алексеевича Богомолова. У Богомолова, конечно, есть враги и вне театра, но с ними Зарубин вместе со следователем как-нибудь разберется, да и опера с «земли» подключатся, а вот театр им уже не потянуть. Собственно, заказ и состоит в том, чтобы Настя оказывала консультативную и методическую помощь молодому сотруднику Антону Сташису, который пришел в ее бывший отдел совсем недавно и еще пока мало что умеет в деле раскрытия тяжких преступлений против личности.

— А кто следователь? — спросила Настя.

— Колька Блинов, — ответил Зарубин.

Ну понятно, Николай Николаевич Блинов был для Сережи Зарубина просто Колькой, ибо за многие годы не одна бутылка водки была выпита ими вместе в честь удачного завершения расследования. Но все-таки одно дело — дружба с Зарубиным, и совсем другое — отношение к тому, что рядом с оперативниками будет крутиться частный детектив. Это уж как-то совсем ни к селу ни к городу, ни один следователь этого не потерпит.

— А... — начала было она, но Сергей тут же махнул рукой:

— С Колькой проблем не будет, Стасов уже переговорил с ним по телефону, забил «стрелку» на сегодняшний вечер, в честь нашего общего профессионального праздника водкой его напоит и пообещает, что ты будешь паинькой, ничего не нарушишь, ничего от него не скроешь, ни в чем не обманешь, ни в чем ему не помешаешь, и вообще от тебя будет одна сплошная польза.

— Это непосильная задача, — улыбнулась Настя. — Даже Стасов этого не сумеет.

— Стасов? Сумеет, — убежденно проговорил подполковник Зарубин.

Вечный Камень вел диалог с Вечным Вороном на вечную тему. Тема эта — смерть.

— Смотри, что получается, — задумчиво и неторопливо говорил Камень. — На земле каждую секунду кто-то умирает, причем на глазах у других, и происходит это постоянно уже целую вечность, а до сих пор так никто толком и не знает, что это такое. Как это? Что бывает потом? И вообще, что это за штука такая — смерть?

— И не говори, — поддакнул Ворон с высоты толстой короткой ветки у самой макушки древнего дуба. — И что самое обидное, мы с тобой тоже этого не узнаем, потому что мы — вечные. Для нас смерть самим нашим устройством не предусмотрена.

— А вот как ты считаешь... — начал было Камень и запнулся. Ему показалось, что сзади стало как-то щекотно и необычно тепло.

— Ну-ну, продолжай, — нетерпеливо подбодрил друга Ворон.

Ему очень нравилось, когда Камень спрашивал его мнение, а уж собственная позиция у Вечного Ворона была всегда и по любому вопросу. Если Камень как истинный философ был склонен к разного рода сомнениям, то самоуверенный и самолюбивый Ворон никаких сомнений отродясь не испытывал и в любой момент готов был вполне авторитетно озвучить свою непогрешимую, как ему казалось, точку зрения.

— Что-то мне как-то... — неуверенно пробормотал Камень.

— Ну что, что? — с досадой каркнул Ворон.

— Да сзади у меня что-то... шевелится, что ли. Щекотно.

— Небось палую листву ветром пригнало или ветку сухую.

— Оно теплое... Ты бы посмотрел, а? — жалобно попросил Камень, которому самой природой не была дана возможность оборачиваться и смотреть назад.

Ворон недовольно крякнул и слетел вниз. Ну вот,

такую беседу плодотворную прервали из-за какой-то ерундовины! Наверняка листья или ветки. Теплое оно, видите ли! Этому старому подагрику что только не примерещится.

Он сперва даже не разобрал, что это такое: какой-то комок свалявшейся в колтуны грязно-коричневой, с серыми разводами, шерсти. «Волчонок!» — мысленно охнул Ворон, но тут же осекся: кажется, у диких зверей колтунов не бывает. Комок дрожал и судорожно дергался. Ворон осторожно тронул его когтистой лапкой и в ответ услышал короткий хриплый звук, отдаленно напоминающий жалобное мяуканье. «Точно, не волчонок», — с облегчением выдохнул он и, осмелев, ткнул неопознанный комок мощным клювом. Так, слегка, не всерьез и не больно. На этот раз комок отреагировал более выразительно, из него вытянулась лапа и сделала слабую попытку не то защититься, не то отмахнуться. А уж такую-то лапу всеведущий Ворон ни с какой другой не спутает.

— Ну, что там? — обеспокоенно спросил Камень.

— Да это кошка, — небрежно ответил Ворон, запрыгивая Камню на макушку.

— Кошка? Да откуда же в наших лесах возьмется кошка? До человеческого жилья далеко.

— Не так уж и далеко, ближайший дом всего-то километрах в ста, вполне могла убежать из дома и добраться сюда.

— Неужели могла? — изумился Камень.

— А то! Запросто! Кошки — они знаешь какие? Для них сто километров вообще не расстояние, — со знанием дела заявил Ворон.

— По-моему, эта кошка что-то пищит, — насторожился Камень.

— Да что она может пищать!

— Нет, я определенно что-то слышу, — настаивал Камень.

Вынужденная вечная неподвижность привела к тому, что у него были чрезвычайно развиты все органы восприятия.

Ворон с досадой тряхнул крыльями и проскакал от макушки Камня вдоль всей его спины к тому месту, где валялся непрошенный гость.

— Ты чего там бормочешь? — сердито спросил он. — Говори громче и четче, а то не разобрать ничего.

Комок зашевелился, из него выделилась круглая кошачья голова с длинными усами и слипшимися от гноя глазами.

— Я не кошка, — хрипло и с трудом выговорил комок. — Я — кот.

— Ну и какая разница? — презрительно бросил Ворон.

Кот открыл было пасть, чтобы объяснить, какая именно разница, но закашлялся и обессиленно уронил голову вниз. Не дождавшись разъяснений, Ворон вприпрыжку вернулся на прежнее место, к макушке Камня, и растерянно сообщил:

— Он, кажись, совсем больной.

— Он? — переспросил Камень.

— Ну да. Он говорит, что он не кошка, а кот. Кашляет, глаза гноятся, да и видок у него, прямо сказать, тот еще. Весь драный, облезлый какой-то, грязный.

— То-то я чувствую, что он горячий и дрожит, — заволновался Камень. — Ты бы, дружок, слетал за Белочкой, она у нас мастерица всякие хворобы лечить, а вдруг да поможет.

Ворон досадливо пощелкал клювом, но спорить не осмелился и улетел.

— Простите, уважаемый, — деликатно обратился Камень в пустоту, — вы не могли бы переместиться поближе к моим глазам, а то я вас не вижу, и мне неловко.

Кусочек тепла начал медленно двигаться вдоль левого бока Камня. Наконец весь Кот целиком оказался в поле видимости.

— Спасибо, — вежливо поблагодарил Камень. — Как же вы здесь оказались? Вас что, хозяева выгнали? Или вы потерялись?

— Я не терялся, — хрипло, но с оттенком горделивости ответствовал Кот. — Это судьба моя такая. Такие, как я, не теряются. И уж тем более их не выгоняют хозяева.

— Что же с вами случилось?

— Папенька заболел, вызвал «Скорую»...

— Как?! — изумился Камень. — Ваш батюшка сам умеет звонить по телефону и вызывать врачей? Этого не может быть!

— Да какой батюшка! Батюшка мой у депутата Госдумы живет и знать меня не знает. Я сказал — папенька. Это по-вашему хозяин, а по-нашему — папа, папенька. Ну так вот, он захворал, приехали доктора, положили его на носилки и унесли. Я за ними следом кинулся, аж до самой больницы за машиной мчался, только меня в ту больницу не пустили, я и стал ждать, устроился неподалеку и сижу, а папеньки все нет и нет. День, два, неделю жду, а он не выходит. Голод за живот взял, пошел я пропитание искать, прибился к каким-то бездомным кошкам, их то и дело сердобольные люди подкармливали, вот я с ними вместе и харчевался. Так, почитай, с месяц протянул, а то и больше, а папеньки все не видать. То ли очень серьезная у него болезнь приключилась, то ли я его пропустил, пока еду себе добывал. Может, он давно уже дома и по мне убивается, а я тут груши околачиваю возле больницы. Отправился я домой, сел перед дверью и жду, позвонить-то не могу, роста не хватает, только и остается, что мяукать. Но в том доме стены толстые, интеллигентного мяуканья не слыхать, так что пришлось орать дурниной. Тут дверь открылась, и вышли какие-то чужие люди, которые меня пинками с лестницы согнали. Я ихних законов насчет жилплощади не понимаю, но ясно мне стало, что папенька в той квартире больше не живет. Вернулся я к больнице, а там и зима настала, пришлось теплый подвал искать. Нашел, но мне быстро объяснили, что никаких прав на проживание у меня нет. Ухо порвали, бок прокусили, а пока я снаружи раны зализывал, меня местный дворник нашел и лопатой отходил, лапу сломал. Так начались мои мытарства. Чего я только не пережил! — Кот натужно закашлялся.

— Вам не стоит так много говорить, — переполошился Камень, с глубоким вниманием слушавший горестное повествование. — Поберегите себя, отдохните.

— Да нет уж, — прохрипел Кот, — я все равно умираю и хочу рассказать, чтобы все знали, как прошла моя жизнь и как я встретил смерть. Как в бессмертном «Гамлете»: «О, я рассказал бы... я гибну; ты жив; поведай правду обо мне неутоленным». Ах, кабы знать, где теперь папенька, как он, здоров ли? Я бы тогда отошел в мир иной с легким сердцем.

— Так это можно устроить, — обрадовался Камень. — Если вы и впрямь так плохи, как вам кажется, то ваше последнее желание достойно того, чтобы быть выполненным. Вот Ворон скоро вернется, и мы его попросим узнать, он умеет это делать.

Камень ждал, что Кот начнет расспрашивать и удивляться, и готов был в самых доступных выражениях рассказать про пространственно-временные дыры, через которые Ворон имел возможность проникать в любые места и в любой требуемый момент, но Кот ничего не спросил, только тяжело вздохнул, из чего Камень заключил, что их неожиданный гость чувствует себя из рук вон плохо и у него даже нет сил на любопытство.

— Вы еще поживете, — попытался он подбодрить Кота, — еще успеете рассказать нам свою историю, а пока отдохните.

— Нет, я чувствую, что мой конец близок, — упрямился Кот. — Когда будете меня хоронить, не забудьте, что мое имя — Гамлет. Не хотелось бы лежать в земле безымянным. Если, конечно, вы вообще возьмете на себя труд похоронить меня.

— Не волнуйся, похороним, — раздалось сверху. — Закопаем, как положено, будешь лежать не хуже других.

Ворон стремительно спланировал вниз и затопал лапками рядом с Котом. Ему очень не понравилось, что за время его отсутствия Кот не только перебрался в другое место и теперь валялся грязным комком под самым носом у Камня, но еще посмел вести с его единственным близким другом какие-то сомнительные разговоры. Все это напоминало Ворону заговор, плетущийся за его спиной, чем и объяснялась его неожиданно грубая выходка.

Камень, однако, на выходку не отреагировал и набросился на него с вопросами:

— Что ты так долго? Где Белочка? Ты ее нашел?

— У нее сынок пропал, она, бедная, по всему лесу мечется, ищет его. Ну, я, конечно, помог немножко, полетал, сверху поглядел, потом всех ребят на уши поставил, теперь мальчонку всем миром ищут, а я к вам вернулся.

— Очень хорошо, что вернулся, — строго проговорил Камень. — У нас к тебе большая просьба.

— У кого это — у нас? — прищурил левый глаз Ворон.

— У Кота и у меня. Ты не мог бы слетать и посмотреть, что там с его хозяином?

— С папенькой, — мяукнул Кот.

Ворон заподозрил, что от него просто-напросто хотят отделаться, потому и отсылают с поручением, и понравиться ему это, конечно же, не могло. Но, с другой стороны, это поручение — прекрасный повод показать самозванцу, приковавшему к себе внимание Камня, кто в этом лесу по-настоящему что-то может, а кто только рассуждать горазд. Да, он слетает и все разведает, и пусть этот драный Гамлет узнает, каковы способности и возможности Вечного Ворона, а тогда уже решает, кого тут стоит уважать и к кому прислушиваться.

— Сделаем, — деловито пообещал он. — А ты, парень, из каковских будешь?

— В смысле? — переспросил Кот.

— Ну, из какой страны, из какого города? Про время не спрашиваю, понятно, что из настоящего.

— Русский я. В том смысле, что из России, из Москвы. А что? Вам далеко?

— Для меня нет таких понятий, — самодовольно изрек Ворон. — Для меня всюду близко. А вот как ты, мил друг, такой, понимаешь, больной, такой слабый — и в такую даль забрался? Сюда от Москвы самолетом полсуток лететь.

— Да я и сам не знаю. Какие-то пацаны меня поймали, мучали долго, истязали, потом отпустили, я заполз под куст и потерял сознание. Очнулся уже здесь, неподалеку.

— Под куст, говоришь? — нахмурился Ворон. — А там рядом, случайно, бензозаправки не было?

— Была. А вы откуда знаете? — удивился Кот Гамлет.

— Знаю, — усмехнулся Ворон. — Там дыра незаделанная. Уж сколько лет мы Старшему Смотрителю про эту дыру говорим — все без толку. То и дело в нее кто-нибудь проваливается.

Кот и на этот раз ничего не спросил и не заинтересовался, о какой такой «дыре» идет речь. Видно, весь был в мыслях о собственной грядущей кончине.

— Так где там твоего папеньку искать?

Кот объяснил и, надо признать, довольно толково.

— Только я еще вот о чем попрошу... Уж вы не откажите в последней просьбе умирающему... Мне бы насчет матушки узнать. Как она? Не хворает ли? В благополучии ли?

— Матушка — это жена папеньки? — уточнил Камень.

— Мой папенька холост. А матушка — это кошка, которая произвела меня на свет.

— Эк хватил! — возмутился Ворон. — Человека-то можно по имени и адресу найти, а как я кошку искать буду?

— Тоже по имени и адресу. Домашнего я, правда, не знаю, сам нашел бы, а вот объяснить не сумею, но найти ее можно в театре «Новая Москва». Главное — найдите бабушку, матушкину маменьку, ее зовут Евгения Федоровна Арбенина, она там самая главная актриса. А где она — там и Эсмеральда, маменька моя. Там же, на театре, и про папеньку, может, что узнаете, он ведь тоже артист, только не такой известный, как бабушка. Зовут его Пантелеев Степан Кондратьевич. Запомните? Или повторить?

— Не тупее некоторых. Ладно, ждите! — крикнул Ворон, резко взмывая ввысь.

Кот с трудом поднял голову и посмотрел ему вслед одним правым глазом, потому что слипшийся от гноя левый разлепить ему не удалось.

— Как вы думаете, он скоро вернется с известиями?

— Это как повезет, — ответил Камень. — Может, через час, а может, и через неделю.

— Я не доживу, — плаксиво вздохнул Кот. — Мои часы сочтены. Так, видно, и умру, ничего не узнавши.

Камень принялся утешать несчастного больного, говорить, что скоро появится Белочка — самый лучший врачеватель во всем огромном лесу, и она непременно поставит правильный диагноз и подберет адекватное лечение, Кот сразу же пойдет на поправку и в самом ближайшем будущем встанет на ноги, Ворон уже совсем скоро прилетит и принесет добрые вести...

Камень все говорил и говорил и не заметил, как Кот уснул под мерное журчание его голоса. Поняв, что больной спит, Камень и сам с облегчением задремал. Проснулся он от осторожного поскребывания по лбу: Ворон вернулся и когтем пытался разбудить друга.

— У меня плохие новости, — угрюмо сообщил он. — Вот решил Принца нашего Датского не будить, сперва с тобой посоветоваться. Папашка его помер, там в театре в фойе фотографии актеров висят, так на портрете папашки две даты — рождения и смерти.

— Не папашка, а папенька, — поправил его Камень.

— Да мне один черт, — отмахнулся Ворон. — Мамка его, кошка Эсмеральда, в полном порядке, ее я видел, в ногах у бабки валяется и урчит, а сама бабка возлежит в гримерке на диванчике, вся такая нарядная, морда накрашена, духами пахнет, в общем — красота. Кошку свою, стало быть, на работу носит, во чудилка, а?

— Значит, бабушка Гамлета в полном порядке?

— Да если бы! У них там беда в этом театре. Бабкин начальник при смерти, в реанимации лежит, того и гляди помрет. А бабка, натурально, в полном отчаянии, потому как она у того начальника была главной любимицей. А теперь придет другой начальник, ей ролей давать не будут.

— Да-а-а, — удрученно протянул Камень, — дела-а-а...

Актриса Евгения Федоровна Арбенина — женщина сложного возраста и выдающейся внешности. Необыкновенно стройная, несмотря на прожитые годы, великолепно выглядящая благодаря нескольким весьма удачно сделанным подтяжкам, с умело наложенным макияжем, в красивом розово-сиреневом платье, она, лежа на диванчике в своей гримерной, отдыхала между дневной репетицией и вечерним спектаклем и раздумывала о том, как жаль Левушку Богомолова и жену его Леночку тоже очень жаль, да и себя жалко, потому что ей, Евгении Федоровне, теперь будет трудно. Богомолов ее любил, ценил и давал роли почти в каждом новом спектакле, если была такая возможность. А теперь что будет? Кто заменит Левушку? Как новый человек отнесется к возрастной актрисе, пусть и очень знаменитой, очень профессиональной, увешанной регалиями, но все-таки очень немолодой? И еще она думала о том, что желание убить художественного руководителя театра могло быть у кого угодно, потому что в театре его любили от силы человек десять, а остальные боялись и ненавидели.

Любимая кошка Евгении Федоровны, белоснежная пушистая Эсмеральда, лежала у нее в ногах и тихо мурлыкала. Эсмеральду Арбенина брала в театр постоянно, впрочем, и не только в театр, она и в гости к друзьям с ней ходила. Эсмеральда была кошечкой строгих нравов, к себе подпускала далеко не каждого кота, рожала редко, но зато в помете всегда было не меньше четырех котят, и всех их у Евгении Федоровны с руками отрывали, до того хороши они были. Одного котенка она подарила своему старому другу, артисту Степану Кондратьевичу Пантелееву, тот был страшно рад, назвал котика Гамлетом и тоже постоянно приходил в театр только с ним, так что мамочка с сыночком виделись регулярно. А теперь Степа умер, и Гамлет куда-то исчез. Господи, хоть бы совсем-то не пропал кот, пусть бы взяли в приличный дом, в хорошие руки, ведь породистый, и красавчик, и умница, и вообще родная душа. Если для бездетной Евгении Федоровны Эсмеральда была все равно что дочь, то ее сыночек Гамлет, натурально, приходился внуком, и душа за него болела. Не так сильно, конечно, как болела, когда хоронили Степушку Пантелеева, и не так, как она болит сейчас за лежащего в реанимации без сознания Левочку Богомолова, но все-таки болела.

Раздался стук в дверь, и в гримуборную Арбениной вошел молодой актер Никита Колодный, которого Арбенина как ведущий мастер сцены опекала и пестовала. Никита ей нравился своей вдумчивостью, стремлением сделать любую, даже самую мелкую работу как можно тщательнее и лучше, а также своей внешностью, приятной, но неброской. Броской красоты Арбенина не любила ни в женщинах, ни тем более в мужчинах, и при всем пристрастии к ярким краскам в собственном гардеробе и макияже в других она ценила пастельные тона и изысканную сдержанность. Никита Колодный всем ее требованиям полностью отвечал, во всяком случае, так казалось Евгении Федоровне.

— Извините, вы отдыхаете, не побеспокою? — робко начал Никита.

— Входи, деточка, входи. — Евгения Федоровна сделала царственный приглашающий жест рукой, не поднимаясь с диванчика. — Садись.

Колодный присел на стул перед гримировальным столиком, поставил локти на столешницу и тяжело опустил голову на сцепленные ладони.

— Как ужасно то, что случилось с Львом Алексеевичем, какой кошмар! Что теперь будет с ним, с его женой, со всеми нами?

— Как Господь распорядится, так и будет, — сдержанно ответила Арбенина. — Ему виднее. А с нами... Ну что — с нами? В самом худшем случае к нам придет новый худрук, и начнется какая-то новая жизнь.

— А в самом лучшем? — нервно спросил Колодный.

— В самом лучшем — Лев Алексеевич скоро выздоровеет и вернется к работе, а пока его заменит Сеня Дудник, вот и все. Уже есть распоряжение руководства, чтобы Сеня заменил Льва Алексеевича на репетициях «Правосудия». Ты-то чего беспокоишься? Я понимаю, у тебя впервые главная роль, тебе хочется, чтобы спектакль собрали и выпустили, а не закрыли уже сейчас, так на этот счет можешь не беспокоиться, репетиции не прекратятся, Сеня доведет спектакль до премьеры.

Колодный помолчал немного и вздохнул, еще крепче стиснув руки.

— Я хотел с вами посоветоваться, можно?

— Только осторожно, — усмехнулась Арбенина. — Мы с тобой в одной упряжке, не забывай. В таких ситуациях опасно просить совета у партнера по сцене.

— Ну что вы, Евгения Федоровна, вы для меня лучший учитель. Вам не кажется, что мотивация Зиновьева слабовата? Не верю я в его переживания после того, как он поступил с матерью! А ведь, по версии следствия, жена его именно потому и убила, что не могла простить такого поступка. И убить она из-за этого не могла, и переживания у него какие-то надуманные, и сама ситуация малореальная. А вы же играете адвоката жены на суде, вам самой должно быть неудобно в таком тексте.

— Да брось ты, Никита, ну что тебе эта мотивация? Тебя послушать, так измени мотивацию — и вся пьеса засверкает, словно бриллиант. А сверкать-то там нечему! Пьеса — дерьмо, причем первостатейное, и автор этот, Господи прости, даже фамилию его запомнить не могу, придурок дерьмовый, с амбициями, журналистишко из Подмосковья. Нашел, понимаешь ли, кошелек на ножках, уговорил проплатить постановку, а мы что? Мы — люди подневольные, нас на роли назначили, текст дали, и играй себе, пока игралка не отвалится, и не парься. — Ценящая в людях изысканность, сама Арбенина была особой резкой и в выражениях не стеснялась, говорила все, что считала нужным, поскольку привыкла находиться на особом положении у художественного руководителя театра, хоть прежнего, скончавшегося несколько лет назад, хоть нынешнего, души в ней не чаявшего. Ей прощали все, и она к этому давно привыкла. — И вообще, ты же не Зиновьева играешь, а Юрия, история с матерью — это не твоя мотивация. Твое дело — играть так, чтобы себя показать. Тяни одеяло на себя — вот и вся твоя задача. Чего ты, в самом деле? Все равно пьеса — дерьмо и дольше одного сезона в репертуаре не продержится.

— Нет, Евгения Федоровна, как же вы не понимаете! Ведь в этом же все дело! Я не хочу, чтобы спектакль три раза показали и списали! Мне столько лет не давали играть, я так долго ждал, перебиваясь с Ферапонта на Могильщика, со Скотти на «кушать подано», а теперь получил большую интересную роль, в которой мог бы показать все, что умею, и для меня важно, чтобы спектакль шел не один сезон. Поэтому мне и хочется, чтобы пьеса стала лучше.

— Да нельзя ее сделать лучше, болван! Ты что, сам не видишь, какая она слабая, неумелая! Детектив! Да это просто смешно! Чтобы детектив шел на сцене, это должна быть «Мышеловка» Агаты Кристи, а не беспомощное трепыхание провинциального журналиста, который среди полного здоровья вдруг вообразил себя великим драматургом. И выбрось из головы мысли прославиться на этом хилом литературном материале, не выйдет у тебя ничего в этот раз. Как говорится, не в этой жизни. Твое дело — показать себя режиссеру с самой выгодной стороны, тогда уж при следующей постановке он тебя не забудет.

— А зрители... — начал Никита, но Евгения Федоровна только скривилась.

— Я же сказала: не в этой жизни. Не на этой пьесе. Не на этом спектакле. Смирись уже наконец с тем, что зрители тебя по-прежнему пока не увидят. Зато потом будет тебе небо в алмазах, если сейчас поведешь себя правильно и постараешься как следует. Дудник, насколько я понимаю, тебе очень симпатизирует, вы и водочку вместе кушаете, и время то и дело проводите в одной компании. Ты глаза-то не отводи, Никитушка, не делай вид, что это неправда, я все-о-о про тебя знаю. — И Арбенина хитро погрозила молодому актеру пальцем. — От меня ничего не скроешь в нашем театре, я здесь всю жизнь служу и всех насквозь вижу.

Дудник числился в «Новой Москве» очередным режиссером и после трагедии с художественным руководителем театра Львом Алексеевичем Богомоловым, который ныне лежал в реанимации и находился между жизнью и смертью, приступил по распоряжению дирекции к репетициям новой пьесы «Правосудие», которую до этого ставил сам Богомолов.

Колодный удрученно молчал, потом протянул руки и взял на колени кошку Эсмеральду. Кошка с удовольствием потерлась лобиком о живот актера: Никиту она любила и привечала, хотя вообще-то была существом капризным и мало кому позволяла столь фривольное обращение с собой.

— Как вы думаете, Евгения Федоровна, преступника скоро найдут? — робко спросил он.

— Найдут, куда денутся. Все ведь очевидно, — вздохнула актриса. — Милицейские еще недельку-другую потолкутся у нас, да и выяснят все.

— Что выяснят? — проговорил Колодный с каким-то не то испугом, не то недоумением. — Что у нас можно выяснить? Не мы же Льва Алексеевича... Никто из наших не мог. Да и за что? Вы же не думаете...

— Господи, Никитушка, сердце мое, да что тут думать-то? Ты что, сам не понимаешь, кто и за что хотел Леву убить? Это же очевидно.

На следующий день Настя Каменская прямо с утра отправилась к своему давнему приятелю Григорию Гриневичу, работавшему помощником режиссера в одном из московских театров. С Гришей они росли в одном доме и очень дружили в школьные годы, Гриневич в подростковом возрасте даже был в Настю влюблен, но она относилась к нему только как к доброму товарищу, а уж когда в девятом классе, придя учиться в физико-математическую школу, села за одну парту с Лешей Чистяковым, вопрос о романтических отношениях с кем бы то ни было, кроме Леши, отпал сам собой.

Сегодня у Гриневича рабочий день начинался после обеда, у него не было утренней репетиции, и встречались они дома у Григория, жена которого ради гостьи испекла пирожки и убежала на работу.

— Я не льщу себя надеждой, что ты явилась ради моих ранних седин, — засмеялся Гриша, усаживая Настю в кресло в гостиной. — Говори сразу, какие у тебя надобности.

— Мне бы про театр «Новая Москва» узнать, —

призналась Настя. — Все, что знаешь, и правду, и сплетни, и слухи.

— Ну, насчет правды я тебе кое-какую информацию, конечно, дам, а вот насчет сплетен и слухов — с этим у меня победнее. Но все, что знаю, расскажу, ничего не утаю, — пообещал Гриневич.

«Новая Москва» — театр старый, с биографией, создан в 20-е годы для пропаганды революционного искусства, которое надо было нести в массы. С самого начала считался очень авангардным и модным. Потом, после войны, стал ориентироваться больше на классику, тогда авангард вышел из моды, а с середины 70-х, после успеха Таганки, снова повернулся лицом к современным формам и всяческим экспериментам. Долгое время в «Новой Москве» был один и тот же главный режиссер, прославившийся своими новаторскими постановками, а после его смерти пришел Богомолов, лет пять-семь назад. Богомолов новаторством не увлекается и современных пьес ставить не любит, он больше ценит классику и сам ставит только ее. Хотя у него в театре достаточно много и современных пьес, в основном комедий.

— На это он приглашает режиссеров со стороны по договору или дает Сеньке Дуднику ставить, — рассказывал Гриневич. — Сенька — это очередной режиссер у Богомолова. Вообще Богомолов такую политику ведет: современных пьес он сам в своем театре не ставит, поручает другим, а свою любимую классику ставит в других театрах, куда его приглашают. Ну и у себя, когда есть возможность.

— А какой у него характер? Как он с людьми обращается? — спросила Настя.

— Богомолов — хам редкостный, грубиян и при этом сноб в самом плохом смысле этого слова. Считает себя гуру в режиссуре, а всех остальных — грязью, пылью под ногами. Разговаривает только с теми, кто, на его взгляд, равен ему по уровню, ну или выше статусом, это уж само собой. Да что там разговаривает — он даже здоровается только с теми, кого считает достойным самого себя. Это так народ из «Новой Москвы» про него рассказывает. Я с ним лично не общался, не тот у меня, как ты понимаешь, уровень, но наблюдал со стороны не раз, и похоже, что все это правда.

— Значит, с равными себе он разговаривает, а с другими? — уточнила Настя.

— А с другими у него один способ общения: ругань, крик, брань, попреки, выволочки — ряд можешь продолжить сама.

— А какие ходят сплетни насчет его врагов?

— Видишь ли, «Новая Москва» — это так называемое автономное учреждение культуры, то есть деньги, которые этот театр получает от государства, называются не финансированием, а инвестированием, или дотациями. И размер этих дотаций очень сильно зависит от личных отношений руководства театра с Департаментом культуры. Ну и связи в Минкульте тоже имеют значение. Таких автономных учреждений в Москве — не одно и не два, и размер инвестирования очень различается. Так вот, у Богомолова крепкие завязки там, где надо, и его театр получает гораздо больше денег, чем другие «автономные», что вызывает страшную ревность и зависть. А у Льва не хватает душевной мудрости правильно вести себя с теми, кто получает меньше, он ходит, задрав нос, и открыто говорит им в лицо, что, если они получают меньше, стало быть, они объективно не достойны — и художественный уровень постановок у них куда ниже, и труппа слабее, и вообще они слова доброго не стоят. Причем говорит это и у них за спиной, нисколько не стесняясь в выражениях. А круг-то театральный — он узкий, несмотря на то что театров в Москве вроде бы много, а все равно все друг с другом связаны, и информация распространяется практически мгновенно и беспрепятственно. Невозможно сказать о ком-то гадость, чтобы это через два дня не стало известно.

— Ну хорошо, он считает себя гуру, а как на самом деле? Он действительно хороший режиссер?

— Да, Богомолов действительно хороший режиссер, — пожав плечами, усмехнулся Григорий. — Но хороших много, а гениальных — единицы, так вот он — не гениальный, он такой же, как десятки других. Крепкий профессионал, но ничего выдающегося. Набрал в труппу звезд и просто актеров, засветившихся и примелькавшихся в сериалах, на них публика идет, особенно приезжие молодые девочки и женщины, жаждущие посмотреть на своих кумиров, которых постоянно видят на телеэкране. Поэтому сборы всегда хорошие, даже если пьеса неудачная и режиссура слабая. Все равно идут и смотрят, потому что актеры, пусть и не очень сильные, но узнаваемые. А стариков, которые процветали при прежнем режиссере, Богомолов не жалует. Он вообще стариков не любит, знаешь, есть такая категория людей, которая считает, что молодость — это достоинство, а старость — порок. Многие старики ушли из театра совсем, многие остались, но сидят без ролей, только за зарплатой приходят. Но, конечно, у Богомолова есть и любимчики среди старой гвардии, например Арбенина.

— Та самая? — удивилась Настя. — Я почему-то

думала, что актрисы такого уровня играют, например, в Малом или в МХТ. А она, оказывается... Впрочем, я не театралка, ничего в этом не понимаю.

— Так вот, Арбенину он любит, привечает, считается с ней и дает ей играть, тем более что Евгения Федоровна в прекрасной форме и в свои годы еще запросто играет пятидесятилетних женщин, а то и помоложе. Аркадину, например, в «Чайке», Раневскую в «Вишневом саде», даже Принцессу Космонополис в «Сладкоголосой птице юности». А с некоторыми другими стариками Лев Алексеевич обходится просто бесчеловечно, даже когда у них юбилеи, не дает им играть. У них там и скандал был из-за этого.

— Скандал? Какой? — оживилась Настя.

— Завлит нашел пьесу для возрастных актеров, очень приличную, и в ней можно было занять пятерых стариков. А что сделал Богомолов? Назначил на эти роли молодых и средневозрастных актеров, пускай, дескать, публика повеселится, глядя, как молодежь играет стариков. Знаешь, это известная фишка на театре, зритель обожает, когда известный актер, к примеру, играет, переодевшись женщиной, это особый кайф, или когда молодой играет старика. Публике очень нравится, и она с удовольствием идет на такой спектакль. А когда в «Новой Москве» стало известно, что будет ставиться эта пьеса, все старики приободрились, потому что если сделать два состава, то практически все они будут заняты. На первую читку Богомолов собрал всю труппу и читал сам. Старики сидели и радостно ждали, когда он объявит распределение ролей. А он пьесу прочитал и заявил, что распределение будет вывешено на доске через два дня. Два дня труппа гудела, да что труппа — весь театр гудел, радовался, что старики наконец получат возможность выйти на сцену. А через два дня повесили распределение, и оказалось, что назначены сплошь молодые актеры, известные по сериалам. Конечно, они сделают кассу, не вопрос, но ведь не все же деньгами надо мерить. Народ повалил к Арбениной с просьбой пойти поговорить с Богомоловым, ведь он ее любит и к ней прислушивается, она у него в любимицах ходит. Арбенина отказалась разговаривать с худруком, я, говорит, на конфликт с ним не пойду, мне еще поиграть хочется, рано мне на пенсию, а если мы не договоримся, он мне ролей давать не будет. Театр тогда разделился на два лагеря, одни поддерживали Арбенину и говорили, что опасно и страшно вступать в конфронтацию с художественным руководителем, тем более что он не просто худрук, а худрук — генеральный директор, то есть еще и финансами распоряжается и вообще всем на свете. Другие считали Арбенину предательницей и трусихой, которая печется только о своей шкуре.

Гриневич подлил Насте кофе и откусил пирожок.

— Я так понимаю, что ты насчет покушения на Богомолова информацию собираешь, верно?

— Верно, — кивнула Настя.

— Так вот, имей в виду, в театре, не только в «Новой Москве», но и в любом, собирать информацию трудно, — предупредил ее Гриневич. — Много выдумок выслушаешь, так что дели все, что тебе скажут, на сто пятьдесят и многократно проверяй и перепроверяй. Во-первых, все панически боятся худрука, а уж если он в едином лице еще и директор, то страха перед ним еще больше. Во-вторых, актеры — они особенные, никогда об этом не забывай. Они выдумывают и свято верят в то, что говорят, поэтому выглядят совершенно искренними. Они постоянно в профессии, и любой разговор, особенно с незнакомым человеком, это повод сыграть такой, знаешь ли, мини-моноспектакль, пускай даже только для одного зрителя. Они тут же придумывают историю, чтобы в ней была динамика, был драматизм, драйв, с удовольствием ее разыгрывают и свято верят в правдивость того, что говорят, как на сцене. И даже если не верят, им хватает элементарных профессиональных навыков, чтобы выглядеть очень убедительными. Они кого угодно вокруг пальца обведут. Но хитрость их будет совершенно детской, наивной и беззлобной. Для них важно одно: чтобы им давали играть. И играть они готовы всегда, всюду и перед кем угодно.

— Неужели для всех поголовно? — не поверила Настя.

— Нет, конечно. Есть те, кто помешан на своей работе, а есть такие, для которых не так важно выйти на сцену, как важно заработать денег своими умениями, поэтому они не держатся особенно за роли в спектаклях, а с удовольствием подрабатывают на корпоративах и частных вечеринках. Во всяком случае, они сами про себя так говорят. Но это на самом деле только видимость. Просто им не дают играть то, что они хотят, и столько, сколько им хочется, вот они и придумывают, что им не очень-то и хочется. Придумывают и сами же в это верят. Ты пойми, Настя, актер — это человек абсолютно подневольный, зависимый, он не властен над свой жизнью и работой, он ждет, когда его позовут, когда ему предложат, когда его назначат. То есть постоянно зависит в своей работе и в жизни от чужой воли, от чужого интереса, от чужого желания, мнения, настроения, точки зрения. Актер ничего не может сам. И даже когда его уже выбрали, предложили, назначили, он должен делать то, что ему велит режиссер, то есть должен лепить тот образ, который видит постановщик. У актера есть только одна свобода: в выборе средств, которыми он будет решать задачу, поставленную режиссером. Больше ему ничего не подвластно. В этом весь и ужас. Отсюда и характеры у них такие детские, хотя выглядеть они могут серьезно и солидно, но на самом деле особенности профессии не позволяют им развивать в себе способность к поступку.

— А как же разделение на лагеря? Я много слышала о подобных скандалах в театрах, когда хотели выжить режиссера, и так далее. Да ты и сам мне только что рассказывал, как в «Новой Москве» разделились на две группы из-за Арбениной.

— Вот именно. Разделение на лагеря. Это совершенно детская модель поведения — ты за «красных» или за «белых»? Сбиться в кучку, в стаю, обсуждать, но не высовываться, не проявлять индивидуальность. Я не говорю, что актеры — плохие, чудесные, они талантливые, необыкновенные, просто профессия вынуждает их быть такими, никакими другими они по определению быть не могут. А те, кто может, кто не боится проявить индивидуальность и характер, те становятся режиссерами.

Выйдя от Гриневича, Настя села в машину и двинулась в сторону «Власты», по дороге обдумывая услышанное. По здравом размышлении пришла к неутешительному выводу, что Гриневич, пожалуй, не прав или прав не во всем. Не может так быть. Просто он, видимо, не в том настроении, может быть, поцапался с кем-то из актеров, вот и наговорил сгоряча. В любом случае он тоже деятель театра, и к его словам нужно относиться с известной критичностью. Делить на сто пятьдесят, как он сам же и посоветовал.

— Владик, я вся в сомнениях, — призналась Настя Стасову. — У меня нет уверенности, что смогу справиться с театром. Я только что встречалась со своим знакомым, он в театре работает...

— В том самом? — с интересом перебил ее Стасов.

— Нет, в другом. Так вот, после разговора с ним у меня возникли опасения, что я там не разберусь и ничего толкового не сделаю. Может, откажемся от этого заказа?

— С ума сошла, — пробурчал Владислав Николаевич. — Я Вавилову такую сумму заломил, а он согласился и не поперхнулся. Это же наши доходы, а наши доходы — это ваши, между прочим, зарплаты и премиальные, так что выбрось все глупости из головы и начинай работать.

— Да как работать-то! — простонала Настя. — И с кем? С молоденьким мальчиком, который еще пока ничего не умеет? Ладно бы работать с кем-то опытным, кого я хорошо знаю и на кого могу положиться, а с этим? Я ведь даже не представляю себе степень его надежности. А вдруг ему ничего нельзя поручать и все нужно контролировать и перепроверять? Я ж замаюсь. Ну пожалей ты меня, Стасов!

— Меня бы кто пожалел, — угрюмо откликнулся он. — Думаешь, мне легко? У меня голова чугунная, будто из железных опилок сделанная, и сушняк жуткий. И спать хочется, глаза прямо сами закрываются.

— С чего бы? — вздернула брови Настя. — Это ты

так напраздновался в честь вчерашнего Дня милиции?

— В честь твоей новой работы, неблагодарное ты существо. А еще женщина!

— А это-то при чем? — удивилась она.

— Ты должна быть мягкой и жалостливой. Я, между прочим, вчера Колю Блинова до посинения упаивал, чтобы он разрешил тебе работать и не возникал. Думаешь, легко было?

— Ну и как, уговорил?

— Да куда он денется с подводной лодки после такого количества хорошего спиртного! — махнул рукой Стасов. — И ресторан я выбрал не последний. И все ради тебя, между прочим. Так что ты, подруга, не тяни, поезжай к нему прямо сейчас, пока он еще после вчерашнего в себя не пришел и назад не отыграл. Ты же с ним знакома, как я понял?

— Знакома, — кивнула Настя.

— Кошка между вами не пробегала?

— Вроде нет, мы с ним мирно работали.

— Ну и славно. Давай, езжай, куй железо. А насчет мальчонки не переживай, мы все когда-то были молодыми и начинающими, и ты, и я, и Сережка Зарубин, и с нами тоже никто не хотел в паре работать, все опытных и знающих хотели. И ничего, как-то выправились, выучились, пороху нанюхались, в люди вышли. Вспомни себя тридцать лет назад, тоже ведь ничего не умела и всех боялась. Справишься. И потом, может, он толковым окажется, этот мальчик, и ты сможешь его попутно чему-то научить. Сережка тебе только спасибо за это скажет.

— Да уж, учитель из меня — как из тебя лилипут, — вздохнула Настя, окидывая взглядом двухметровую фигуру начальника.

Она положила в сумку чистый блокнот, позвонила Николаю Николаевичу Блинову, договорилась с ним о встрече, потом связалась с Зарубиным, который пообещал прислать нового сотрудника Антона Сташиса туда, куда Настя скажет, и тогда, когда ей будет удобно. Распланировав остаток дня, она покинула офис детективного агентства и отправилась к следователю.

Несмотря на заверения Стасова о том, что он со следователем Блиновым обо всем договорился, Николай Николаевич встретил Настю суховато и почти официально, всем своим видом давая понять, что присутствие частного детектива в радиусе километра от официального следствия совершенно неуместно и, более того, незаконно. Но данное накануне слово нарушать он все-таки не стал, хотя обставил свое согласие на Настино участие в расследовании массой оговорок и ограничений. Впрочем, все эти оговорки и ограничения были понятны Насте Каменской с самого начала, она была к ним готова и ничего неожиданного от Николая Николаевича не услышала.

— Финансовые документы я из театра изъял, буду плотно работать с главным бухгалтером. Сейф худрука мы вскрыли, бумаги все забрали. Буду вызывать чиновников из Департамента культуры, Минкульт, на всякий случай, тоже потрясу, в общем, дел невпроворот. Операм я дал задание покопаться внутри семьи, там тоже надо поискать. Но скорее всего, причина покушения лежит в области деловых отношений на высоком уровне, так что в театре, как я считаю, делать вообще нечего. Но если тебе так охота...

— Это не мне, — осторожно встряла Настя, — это Вавилову, брату жены Богомолова.

— Ну и черт с ним, — сердито отозвался Блинов. — Все равно для порядка надо и в театре информацию собирать, хотя, на мой взгляд, это пустой номер. Еще один опер с территории разрабатывает линию убийства из хулиганских побуждений и шерстит местную шпану, Зарубин помогает мне с деловыми отношениями, а ты с пацаненком сиди в театре, может, научишь его уму-разуму. И посмей только скрыть от меня хоть одно слово, хоть самый маленький фактик, я тебя урою по самое не балуйся, а у Стасова твоего лицензию отнимут. Ты никто, звать тебя никак, и полномочий у тебя никаких нет. Поняла, сыночка?

— Поняла, папаня, — засмеялась Настя.

Надо же, она совсем забыла эту его смешную приговорку, а ведь когда-то, впервые услышав сакраментальное «Поняла, сыночка?», да еще с ударением в слове «поняла» на первом слоге, она долго смеялась, а потом еще несколько дней фыркала, вспоминая слова следователя Блинова. И ведь не так много времени прошло с тех пор, как они в последний раз вместе работали по делу, всего-то года полтора, а уже все забыто, и кажется, что это было в какой-то совершенно другой, прошлой жизни.

Театр просыпался. Всю ночь он спал крепко, и даже шаги охранника и дежурного пожарного его не тревожили, к этим шагам он привык и давно перестал их слышать. Накануне давали искрометную комедию, публика хохотала, и настроение у Театра было превосходным. Комедии он любил, особенно гротесковые. Еще одним достоинством вчерашнего спектакля были довольно простые декорации, которые убрали уже через час после того, как опустился занавес. Сцена стояла пустая, декорации аккуратно составлены в «карман», и всю ночь Театр дышал свободно, полной грудью. А то, бывает, не разберут декорации, оставят на утро, вся сцена забита, и Театру в такие ночи казалось, что ему нечем дышать и что-то давит на грудь и голову. Даже не давит, а распирает изнутри.

Но этой ночью он спал спокойно и сны видел радостные, потому что после комедийных спектаклей во всех помещениях, словно плотный дым, стояла аура веселья и удовольствия. Это приподнятое настроение буквально клубилось по зрительному залу с сиденьями, накрытыми на ночь огромными полотнищами, пряталось в проемах между лепным и выдвижным порталами, поднималось к падугам и выше, к самым колосникам. И от этого и сон был крепким, и сновидения — легкими.

Без четверти семь лязгнул замок — открыли запертые на ночь двери служебного входа, и в десять минут восьмого Театр уловил знакомые тяжелые шаги: уборщица Маруся. Фамилии ее Театр не понимал, но слышал, что другие уборщицы называли ее именно так, Марусей, а Владимир Игоревич Бережной называл ее странным словом «Матлюба». Что это слово означало, Театр не знал, но подозревал, что что-то уважительное, потому что Владимир Игоревич, директор-распорядитель, вообще такой человек, добрый, внимательный, работников Театра любит и относится к ним с уважением. Но до чего же тяжела походка у Маруси-Матлюбы! Женщина вроде небольшая, миниатюрная даже, худенькая, а ходит так, что у Театра все внутри дрожит, и в самых дальних закутках эта дрожь отдается. То ли дело Зиночка из бухгалтерии, вот уж она ходит — не ходит, а летает, ногами пола не касаясь, а ведь дама корпулентная, весит не меньше центнера.

А еще Театр очень любил кошек, не всех, конечно, всех-то он и не видал никогда, а их родных, собственных, театральных, и тех, что прибились к зданию и живут в нем, и тех, что живут у артистов и приходят в гости. Ну, не сами, конечно, приносят их хозяева, но все равно получается «в гости», и Театр всегда этому радуется, потому что приходят кошки в гости именно к нему, к Театру. А как же иначе? Все люди стремятся в Театр «зачем-то»: либо работать, либо удовольствие получать, развлекаться. А вот кошки и коты, которых приносят хозяева, являются именно что в гости к самому Театру, потому как ни работы у них тут нет, ни спектаклей им никаких не надобно. Ходят и трутся себе об углы. И тот факт, что к Театру, как к живому существу, приходят гости, поднимало настроение и придавало ему ощущение собственной значимости и равнозначности людям.

На самом деле «в гости» к Театру ходили только двое: кошка Эсмеральда, хозяйкой которой была известная актриса Арбенина, и ее сыночек, котик по имени Гамлет, которого приносил старинный друг Арбениной актер Пантелеев Степан Кондратьевич, милый старикан, проработавший в этом Театре всю жизнь и преданный ему всей душой. Только Гамлета что-то не видно, потому что Степан Кондратьевич умер, в фойе даже портрет его висел в траурной рамке и с некрологом, а Гамлет с тех пор больше не появлялся. Где он? Как он там, бедолага? Тоже, наверное, как и Театр, горюет по старому актеру. Гамлет... Смешной такой кот был, белоснежный, как и мамочка его Эсмеральда, пушистый до невозможности, но, как и мамочка, с характером. Только если у Эсмеральды характер выражается в том, что она мало кого любит и мало кому позволяет себя брать на руки, то есть избирательная такая кошечка, привередливая, то Гамлет жуть какой обидчивый, на него даже не так посмотришь — и все, он уже в депрессии, уже не трется бочком и щечкой об углы в помещениях, а забивается у Степана Кондратьевича в гримерке под гримировальный столик, морду в пол и болеет. И еще Гамлет на дух не выносил спиртного и постоянно скандалил со своим хозяином, который это дело очень уважал и частенько позволял себе. Нет, конечно, не в день спектакля, а так... Степан Кондратьевич Театру до того предан был, что приходил чуть не каждый день, независимо от того, есть у него спектакль или репетиция или нет. А спектаклей и репетиций с каждым годом становилось все меньше и меньше... Не любил художественный руководитель Театра старого актера, да он почти всех стариков не любит, кроме Арбениной да еще парочки корифеев. Ну и пожалуйста, Театр в ответ тоже худрука Богомолова не жаловал. А чего его жаловать, скажите на милость, если он, кроме своей обожаемой классики, ничего путного ставить не хочет? Ведь как хорошо: комедия, бурлеск, гротеск, танцы, песни, блестки, дым, музыка грохочет, зал взрывается хохотом и аплодисментами! Красота! И у Театра настроение хорошее, и у людей, которые в Театр пришли, тоже. И актеры радуются, потому что играть страдание всегда тяжело, а играть комедию — весело. Еще лучше — когда вообще все непонятно. И пусть даже это не комедия, пусть пьеса про серьезное, даже, черт с ним, пусть это будет классика, но чтобы авангардно, чтобы новаторски, необычно, актеры на веревках из-под падуг спускаются или проваливаются в люки, исчезают и снова появляются, а еще Театру очень нравились декорации, похожие на абстрактную живопись. Одним словом, чем непонятнее и загадочнее, тем лучше. Вот он слышал, как когда-то, много лет назад, обсуждали постановку «Трех сестер» в Театре на Таганке, так это ж одно удовольствие послушать! Жаль, что нельзя было посмотреть... Жесткий ритм военного марша, такого порой громкого, что голосов артистов не слыхать, железный задник в виде обветшалого иконостаса, по которому льется вода, зеркальная стена, увеличивающая пространство, перекошенная пластика актеров — все кричит о разрухе и перепутанности мира, в котором истинные страдания неумолимо соскальзывают в шутовской балаган. Вот это спектакль так спектакль, нынешним не чета!

Очень давно, за несколько лет до Октябрьской революции, построили здание для Театра варьете. Потом началась смута, Гражданская война, а в середине двадцатых годов здание, к тому времени запущенное и полуразрушенное, привели в порядок и устроили там театр, которому дали название «Новая Москва». Искусство принадлежит народу. Искусство в массы, и все такое. Спектакли ставили революционные, пропагандистские, новаторские, старались, чтобы искусство молодой страны Советов ничем не напоминало классический театр, процветавший при царизме-империализме. Театр, который за несколько дореволюционных лет привык к краскам, яркости, музыке, бурлеску и всеобщей радости и веселью, принял новые постановки с энтузиазмом, ему все нравилось, он считал, что театр должен быть именно таким и никаким другим, но, собственно, никакого другого он и не знал.

Потом, после войны, мода на авангард как-то поутихла, стали ставить отечественную и зарубежную классику и современные идеологически выверенные пьесы, ставили строго, по Станиславскому и Немировичу-Данченко, без того, что так нравилось Театру и к чему он привык за годы своего существования. Все было очень серьезно, очень по правде, очень жизненно, правдоподобно. И Театр откровенно заскучал. Не было праздника. Не было...

Наконец, в семидесятые годы, пришел тот режиссер, которого Театр ждал: новатор, не боящийся смелых экспериментов, веселый, неординарный, талантливый и яркий. Театр ожил. Никакой тебе классики, больше похожей на документальное кино, когда показывают заседание парткома или революционную действительность, никакой скуки, никакой монотонности, все разнообразно, смешно и непонятно. Или очень серьезно и даже грустно, до слез, но все равно малопонятно, только пробивается сквозь сукно кулис смутное ощущение трагичности и невосполнимости потери, закамуфлированное странными и чудными образами текста, костюмов, декораций и актерской игры.

Театр с момента своего создания жил ощущением, что вот сейчас занавес раздвинется — и начнется чудо. С приходом нового режиссера это чудо вернулось в жизнь Театра, и снова появилась тайна, и снова возникло предвкушение волшебства.

А потом режиссер умер, и пришел на его место скучный Богомолов, который не только стариков не уважает и людей за людей не считает, но и ставит не то, что Театру нравится. Понятное дело, ему надо кассу собрать, билеты продать, чтобы на вырученные деньги заплатить всем зарплату, купить материалы для оформления новых спектаклей и вообще решить множество финансовых вопросов. Но ведь прежний режиссер как-то это все решал, а скучно не было... Впрочем, тогда была советская власть, и все деньги шли из бюджета, а теперь сам черт ногу сломит, прежде чем разберется, откуда какая копейка взялась. Может, он и неплохой, этот Богомолов, но не любил его Театр, не любил — и все тут. В конце концов, главный человек в Театре — это артист, потому что именно он выходит на сцену, и именно он доносит до зрителя все то, что имели сказать автор пьесы и режиссер. Если не будет артиста, то, хоть ты сто раз нобелевский лауреат в области литературы, никто твою пьесу на подмостках не увидит, и хоть ты тысячу раз лауреат премии «Золотая маска», но без актеров ни один режиссер свой замысел не воплотит. Так что будьте любезны актера уважать, любить его и потакать всем его капризам, потому что без него ничего не будет. Вообще ничего. Никаких театров, никаких драматургов и режиссеров, и даже членам жюри, которые премии распределяют, тоже делать будет нечего. Так-то вот.

Однако почти неделю назад с худруком Львом Алексеевичем Богомоловым случилась беда. Кто-то ударил его бейсбольной битой по голове, проломил череп, и теперь художественный руководитель театра «Новая Москва» лежит без сознания, а весь Театр гудит и обсуждает, кто мог это сделать и что теперь будет дальше. Вернется ли Лев Алексеевич к работе? Если да, то кто был его любимчиком, так им и останется, а кого он не замечал, того замечать и не начнет. Это — если вернется. А если нет? Если останется глубоким инвалидом и работать в Театре не сможет? Кто его заменит? И кто тогда станет «любимой женой падишаха», а кто отправится в изгнание? Лев Алексеевич репетировал новую пьесу, теперь работу продолжает очередной режиссер Семен Дудник, молодой, амбициозный, как нынче говорят — креативный. Означает ли это, что, если не вернется в театр Богомолов, его место займет Дудник? Маловероятно. Театр ничего не слышал о том, чтобы у Семена были какие-то поддерживающие связи наверху, а без связей кто ж тебя назначит? Сколько бы таланта у тебя ни было, не те сейчас времена, чтобы по таланту назначали. В нынешнее время на любую должность назначают по кумовству и непотизму. Слово «непотизм» Театр выучил относительно недавно в ходе репетиций одной современной пьесы и весьма гордился новым приобретением своего не очень-то богатого лексикона.

В основном обитателей Театра интересовало, «что будет дальше». А вот Театр больше интересовался вопросом, «кто это сделал и почему». Он был дальновидным, этот старый Театр, и прекрасно понимал, что от ответа на второй вопрос впрямую зависит ответ на первый, а никак не наоборот. Взять хотя бы того же Дудника для примера. Мог он совершить покушение на Льва Алексеевича? Да, конечно же, мог. Чего ему не смочь-то? Молодой, здоровый, сильный мужчина, и выгода ему прямая, не будет над ним висеть хамоватый и грубый самодур худрук-директор, а глядишь, и сам худруком станет, если повезет. Только если это он Богомолова битой ударил, так не в кресло худрука-директора сядет, а совсем в другое место. Вот и выходит, что от того, кто «шляпку спер», зависит и ответ на вопрос: «Кто тетку пришил?» Не бывать Дуднику худруком, если он преступник. Так что, прежде чем думать о том, что будет дальше, надо знать, кто преступление совершил.

Поэтому Театр с особым вниманием прислушивался и присматривался к тому, что происходит в связи с расследованием.

А происходило что-то невнятное. Сначала приходили какие-то мужчины, которые сидели подолгу в кабинетах художественного руководителя и директора-распорядителя, потом они ушли и забрали с собой много всяких бумаг. Театру было странно, что эти чужие люди сидели в кабинете Богомолова, которого не было, его положили в больницу, и вызывали туда других работников Театра и о чем-то с ними беседовали. Театр даже попытался было прислушаться к этим беседам, но они все были скучные, про одно и то же, и слушать он перестал, только наблюдал и старался делать выводы. Но выводы никак не делались.

А сегодня пришел только один из этих чужих мужчин, самый молодой, и с ним какая-то женщина, которую Театр раньше никогда не видел.

Настя Каменская сидела в своей машине перед зданием театра «Новая Москва» и ждала Антона Сташиса. Так получилось, что она приехала почти на двадцать минут раньше оговоренного времени, потому что маршрут от дома до театра был для нее новым, и правильно рассчитать время ей не удалось. Она немного опустила стекло, в которое немедленно начал просачиваться сырой прохладный ноябрьский воздух, закурила и решила использовать время до встречи со Сташисом для того, чтобы еще раз вспомнить и систематизировать информацию, которую Антон ей изложил накануне, когда они встречались на Петровке.

Художественный руководитель, он же директор театра «Новая Москва» Лев Алексеевич Богомолов вечером перед покушением, 6 ноября, в субботу, находился в другом театре на юбилее известного и любимого всей страной актера, которому исполнилось 75 лет. Праздновали пышно, было много гостей: артистов, режиссеров, журналистов, искусствоведов и прочих людей, имеющих отношение к театральному искусству. Закончилось все банкетом. Лев Алексеевич возвращался домой поздно, он был не за рулем, поскольку банкет предполагал спиртное, его подвозил один из гостей, у которого была служебная машина с водителем. Лев Алексеевич попросил остановить машину не около своего подъезда, а у соседнего дома, и дальше пошел пешком. Почему? Кто его знает. В принципе довольно странной выглядит ситуация, когда человек возвращается домой в три часа ночи и почему-то не доезжает на машине до подъезда, а выходит раньше. Для чего? Прогуляться захотел? Глупо, ведь очень поздно и потому опасно. Или были какие-то другие причины? Но важно одно: ни тот, кто подвозил Богомолова, ни водитель не могли видеть, что произошло возле подъезда. А там Льва Алексеевича ударили бейсбольной битой по голове и проломили череп. Было это около трех часов ночи. Время установлено приблизительно, поквартирным опросом выявлен свидетель, который примерно в два пятнадцать — два двадцать возвращался домой и никого у подъезда не видел, а патрульная машина, проезжавшая по маршруту ровно в три ноль семь, обнаружила лежащего на земле

Богомолова и вызвала наряд и «Скорую». По показаниям жены Богомолова, все ценные вещи остались при нем, часы, бумажник — все на месте, то есть на ограбление не похоже. Это могли быть местные отморозки, которые просто увидели не совсем трезвого, хорошо одетого мужчину и решили вступить с ним в диалог, но диалог почему-то не состоялся. Или у них мог быть умысел на грабеж, но им что-то помешало, не исключено, что они заметили все ту же патрульную машину. Но если это не местные пацаны и не случайные грабители, надо искать мотивы для убийства. Конечно, очень соблазнительной была лежащая на поверхности версия, что на Богомолова напал тот, кто его подвозил, либо один, либо вместе с водителем, и на самом деле Лев Алексеевич вышел у самого подъезда, а эти два свидетеля нагло врут, что высадили его раньше и ничего не видели. Ах, как соблазнительно было раскрыть преступление по горячим следам! В этих двоих вцепились мертвой хваткой, но ничего не вышло. Ни мотива для убийства у них не было, ни даже самого крошечного расхождения в показаниях.

А биту, которой ударили Богомолова, нашли неподалеку, в мусорном контейнере. Она вся пропахла бог весть чем, и посторонней грязи на ней было немало, но эксперты все равно пообещали сделать все, что смогут. Главное, на что надеется следствие, это микроволокна одежды преступника, с которой наверняка соприкасалась бита, а уж на потожировые следы, не говоря о пригодных к идентификации следах пальцев рук, надежда теперь совсем слабая. Осень, ноябрь, холодно, тот, кто держал биту в руках, наверняка был в перчатках. Хотя еще может и повезти, если биту эту преступник держал голыми руками. Но результатов экспертизы придется какое-то время ждать...

Версия о том, что Богомолова могли попытаться убить из-за наследства, тоже критики не выдержала. У Льва Алексеевича были мать, жена Елена, а также дочь от первого брака Ксения, девятнадцати лет, но не было никаких особых средств, на которые могли бы рассчитывать наследники. Жил он более чем скромно, в плохонькой двухкомнатной квартирке в панельной девятиэтажке, а все деньги, получаемые в качестве гонораров за постановки, тратил на то, чтобы респектабельно выглядеть в глазах окружающих, то есть на одежду, часы и хорошую обувь. Даже автомобиль у него был средненький, на более дорогую машину средств не хватало. Так что наследство Богомолова измерялось одной только дешевой квартирой, убивать ради которой смысла никакого не было: квартира находилась в собственности жены Елены, а больше у Богомолова ничего и нет: ни недвижимости, ни счетов в банках.

Антон вместе со следователем уже общался с директором-распорядителем Бережным, режиссером Дудником, с главным бухгалтером. Следователь изъял кучу финансовых документов и теперь с ними разбирается. Но до нынешнего момента весь сбор информации в основном проходил вне театра: общались с женой Богомолова, с чиновниками Минкульта и Департамента культуры, с друзьями, с худруками других театров. Собственно, инициатива Зарубина привлечь Настю продиктована именно тем, что в самом театре собирать информацию очень сложно, штат — около 200 человек, из них труппа — 48 человек, а еще руководство, администрация, бухгалтерия и кадры, технические службы, рабочие сцены, бутафоры, костюмеры, гримеры, осветители, билетеры, уборщицы, гардеробщицы, вахтеры, пожарные, и каждый может оказаться обиженным и особо мстительным. Разговоры с Бережным и Дудником строились вокруг одного: нет ли у них подозрений, не знают ли они, кто мог до такой степени обозлиться на Богомолова, что попытается его убить. Они ничего не знают. В качестве подозреваемых их самих никто пока не рассматривал. Если исходить из того, что виновный может оказаться сотрудником театра, то надо каждого рассматривать как подозреваемого и разговаривать уже совсем по-другому.

— Доброе утро, — послышался голос, и Настя вздрогнула.

Она так глубоко задумалась, что не заметила подошедшего к ее машине Антона Сташиса, высоченного красивого парня, которому, по ее прикидкам, еще не исполнилось тридцати лет.

Машинально она взглянула на часы и с удивлением обнаружила, что Антон появился ровно без десяти десять, как они и договаривались. А ей показалось, что она давно сидит в машине и времени уже гораздо больше, и Настя собиралась устроить молодому сотруднику выволочку за опоздание. Но никакого опоздания не случилось.

— Центральные двери еще закрыты, пойдемте, я покажу вам, где служебный вход, — сказал Антон, подавая ей руку, чтобы помочь выйти из машины.

Насте с трудом удалось скрыть удивление. С каких это пор оперативники подают дамам руку? Или теперь их этому специально обучают? В ее времена молодые опера больше напоминали веселых парней из соседнего двора, а не рафинированных джентльменов. И одет этот Сташис странно! Настя еще накануне, когда они встречались на Петровке, отметила его костюм с сорочкой и галстуком. Вот уж совершенно нетипично для сотрудника уголовного розыска, никто на ее памяти так не одевался, кроме руководства отдела, да и то в тех случаях, когда на них не было милицейской формы. А так в основном рабочий вид сыщика — джинсы, свитер, куртка. И удобно, и немарко, и прилично, и движений не стесняет в случае чего, хоть в ресторан иди, хоть по подвалам и чердакам лазай.

Они обогнули здание театра и подошли к двери служебного входа. Вахтерша молча кивнула Антону, видно, она его уже встречала. Настя, по давней привычке все считать, мгновенно прикинула: ну да, если вахтеры работают по графику «сутки через трое», то в прошлый раз смена этой женщины приходилась как раз на понедельник, 8 ноября, когда к делу о покушении на Богомолова подключили работников с Петровки. А вот охранник в униформе с эмблемой частного охранного предприятия явно другой, Антона прежде не видел и кинулся было строго спрашивать, кто они и зачем пришли, однако вахтерша что-то тихонько сказала ему, и охранник отступил.

Настя и Антон разделись здесь же, в служебном гардеробе, и пошли по длинному безликому коридору с множеством дверей.

— Ну, с кого начнем? — спросила она.

— А кто есть в театре, с того и начнем, — беззаботно ответил Сташис. — Сейчас десять часов. Я уже примерно представляю себе, как строится день в театре. К одиннадцати актеры придут на репетицию, к этому же времени появится и Дудник, а вот директор-распорядитель должен уже быть на работе.

— Стало быть, с него и начнем, — решила Настя. — Вы не против?

— Я всегда за, — рассмеялся Антон. — Только имейте в виду, к нему еще придется высидеть очередь, потому что к Бережному каждый бежит со своими проблемами и у него вечно толпа в приемной.

— Ничего, как-нибудь прорвемся. А вам, Антон, надо учиться быть нахальным. Очень пригодится. Ведите.

Они прошли до конца коридора, свернули на служебную лестницу, поднялись на второй этаж, и Антон подвел ее к приемной директора-распорядителя Бережного. Приемная, как он и обещал, оказалась полна народу, но Настя решительно подошла к секретарю — холеной, приятного вида даме лет сорока пяти, — и уже через минуту сыщики стояли в кабинете директора-распорядителя.

Кабинет Насте сразу понравился — просторный, но казавшийся тесным из-за огромного количества находящихся в нем предметов. Кроме того, визуально пространство сужалось еще и за счет того, что все стены были увешаны какими-то полочками, плакатами, афишами и схемами. Собственно, именно схемы и привлекли ее внимание, схемы Настя любила. А тут на стене висел огромный лист бумаги, расчерченный на графы и строки, в каждой колонке написано название спектакля. И еще Настино внимание привлекла коллекция фигурок с изображением различных кошек, стоящая на низеньком, притиснутом к стене столике. Кошки были веселые, расписные, озорные, в костюмах и с музыкальными инструментами в лапках. Коллекция радовала глаз и сразу создавала атмосферу какой-то отеческой доброты и вообще несерьезности.

Владимир Игоревич Бережной, высокий, стройный мужчина с длинными ногами, широкими плечами, густыми, красиво поседевшими волосами и аккуратной бородкой, стремительно поднялся им навстречу. «Неужели бывают директора с такой внешностью? — с изумлением подумала Настя. — Ему бы актером быть, героев-любовников играть, а он распоряжается починкой крыши и туалетной бумагой».

— Я думал, вы больше к нам не придете, — радушно улыбнулся он Антону. — Вы же, кажется, обо всем уже спросили, даже документы изъяли.

— Мы, Владимир Игоревич, спрашивали в тот раз про деловые конфликты, а теперь вот вместе с Анастасией Павловной будем разбираться с конфликтами творческими, — объяснил Антон.

— А вы, Анастасия Павловна, наверное, следователь? — проявил догадливость Бережной.

Настя смешалась. Говорить правду не хотелось, да она и с Блиновым условилась, что об участии частного детектива никто знать не будет, а то скандалов не оберешься, поэтому уклончиво ответила:

— Я вместе с Антоном работаю, мы с ним коллеги.

— Неужели? Я и не знал, что такие элегантные дамы работают сыщиками. Я к вашим услугам, задавайте свои вопросы, но, ей-же богу, не представляю, что интересного могу вам рассказать. Мы люди мирные, творческие, таких конфликтов, из-за которых можно убить, у нас не бывает. Вы же понимаете, самый острый конфликт я сам могу сгладить, на это я тут и посажен.

— Ну а вообще конфликты бывают? — настойчиво спросила Настя, краем глаза заметив, что Антон достал диктофон, включил его и положил на стол перед собой.

— Конечно, — кивнул Бережной, — постоянно бывают, но они мелкие, как в любом театре и в любом коллективе. Не такие, из-за которых убивают, — повторил он.

— Например, какие?

— Ну, унесенный ключ от гримерки, гвоздик, вбитый в туфли, подмена реквизита или вообще его упрятывание...

— Минуточку, — остановила его Настя. — Пожалуйста, каждый пункт из перечисленного — поподробнее. Я в театре в первый раз, не удивляйтесь, если мне многое покажется непонятным.

Бережной улыбнулся и весело пояснил, что одна актриса, чтобы напакостить другой, унесла после спектакля ключ от их общей гримуборной с собой, а не оставила на вахте внизу, как положено. На следующий день вторая актриса явилась, как предписано правилами внутреннего распорядка, за тридцать минут до начала первого акта, а ключа нет. И где он — неизвестно. А ей ведь и переодеться надо, и загримироваться. Пока выясняли, где ключ, искали дубликат, прошло время, ей через три минуты на сцену выходить, а она не готова. Костюмеры-одевальщицы костюм на нее натягивали буквально на ходу, в кулисах последнюю пуговицу застегивали, а с гримом она так и не успела и все первое действие думала только о том, как плохо выглядит, — тона на лице нет, глаза не нарисованы, губы не накрашены, прическа не сделана. И главное: во втором акте она не может выйти с другим лицом, сюжет не позволяет. Так и доигрывала спектакль с осознанием собственной некрасивости. Да еще и злость, и невозможность собраться перед первым выходом... В общем, играла она в тот день плохо, так что пакость вполне удалась. А та актриса, которая унесла ключ, на другой день делала кругленькие глазки, била себя в грудь и клялась, что она не нарочно и что чувствует себя ужасно виноватой.

Был случай, когда актер вбил другому актеру гвоздик в сценический ботинок. Аккуратненько так вбил, на первый взгляд и не заметно совсем, а острие торчит и подошву ноги ранит в кровь. Сделал он это перед самым спектаклем, когда костюмы и обувь уже, что называется, «заряжены», то есть костюм-то актер надел в гримуборной, а ботинки стоят в кулисах, он их перед самым выходом на сцену надевает. Вот подходит он в кулисы за две минуты до своего выхода, стоит спокойненько, с помрежем шуточками перекидывается, потом в последнюю секунду быстро сует ноги в ботинки и шагает на подмостки. Каждый шаг — искры от боли из глаз сыплются. А что делать? Не выйти нельзя — ему на сцене уже реплику подали. Надо доигрывать, никуда не денешься. Ну, можно себе представить, как «легко и вдохновенно» он играл!

Есть и такие хулиганы, которые с реквизитом балуются. Реквизитор все, что требуется для спектакля, на столик в кулисах выложит в определенном порядке, только отвлечется на секунду — и уже кто-нибудь из таких вот хулиганистых меняет предметы местами или вообще убирает и прячет. Актер настроится, подготовится к выходу, протянет руку, чтобы взять то, с чем он должен выйти, а там этого нет — или лежит в другом месте, или совсем не лежит. Приходится или судорожно искать этот предмет, или быстро думать, чем и как заменить, бывает, что и без реквизита выходят и начинают импровизировать на ходу. Хорошо, если пропавший предмет не игровой, то есть в действии непосредственно не участвует, например, персонаж должен выйти с тростью и поставить ее в угол. Больше трость ни для чего не нужна. Ну, выйдет он без трости, невелика важность. А вот если это письмо, которое он должен прочесть по ходу действия? Или шкатулка с деньгами? Или, как вариант, шкатулка-то на месте, а деньги из нее кто-то вынул. И что получается на сцене? Анекдот вместо драмы.

— Да таких баек можно сотни рассказать, только ведь не убивают из-за этого, — снова настойчиво повторил Бережной. — В общем, актеры — они же как дети и балуются чисто по-детски. Могут во время спектакля реплику не дать, а партнер ждет и теряется. И со всем этим они бегут или к завтруппой, или прямо ко мне, а мое дело — всех успокоить и помирить. И в любом случае, такие стычки не имеют никакого отношения к художественному руководителю театра.

Настя бросила взгляд на Антона и вдруг поняла, что он вряд ли слышал то, что рассказывал директор. Взгляд у молодого человека был отсутствующим, каким-то стеклянным, погруженным внутрь. И это он так собрался работать, преступление раскрывать? Хорошо, что хоть диктофон включить догадался, а то девяносто процентов информации, считай, потеряно. И хорошо, что Настя, по старой привычке, все конспектирует в блокноте. Нет, поистине на этого молодого опера нет никакой надежды. И зачем только Сережка Зарубин подсунул ей этого Антона?

— Ну а посерьезнее? — пытливо спросила Настя,

которую рассказанные Бережным истории изрядно развлекли. — Такие конфликты, которые вы как директор-распорядитель разрешить не можете? Неужели ничего такого не бывает?

Владимир Игоревич тяжело вздохнул и неожиданно лучезарно улыбнулся.

— Вот я вам расскажу самое серьезное, что было за последнее время, и вы сами убедитесь, что из-за этого все равно никто убивать не станет.

История, которую поведал Насте и Антону директор Бережной, касалась той самой пьесы «Правосудие», которую в данный момент репетировали. В театр пришел никому не известный драматург Артем Лесогоров и принес пьесу. Принес, как и полагается, помощнику худрука по литературной части Илье Фадеевичу Малащенко. Малащенко пьесу прочел и автору решительно отказал: по его мнению, пьеса была топорной, корявой и совершенно неумелой, что и неудивительно, учитывая профессиональную подготовку автора: он был не литератором, а журналистом. На этом все могло бы и закончиться, но не таков оказался Артем Лесогоров. Его следующий визит состоялся всего через пару дней после отказа, но нанесен этот визит был уже не завлиту Малащенко, а художественному руководителю — директору Льву Алексеевичу Богомолову.

На этот раз пришел Лесогоров вместе со спонсором, который выразил готовность полностью оплатить все расходы по постановке пьесы и, кроме того, внести солидный взнос на развитие театра. Богомолов тут же позвал Бережного поучаствовать в переговорах, спонсор задал простой вопрос: «Сколько?» — Бережной быстро прикинул в уме, сколько денег нужно театру, чтобы поставить «Правосудие» и еще пару других пьес, и назвал сумму, которая была безоговорочно принята. Но миновать такую стадию, как худсовет, было невозможно, и на худсовете Малащенко с пеной у рта доказывал, что «Правосудие» никуда не годится, а Богомолов в весьма резких и грубых выражениях отвечал в том духе, что, дескать, завлит ничего не понимает в художественно-творческой политике театра и не чувствует потребностей современной публики. Крик стоял невыносимый, после этого у Малащенко случился сердечный приступ, и он оказался в больнице. А Богомолов сделал по-своему и пьесу Лесогорова к постановке принял. Он, конечно же, видел, что пьеса откровенно слабая и неумелая, но тут были два существенных обстоятельства. Первое: на спонсорские деньги Богомолов мог себе позволить поставить свою любимую классику, он давно уже примеривался к «Вассе Железновой» Горького и к «Бесприданнице» Островского. А во-вторых, Артем Лесогоров оказался на редкость милым парнем без всяких амбиций и ложной фанаберии, он отдавал себе отчет в том, что его творение далеко от совершенства, и выразил полную готовность внести, под чутким руководством Богомолова все необходимые изменения и произвести любую переделку. Ставить «Правосудие» Богомолов взялся сам лично, хотя современных пьес не ставит, но уж больно большие деньги предложил спонсор, а в эти деньги заложен и весьма высокий гонорар режиссеру-постановщику. В деньгах же Лев Алексеевич нуждался. И ведь самое главное в том, что завлиту Богомолов не потрудился объяснить причины своей заинтересованности, а повел разговор так, будто Малащенко ничего не понимает и не видит художественной ценности пьесы.

Конечно, это был удар по профессиональному самолюбию завлита, и какой удар! Не мудрено, что он свалился с приступом. Потом-то ему, конечно, все разъяснили, но это ведь было потом, а яичко, как известно, дорого ко Христову дню.

— Ну и что вы мне скажете на это? — завершил свой рассказ Владимир Игоревич. — Что Малащенко мог из-за этого скандала попытаться убить Льва Алексеевича? Чушь несусветная!

Да, действительно, все это походило именно на чушь, и именно на несусветную. Но кто-то же пытался убить худрука Богомолова!

Настя внезапно испытала непонятно откуда взявшееся раздражение. Неужели Бережной вызвал в ней такое неприятное чувство? Она прислушалась к себе и в этот момент услышала нежное треньканье. Вот оно! Именно этот периодически раздающийся звук ее и раздражал — на телефон Антона постоянно приходили эсэмэски. Ну, теперь понятно, почему он так невнимательно слушает, небось девицы одолевают, вот он о них и думает. Ясное дело, о чем еще может думать такой красавчик в костюмчике. То-то она заметила, что он постоянно поглядывает на часы, небось договорился со своей пассией созвониться в определенное время, так она его теперь сообщениями бомбардирует, а он нервничает и мечтает о сладких минутах нежного свидания. Да, попался ей напарничек...

— У меня к вам еще два вопроса, — сказала Настя, закрывая блокнот.

— Давайте первый, — радушно отозвался Бережной.

— Меня все мучает любопытство, что это за схема у вас на стене висит.

— Эта? — обернулся Бережной указывая на рас-черченный лист. — Это так называемая параллель. В первой колонке идет название спектакля, а во вто-рой — те спектакли, в которых не заняты артисты, играющие в спектакле из первой колонки.

— А зачем это нужно?

— Чтобы знать, какие спектакли в какой день можно играть на двух площадках одновременно, очень удобно, особенно когда планируются гастроли.

— А в третьей колонке что?

— А в третьей колонке спектакли, которые мож-но давать еще и на третьей площадке, если возник-нет такая необходимость. Эту колонку я называю не «параллель», а «трилель». Я ответил на ваш вопрос?

— Вполне.

— Тогда давайте второе, что вы хотели спросить.

— Где мы можем расположиться? Работа в театре нам предстоит большая. И с людьми побеседовать надо, и записи сделать, и обсудить собранную ин-формацию. Что-то вроде штабного помещения. Най-дется для нас такое?

— Пойдемте, — кивнул Бережной.

Они снова отправились по длинным переходам, в которых Настя моментально запуталась и поняла, что дорогу назад не найдет ни за что. Директор шел впереди, Настя с Антоном — следом, и Настя видела, как Сташис достал из кармана мобильник и на ходу просмотрел полученные сообщения. По его лицу она так и не поняла, обрадовался он или огорчился из-за того, что пропустил что-то важное. Перехва-тив ее взгляд, Антон только слегка улыбнулся, но не произнес ни слова.

В конце концов они вышли в фойе возле ложи бенуара, и Бережной открыл перед ними высокие массивные двери, на которых сияла табличка: «Художественный руководитель Богомолов Л.А.».

— Вот вам ключ, — сказал директор, — располагайтесь, кабинет в вашем распоряжении. Только курить здесь нельзя. Когда будете уходить, ключ сдайте на вахте.

— Вот как-то так примерно, — грустно заключил Ворон, закончив доклад. — Я дальше не стал смотреть, потому что основную задачу выполнил, про папашку твоего узнал и про бабку тоже.

Известие о смерти Степана Кондратьевича Пантелеева окончательно добило и без того слабого и больного Кота Гамлета. Он уткнул морду в землю и надолго замолчал. Ворон и Камень тоже хранили скорбную тишину, уважая чувства своего нового товарища. Из трагического молчания Кота вывела Белочка, которая нашла-таки своего бельчонка и примчалась оказывать первую помощь больному. Она суетилась вокруг Кота, щупала ему живот и лапы, оттягивала слипшиеся веки, заглядывала в ушки и разбирала шерсть в поисках блох. Наконец общий масштаб разрушений был ею определен, и она приступила к лечению. Перво-наперво Белочка с помощью Ворона собрала целебные травки, и они вместе сплели некое подобие не то пеленок, не то бинтов, которыми обмотали несчастного больного. Теперь Кот Гамлет являл собой нечто вроде травянистого кокона, из которого с одной стороны торчала голова, а с другой — ободранный клочковатый хвост.

Первые несколько часов после известия о смерти папеньки Кот стонал и жаловался на то, что ему очень плохо, потом Белочкины средства начали оказывать целебное воздействие, и он, пережив самые горестные минуты, вновь включился в разговор, хотя и слабым дрожащим голосом. Он в основном оказался в курсе расстановки сил в театре, особенно когда Ворон сказал, что было покушение на худрука, забеспокоился о бабушке, актрисе Арбениной, и о многих людях, которых он знал и которые его очень любили и очень зависели от Богомолова. Некоторые его подкармливали вкусненьким, и он был им благодарен. Некоторые очень уважали папеньку, и их он ценил. И вообще, он любил театр, любил там бывать, гулять, общаться и всячески проводить время. Папенька и Арбенина были из тех людей, для которых театр — это дом, это вся жизнь, они приходили туда независимо от наличия репетиций и спектаклей, и Кот с театром сроднился, поэтому его беды и невзгоды принимал близко к сердцу.

— Уважаемый Ворон, вы не могли бы еще раз слетать и посмотреть, как там и что? — умоляюще попросил он, слегка подрагивая ободранным хвостом. — Я так волнуюсь за бабушку и за Льва Алексеевича тоже переживаю, он хороший, он всех кошек театральных любит.

Ворону просьба Кота Гамлета не понравилась. Что он, в самом деле, мальчик на побегушках? Одно дело — историю смотреть вместе с Камнем, и совсем другое — выполнять капризы какого-то драного кота, который вообще неизвестно откуда тут взялся и требует к себе внимания! Белочка должна его лечить, а он, Ворон, удовлетворять его непомерное любопытство и служить у него на посылках. Тоже мне, нашел себе Золотую рыбку! Обойдется. Выразить эти сердитые мысли вслух в том виде, в каком они пришли ему в голову, у Ворона окаянства все-таки не хватило, но общий смысл своих чувств он донес до окружающих, правда, в несколько смягченном виде.

Камень, по обыкновению, проявил мягкосердечие и бесхребетность.

— Ворон, голубчик, ты же видишь, как Гамлет расстроен, как он переживает, а ему волноваться сейчас нельзя, он и без того ослаблен, ему нужны положительные эмоции. Не вредничай, дружок.

— Какие уж такие положительные эмоции у него будут, если я начну летать и смотреть про то, как бабкиного начальника по голове тюкнули, — вполне резонно возразил Ворон. — Одно сплошное расстройство для твоего Гамлета выйдет. И вообще, что это за манера: чуть что — на болезнь ссылаться? Этот Кот пытается мной манипулировать. Я не позволю подобным образом с собой обращаться, у меня тоже собственная гордость есть.

— А давайте детектив смотреть, — внезапно предложил Камень. — Про театр, про то, как режиссера чуть не убили. Тем более там уже сыщики появились. Интересно же!

— Я не понял, — тихонько промяукал Гамлет, — как это вы собираетесь смотреть детектив? У вас разве есть телевизор? Что, про мой театр уже кино сняли?

— Тьфу! — сердито плюнул Ворон. — Он еще и тупой, оказывается. Между прочим, ваше Датское Величество, тебе никто ничего смотреть и не предлагает, это наше с Камнем дело, что, когда и в каком виде смотреть. А твое дело — лежать и болеть, если поправиться не можешь.

— Мальчики, не ссорьтесь, — примирительно произнес Камень. — Если ты, Ворон, согласен смотреть детектив, то уже лети, пожалуйста, а я тут пока Гамлету объясню наши правила.

— Объясни, объясни, а то будет только мешать нам. И не забудь предупредить его, что у нас все строго, пусть дурацких вопросов не задает и идиотских требований не выдвигает. Назад смотреть, как все было на самом деле, не полечу, хоть вы меня застрелите, это против правил. И вперед смотреть, как всех поймали и разоблачили, тоже летать не собираюсь. Если его это устраивает, то пусть молча болеет и слушает, как я буду рассказывать. А если нет, пусть убирается куда подальше со своими переживаниями.

— Больно ты строг, батюшка, — улыбнулся Камень. — Ладно, я все сделаю, как ты велишь, лети, не беспокойся.

Это далеко не первый детектив, который Камень и Ворон собрались смотреть, и у них за много лет выработались определенные и непреложные правила: назад не летать, вперед не забегать. Главное не в том, кто и за что убил, для этого достаточно один раз слетать назад и все посмотреть. Главное — увидеть, как работают сыщики, и удастся ли им разоблачить преступника. По правде говоря, из всех детективов, которые они посмотрели, только в одном случае из десяти удавалось раскрыть преступление, во всех остальных сыщики терпели фиаско.

Ворон сердито взмахнул крыльями и взмыл ввысь. Камень посмотрел ему вслед и перевел глаза на лежащего перед ним Гамлета.

— Вы бы покушали, уважаемый Гамлет, вам надо сил набираться.

— Не хочу, — уныло простонал Кот. — Аппетита

нет. Пить только очень хочется. Как вы думаете, Камень, я умираю?

— Почему это? — испугался Камень. — Вы поправитесь, обязательно поправитесь, надо только набраться терпения и строго выполнять все, что предписывает наша Белочка.

— А почему же у меня совсем нет аппетита? Наверное, это признак приближающейся кончины, — упорствовал Кот.

— Ну что вы, не надо так думать. Белочка говорит, что отсутствие аппетита при ваших болезнях и травмах — вещь совершенно нормальная. Аппетит вернется. А пока вам надо хотя бы пить. Тут неподалеку есть ручей, в нем вода очень вкусная, просто-таки живительная.

— Я не доползу, — проныл Гамлет. — У меня совершенно нет сил. Наверное, я скоро умру от жажды.

— А вы посмотрите, у меня за спиной должна быть большая лужа, уж до лужи-то вы доползете, — посоветовал Камень.

Гамлет начал ползти в указанном направлении и скрылся из поля видимости. Через довольно продолжительное время раздался его страдающий голос:

— Невкусно.

— Что? — не понял Камень.

— Вода в луже невкусная. Ее невозможно пить.

— Надо взять себя в руки, — строго произнес Камень. — Пусть вода невкусная, но все же это лучше, чем ничего. Пейте, Гамлет, пейте. И кстати, я хотел у вас спросить: а что, собственно говоря, имела в виду ваша бабушка?

Гамлет снова приполз на место, прямо перед глазами Камня.

— Я не понял, вы про что спрашиваете?

— Ну, ваша бабушка в разговоре с молодым артистом сказала, что ей совершенно очевидно, кто покушался на её руководителя. И ничего не объяснила. Вы не догадываетесь, что именно она хотела сказать? Вы же в этом театре свой, должны знать, что стоит за ее словами.

— Ах, вы про это... — Гамлет небрежно дернул грязным хвостом. — Она Сеню Дудника имела в виду. Очень бабушка его не жалует. Мне кажется, она будет только рада, если Сеню посадят в тюрьму. Она Богомолова любит, а Сеню — нет.

— А вы сами как считаете, мог он совершить это ужасное преступление?

— Люди — они такие, они все могут, — философски ответил Кот Гамлет.

— Ну, пойдемте искать следующих собеседников, — сказала Настя Антону.

Они вышли из кабинета художественного руководителя, дошли до двери, выходящей на служебную лестницу, и в задумчивости остановились.

— По-моему, мы рано отпустили Бережного, — заметил Сташис. — Надо было попросить его, чтобы он хотя бы раз провел нас по всему зданию и показал, где чьи кабинеты.

— Бесполезно, — махнула рукой Настя. — Тут все так запутано, что мы с одного раза все равно не разобрались бы. Придется искать методом тыка.

— А кого будем искать?

— Давайте попробуем начать с завлита, — предложила она. — Или, может быть, поищем главного администратора?

— Что-то я сомневаюсь, что он уже в театре, для

главного администратора вроде бы рановато, — с сомнением произнес Антон. — Время его основной работы — вечер, когда идет спектакль. Мне сказали, что он приходит часа в три, не раньше.

Вечер, когда идет спектакль... А сейчас начало двенадцатого, и зрительный зал пуст, и фойе перед ложами тоже пусто, и трудно представить себе, как эту спокойную и торжественную тишину нарушат толпы зрителей, которые будут ходить здесь, разговаривать, смеяться, спешить в буфет или в гардероб, обсуждать увиденное на сцене. Тишина, царящая в фойе, показалась Насте хрупкой и какой-то дрожащей, словно ненадежной, готовой разрушиться в любой момент.

Она и разрушилась. Разрушилась звуком торопливых шагов. К Насте и Антону быстрой, но тяжеловатой походкой приближался невысокий подвижный человек лет сорока, симпатичный, с гладким лицом и с обширными залысинами.

— Здравствуйте, — добродушно и даже, кажется, радостно заговорил он. — Вы, наверное, наши гости из милиции?

Настя хмыкнула, а Сташис сдержанно улыбнулся. Всем бы таких гостей в дом!

— Ну что, растерялись? — понимающе тряхнул лысоватой головой мужчина. — И не мудрено, у нас такая планировка здания, что сразу не разберешься, потеряться легко. И вообще, у нас в театре все так сложно, как и в любом театре, вы сами ничего и никого не найдете, нужных людей не отыщете, у всех разный график работы. Если позволите, я буду вам помогать, я даже в свои выходные готов приходить и всюду водить вас за ручку. Давайте провожу вас.

Да, я не представился: Федотов Александр, можно просто Саша. Работаю помощником режиссера.

«Надо же, как Гриша Гриневич, — подумала Настя. — Интересно, он такой же толковый и милый, как Гришка? Хорошо бы. Только что-то его готовность помогать вызывает у меня нехорошее чувство. Ладно, посмотрим».

Она, в свою очередь, тоже представилась, а за ней и Антон назвал себя и пожал руку помрежу Федотову.

— Так куда вас проводить?

Антон бросил на Настю вопрошающий взгляд, словно передавая ей право самой решать, куда идти.

— Да мы толком еще не решили, — призналась она. — Нам бы завлита повидать или главного администратора. Это возможно?

— Ну, Валерия Андреевича-то точно еще нет, он приходит попозже, а вот Илью Фадеевича я сегодня видел, он уже здесь, он вообще пташка ранняя.

— Валерий Андреевич — это кто?

— Это наш главный администратор, а Илья Фадеевич Малащенко — помощник художественного руководителя по литературной части, это официально его должность так называется, а вообще-то, если сокращенно, то завлит. Нет, без помощи вы тут определенно не разберетесь, и в коридорах наших запутаетесь, и людей не найдете. Ну да ничего, я вам помогу.

— Да как-то неудобно... Мы вас от работы будем отвлекать, — Настя изобразила смущение, хотя про себя уже решила, что помощь примет. Действительно, без сопровождающего, хорошо ориентирующегося в театре, им не обойтись. Но надо же лицо соблюсти!

— Помилуйте, что же неудобного? — всплеснул руками помреж. — Это ведь для общего дела, для общего, так сказать, блага. Кстати, как там это общее дело движется? Уже известно что-нибудь? Кто нашего Льва Алексеевича так...

— Пока ничего не известно, — сухо ответила Настя.

— Что, совсем-совсем ничего?

— Совсем ничего.

— Помилуйте, как же так? Несчастье с Львом Алексеевичем случилось шестого числа, а сегодня уже двенадцатое, почти неделя прошла, а у вас все еще ничего не известно. Как же вы там работаете?

— Как умеем, так и работаем. Так вы проводите нас к Малащенко? — В голосе Насти едва заметно зазвучал холодок, но, видимо, у помрежа Федотова со слухом было не очень-то, потому что этого холода он явно не услышал и продолжал гнуть свое.

— Да-да, конечно, пойдемте. И все-таки я не понимаю, столько дней прошло, а вы у нас в театре почти не показывались. Где же вы искали преступника?

— А вы считаете, что его обязательно надо искать здесь, в театре? — подал голос Антон.

Помреж смутился, осекся, даже как-то растерялся, что не укрылось от Насти. Странно, ведь Бережной с пеной у рта убеждал их, что в театре преступника искать бессмысленно, его здесь нет, а вот помреж Александр Федотов, судя по всему, думает иначе. Надо бы поговорить с ним поподробнее. Но не сейчас. Сейчас он еще весь под впечатлением того, что случайно сказал, и будет настороже. Надо сделать вид, что ничего не заметила, а с вопросами подступиться потом, когда он расслабится.

Длинные и бестолковые коридоры произвели на Настю удручающее впечатление. Федотов провел их через кулисы, объяснив, что так короче, и изнанка театра оказалась прозаичной и полностью лишенной того таинственного волшебства, которое в Настином представлении всегда было связано с понятием «театр». Стены обшарпанные, пол поцарапанный, а стоявшие и лежавшие в кулисах предметы показались старыми, пыльными и какими-то ненастоящими.

Антон пропустил Настю вперед, а сам отстал на несколько шагов. Она услышала, как он на ходу разговаривает по телефону, и невольно поморщилась, уловив обращенные к собеседнице слова: ласточка моя, зайка, солнышко, не скучай, вечером увидимся. Ну, ясен пень, прочел эсэмэски от своей девицы и теперь ей перезванивает. Неприязнь к оперативнику стала еще острее, хотя Настя изо всех сил пыталась ее притушить и уговаривала себя, что Антон — молодой парень и все совершенно естественно... Но все равно свинство, что он позволяет ей мешать ему. Почему он не скажет своей подружке раз и навсегда, чтобы не забрасывала его сообщениями, когда он на работе? Это непорядок.

Сташис закончил свои романтические переговоры, догнал Настю и пошел с ней рядом.

— А почему вы раньше не переговорили с Малащенко? — сердитым шепотом спросила она. — Ведь вы же проводили опросы здесь, в театре. А Малащенко все-таки руководство, он член худсовета. Как же вы мимо него прошли?

Антон объяснил, что, оказывается, он заходил к завлиту в кабинет и увидел, что это очень пожилой человек. По тому, как этот Малащенко посмотрел на

Антона и как с ним разговаривал, стало понятно, что он его за человека не считает и разговор не получится. Антон слишком молод для этого. Поэтому Сташис ограничился только вопросом о том, когда Малащенко будет завтра, рассчитывая придти к нему с кем-нибудь постарше. Например, со следователем или с Зарубиным.

— Ну конечно, — рассмеялась Настя, — со мной в самый раз. Сколько ему лет, этому Малащенко?

— По виду — за семьдесят.

— Ну ясно, я как раз по возрасту подхожу.

— Простите, кажется, я глупость сморозил, — виновато улыбнулся Антон.

— Ничего, — кивнула Настя, — я не обиделась, у меня с чувством юмора все в порядке.

По дороге Федотов оживленно и многословно рассказывал, что сейчас репетируется новая пьеса, которую он ведет, репетиции проходят каждый день, кроме выходного, когда не играют спектакли и не проводят репетиции, хотя службы все работают. Выходной в театре во вторник, но он и в свой выходной готов приходить, чтобы быть для сыщиков гидом и помощником. А так у него следующий распорядок: приходит в половине одиннадцатого, потому что в одиннадцать начинается утренняя репетиция, которая длится обычно до двух часов дня, потом до пяти у него перерыв, и тут он полностью готов поступить в распоряжение доблестной милиции, а с пяти он начинает готовиться к вечернему спектаклю, если ведет его, а если не ведет, его рабочий день после репетиции заканчивается, и сыщики могут полностью им располагать. Настя, вспомнив то, что знала из разговоров с Гриневичем, все-таки не выдержала и спросила:

— Ведь помреж — это женская профессия. Во всяком случае, мне так говорили. Разве нет?

— Да, — согласился Федотов, — это так. Подавляющее большинство помрежей — именно женщины, мужчин на этой работе крайне мало. Вот у нас в театре три помрежа, из них две женщины и я. Но я свою работу люблю, она мне нравится, я на ней уже много лет, можно сказать, собаку съел, все свои спектакли знаю наизусть. Вы, кстати, пометьте себе где-нибудь на бумажке мой телефончик, я вас сейчас сдам с рук на руки Илье Фадеевичу, а вы, как освободитесь, звякните мне, я прибегу и заберу вас.

Настя посмотрела на часы и поняла, что что-то не так. Что-то не связывается. Ну, точно, Федотов сказал, что сейчас репетируется пьеса, которую он ведет, и репетиции проходят каждый день, кроме выходного, с одиннадцати до двух. Сейчас половина двенадцатого. Почему же он здесь, с ними? Разве он не должен быть на репетиции? Гришка Гриневич ей много раз говорил, что помреж, ведущий спектакль, должен присутствовать на каждой репетиции и все записывать. Странно.

— А у нас сегодня начало репетиции в двенадцать, — охотно пояснил Федотов. — У Семена Борисовича дела, он к одиннадцати не успевает, а ассистент не назначен, как-то не подумали заранее.

— Ассистент? — переспросил Антон. — Это кто?

— Ассистент режиссера назначается из числа опытных актеров, занятых в данном спектакле. Он может заменить режиссера на репетиции, если надо.

— То есть ассистент режиссера и помощник режиссера — это не одно и то же? — уточнил Сташис.

— Помилуйте, далеко не одно и то же, — рассмеялся Федотов. — Даже близко не лежит. Сходство только в том, что и тот, и другой присутствуют на репетиции, а потом и на спектакле. А задачи и полномочия совершенно разные. Вот мы и пришли. — Он заглянул в дверь с табличкой «Помощник художественного руководителя по литературной части», причем не вошел в нее, а только просунул голову. — Илья Фадеевич, вы на месте? А я к вам гостей привел, из милиции.

Илья Фадеевич Малащенко оказался пожилым человеком, невысоким и сухоньким, с густой гривой серебряных волос на неправильной формы черепе, с гладко выбритым лицом и живыми серыми глазами. Визит «гостей из милиции» его почему-то не воодушевил, и на вопросы он отвечал не очень-то охотно. Особенно ему не понравился диктофон, который Антон сразу же выложил на стол и включил.

— Зачем это? — недовольно спросил Илья Фадеевич.

— Для того чтобы не тратить ваше время, вы же человек занятой, — объяснила Настя. — Если я буду просто записывать в блокнот то, что вы нам расскажете, выйдет намного дольше. Вы давно работаете в этом театре?

— Сорок лет, с семидесятого года.

— Ну, значит, вы человек опытный и все здесь знаете. Скажите, пожалуйста, как в театре относились к Богомолову?

— Хорошо относились, — осторожно ответил завлит. — А что вы имеете в виду?

— Ну, например, кто мог на него затаить злобу?

— Да кто угодно. В театре очень много несправедливости. Но это не вина Богомолова, а особенность театра как такового, как живого творческого организма. Вы поймите, где творчество — там субъективизм, а где субъективизм — там, естественно, выползает несправедливость. Это нормально, и за это никогда никого не убивали.

— А на вашей должности конфликты возможны?

Малащенко чуть заметно улыбнулся и переложил толстый журнал из одной стопки на столе в другую.

— Конечно, на меня тоже обижаются. Вот, например, у одной старой актрисы был двойной юбилей — 75 лет и 50 лет творческой деятельности, она все ходила ко мне и просила, чтобы я подобрал пьесу, где для нее была бы главная или просто большая хорошая роль, а я не смог подобрать, ну нет ничего в современной драматургии, да и в классической тоже. Не Вассу же Железнову ей предлагать!

— А почему нет? — удивилась Настя. — Прекрасная роль для возрастной актрисы. Правда, Вассе, насколько я помню, лет сорок шесть, ну, максимум — пятьдесят, но это нормально, она родила девять детей, шестерых из них похоронила и должна выглядеть соответственно, уж во всяком случае, не моло-деньким девочкам ее играть.

— Потому что Вассу будет играть Арбенина, когда Богомолов наконец приступит к этой постановке, — недовольным голосом пояснил Илья Фадеевич. — Он давно собирается поставить вариант 1910 года, а не 1935-го, как все другие, но для этого нужны большие деньги, ведь он хочет костюмный спектакль с дорогими декорациями. В общем, я, конечно, ходил к нему и предлагал поставить «Вассу» с актрисой-юбиляршей, но что он мне ответил, я вам повторить не решусь. В общем, пьесы к юбилею не было, и актриса на меня смертельно обиделась, получилось, что это я виноват, подходящую пьесу не нашел. До сих пор на меня дуется, не разговаривает со мной. А где я возьму ей пьесу? Сам, что ли, напишу?

— А что, разве это проблема? — удивилась Настя. — Мне всегда казалось, что драматургов у нас много, не говоря уже о классике.

— Драматургов-то много, а что толку? Вы бы почитали, что они пишут! Ко мне десятками пьесы приносят, и на вахте оставляют, и прямо в кабинет прорываются, я и в Интернете ищу, и журнал выписываю «Современная драматургия», пьес они печатают много, а выбрать нечего. У них тенденция — пропагандируют современных молодых авторов, так называемую новую драму. Столько развелось драматургов и писателей для театров! А что они предлагают? Вот из этого журнала, — Илья Фадеевич взял со стола толстый журнал и потряс им перед Настей, — я ни одну пьесу не могу взять и предложить театру. Считаю, что ни одна не достойна. Мелкотемье, бытовуха и чернуха, сексуальные проблемы, проблемы гомосексуализма, ненормативная лексика — словом, то, что можно увидеть на улице и по телевизору. А с отечественными комедиями вообще нынче беда, совсем никто писать не умеет. Все-таки материал для театра должен быть несколько иным, цепляющим, проблемным. Вот и приходится добывать пьесы самому, искать, рыскать. Связи помогают, а еще есть Московское театральное агентство, там можно разжиться хорошей зарубежной пьесой. Только нашей актрисе-юбилярше все мои трудности ни к чему, она не хочет понимать, что я стараюсь изо всех сил и просто не могу подобрать что-нибудь достойное. Она хочет играть, а играть ей нечего. И кто виноват? Конечно, завлит.

Разговор как-то незаметно перешел на проблемы старых актеров и отношения к ним. Антон, к удивлению Насти, начал сокрушаться, как это несправедливо, что не уважают и не ценят стариков, вот у него, к сожалению, нет ни бабушек, ни дедушек, все давно умерли, а вот если бы они были, он был бы им замечательным внуком.... Но Илья Фадеевич больше ничего интересного про конфликты с театральными старожилами не вспомнил. Или вспомнил, но не рассказал?

А Антон снова будто выключился из разговора, смотрит на Малащенко, а лицо такое, будто ничего не слышит. И глаза какие-то стеклянные. И на часы то и дело посматривает. Нет, определенно, телефонные переговоры с девицей на него плохо действуют. Может, они поссорились, и он теперь переживает. Хотя Настя сама слышала, как он называл ее «зайкой» и «солнышком» и обещал, что вечером они обязательно увидятся. Ну, вот, задумалась черт знает о чем и прослушала то, что рассказывает завлит. Тоже мне, профессионал называется. Хорошо еще, что диктофон включен. Настя мысленно обругала себя и задала вопрос про пьесу «Правосудие».

Завлит Малащенко рассказал про «кошелек на ножках» и молодого драматурга, про конфликт на худсовете. А вот про сердечный приступ и про то, что после худсовета он оказался в больнице, Илья Фадеевич отчего-то умолчал. Впрочем, его можно понять, человек в его возрасте не станет распространяться о своих недугах, если держится за работу и не хочет ее терять.

В целом Малащенко произвел на Настю впечатление человека колючего и закрытого. Странно, откуда взялось это впечатление? Вроде бы на все вопросы отвечал, не уклонялся, предложил чаю, от которого сыщики дружно отказались, разрешил Насте курить, то есть был вполне дружелюбен и гостеприимен.

Но все равно какой-то неприятный осадок остался.

Звонить помрежу Федотову они не стали, уже шла репетиция, но от кабинета Малащенко до служебного входа путь оказался совсем простым, Илья Фадеевич любезно показал им дорогу, и Настя с Антоном отправились в расположенное в соседнем с театром здании кафе выпить кофе и что-нибудь съесть. Народу в кафе оказалось совсем мало, заняты были только два столика из полутора десятков, и даже музыки не было, хотя обычно в подобных заведениях ее включают на такую громкость, что разговаривать невозможно.

Они сделали заказ, Настя попросила кофе и пирожное, Антон — чай и сандвич.

— Антон, я, конечно, вам не начальник, и не мое это дело, но мне кажется, было бы лучше, если бы вы поменьше отвлекались на телефонные звонки и сообщения, — осторожно заметила Настя. — Это мешает вам сосредоточиться. Вы не могли бы вопросы со своей дамой решать во внеслужебное время?

Антон сперва смущенно улыбнулся, потом открыто рассмеялся.

— Это не дама, это дочка.

Ничего себе! Сколько же лет этой дочке, что она эсэмэски умеет посылать? Антон-то сам еще пацан зеленый.

— Такая большая дочка?

— Восемь лет. А сыну — четыре.

— Так у вас двое? — еще больше изумилась Настя. — Вот никогда бы не подумала, глядя на вас. Вы совсем молодой. Вам-то самому сколько?

— Двадцать восемь.

Ну и ну, молодой, да ранний, женился, наверное, в девятнадцать лет, а то и в восемнадцать. Ай да Антон Сташис!

Антон тем временем полез в карман, достал телефон, пощелкал кнопками и протянул Насте. На дисплее она увидела фотографию двух очаровательных детей с очень красивой и, насколько Настя смогла разглядеть, дорого одетой женщиной. Все-таки систематические посещения Дашиного бутика даром для нее не прошли, теперь Настя Каменская худобедно, но разбиралась в брендах и ценах. На женщине одежда была стоимостью не в одну тысячу евро.

— Жена? — спросила она, разглядывая снимок. — Очень красивая.

— Нет, — спокойно ответил Антон, — это няня.

Ничего себе няни у современных сыщиков! Если она может себе позволить так одеваться, то сколько же Антон может позволить себе платить ей? Или у него жена богатая?

— Вы не сердитесь на то, что Васька все время мне сообщения шлет, я ее специально к этому приучил, — говорил между тем Сташис. — Она мне отчитывается о каждой оценке на каждом уроке, о том, что вышла из школы, что пришла домой, что пообедала, что уроки села делать, что сделала их, что няня их со Степкой гулять повела.

— А зачем такой тотальный контроль? — не поняла Настя. — Дети же все равно с няней, если что — она вам сообщит.

— Пусть привыкает, что отец всегда рядом и знает о каждом ее шаге. Няня ведь что? Сегодня она есть, а завтра ее нет, жизнь есть жизнь. Дети должны привыкнуть к мысли, что отец знает обо всем. Мне так спокойнее.

Няня, няня, отец, отец... А мать-то где? Что-то о ней Антон не говорит ни слова. Может, с матерью детей что-то не в порядке и именно этим объясняется его задумчивость и невнимательность? Но спросить неловко. Ладно, поговорим о деле.

— Как вам показался Малащенко? — спросила Настя. — Сложилось у вас какое-нибудь впечатление?

— Он врал, — немедленно откликнулся Антон, откусив изрядный кусок от своего многослойного сандвича.

— Врал? В чем?

— Не знаю, — пожал плечами Антон.

— Как так? Почему не знаете, если уверены, что Малащенко говорил неправду?

— Я не слышал, я наблюдал за ним. Он соврал на девятнадцатой минуте. Вернее, не соврал, я не так выразился, он начал тревожиться и тщательно следить за словами. Ему что-то не понравилось в том, как повернулся наш разговор.

Вот это номер! Врал на девятнадцатой минуте... Просто футбол какой-то. На девятнадцатой минуте нападающий Сташис забил гол в ворота защитника Малащенко. Бред!

— Поясните, — потребовала Настя.

— Разговор с Малащенко начался в 11.47, а беспокоиться и следить за словами он начал в 12.06.

— Вы — сумасшедший? — недоверчиво взглянула на Антона Настя.

— Нет, — с улыбкой покачал головой Антон и сделал глоток чаю, — просто я пунктуальный, всегда

88

слежу за временем. Понимаете, Анастасия Павловна, я давно понял, что надо наблюдать за человеком, с которым разговариваешь, тогда многое становится яснее. Но когда наблюдаю, я пропускаю услышанное, и мне иногда приходится или переспрашивать, или по второму разу задавать одни и те же вопросы. Это, конечно, очень плохо, да и в работе неудобно, поэтому я всегда хожу с диктофоном и стараюсь запомнить, на каких минутах беседы у человека появляется важная для меня реакция. Вы, наверное, обратили внимание, что я все время смотрю на часы. К сожалению, по-другому я пока не научился, но, надеюсь, это всего лишь вопрос времени. Я потренируюсь и научусь одновременно внимательно слушать и внимательно наблюдать. А пока еще не могу. Вы уж извините. Однажды я прочел одну книгу, в которой было написано, что не так важно, какие слова человек произносит, гораздо важнее, что он хочет сказать, а чтобы понять, что именно он хочет сказать, надо наблюдать за ним, за его лицом, руками, позой, мимикой, жестами, интонацией, глазами. Сначала я просто пробовал, мне стало интересно, а потом втянулся, и знаете, иногда это бывает полезно для работы.

— Это была книга по психологии? Вы теперь как в том фильме «Обмани меня»?

— Нет, это совершенно другая книга, про жизнь артиста. Вроде мемуаров.

— Дайте мне диктофон, — неожиданно попросила Настя.

Включив воспроизведение, она отмотала запись на девятнадцатую минуту и стала слушать. Речь шла о том, что Антон был бы очень хорошим внуком, если бы у него были бабушка и дедушка.

— Ну и что тут такого? — недоуменно протянула она. — Непонятно.

— И мне непонятно, — согласился Антон. — Но именно в этот момент Илья Фадеевич начал беспокоиться, более того, ему стало очень тяжело и страшно.

Они расплатились и двинулись назад к театру. Подходило время окончания утренней репетиции, а Насте хотелось отыскать режиссера Семена Борисовича Дудника, поэтому ловить его нужно было сразу после репетиции, иначе он мог куда-нибудь убежать. Интересно, как они будут искать репетиционный зал, если услужливый помреж Федотов сейчас занят? Ничего, найдут как-нибудь.

И еще она решила задать вопрос, совсем маленький и смешной, но почему-то он ее мучил:

— Антон, а почему вы назвали дочь Васькой?

— Она Василиса, — коротко ответил Антон. — Для домашних — Васька.

Значит, Василиса. Ох непростой парень этот Сташис, намучается она с ним. В то, что он следит за реакциями и делает выводы, еще можно было бы поверить, но вот в том, что выводы эти правильные, Настя Каменская что-то сильно сомневалась. Тоже мне, психолог доморощенный. Ну что опасного может быть в словах оперативника о том, что он любил бы свою бабушку, если бы она у него была? С чего бы Малащенко начать в этом месте нервничать? Просто смешно.

К репетиционному залу Настю и Антона проводила вахтерша, оставив свой пост у служебного входа на попечение охранника из ЧОПа. Они подошли к двери без пяти два и стали прогуливаться вдоль длинного коридора, ожидая окончания репетиции.

Наконец дверь распахнулась, и из зала стали выходить люди. Одним из первых вышел светловолосый, стройный, очень симпатичный молодой мужчина, примерно одного возраста с Антоном. В руках у него была папка и толстая тетрадь формата А4. В джинсах, свободном пуловере, с ясным лицом и стремительными движениями, он напоминал старшеклассника, выскочившего из класса на переменку.

Поравнявшись с Настей, он лучезарно улыбнулся:

— А я уже знаю, вы из милиции, Саша Федотов сказал, наш помреж. Он вас очень точно описал. Но вы гораздо красивее, чем я себе представлял с его слов.

Комплимент показался Насте явно излишним. «Ничего, — сказала она себе, — это театр, здесь все по-другому. Привыкай».

— Вы — Семен Борисович? — спросил Антон.

Блондин, казалось, только сейчас заметил, что Настя не одна. Странно, Федотов ведь должен был предупредить, что «гостей из милиции» двое.

— Я — автор пьесы, зовут меня Артем Лесогоров. А вы, наверное, Антон? Саша про вас тоже говорил.

Вот, значит, какой он, этот невесть откуда взявшийся журналист, решивший податься в драматурги. А что? Симпатяга, обаятельный. Может, и не бесталанный, может, зря Малащенко так на него наговаривал?

Лесогоров тут же начал сыпать вопросами:

— Ну как, нашли преступника? Нет еще? А что, решили теперь в театре поискать? А кого вы подозреваете? А как вы будете его здесь искать? Со всеми подряд будете разговаривать или выборочно? А по какому принципу вы выбираете, с кем поговорить, а с кем — нет? А со мной будете разговаривать? А с актерами? А с техническим персоналом?

Вопросов у драматурга оказалось великое множество, Настя и Антон сперва растерялись под неожиданным натиском, потом стали отвечать уклончиво, а если была возможность, то и не отвечать вовсе. И что это он такой любопытный? Все-то ему надо знать!

Настя заметила торчащую из кармана джинсов Лесогорова пачку сигарет.

— Вы курите? — спросила она, чтобы перебить поток неудобных вопросов. — А где в театре официальное место для курения? А то нас разместили в кабинете художественного руководителя, а там курить нельзя.

Лесогоров почему-то ужасно обрадовался.

— Вы тоже курите? Здорово! Сейчас все борются за здоровый образ жизни, курильщиков осталось совсем мало, мне трудно найти компанию. Вы знаете, — он понизил голос и подмигнул, — в театре с этим проблема, тут очень строгие пожарные, они постоянно все проверяют. Есть официальное место для курения на служебной лестнице, и еще разрешают курить в артистическом буфете. Но для меня Лев Алексеевич выбил у пожарных разрешение курить в квартире, так что милости прошу, я всегда вам рад.

— В квартире? В какой квартире? — не поняла Настя.

— У театра есть служебная квартира, которая предоставляется, например, приглашенным из другого города режиссерам, если они здесь что-нибудь ставят, или таким вот неудалым авторам, как я, которые каждый день ходят на репетиции и постоянно исправляют текст пьесы. Моя квартира на самом верху, вот по этой лестнице — и найдете. Приходите, я вас угощу кофе, дам пепельницу и создам всяческие условия для полноценного отдыха такой красивой и элегантной женщины. — Он весело рассмеялся, и Насте показалось, что молодой автор с ней заигрывает. Зачем? Он что, слепой? Не видит, сколько ей лет?

Мимо них проходили артисты, выходящие из репетиционного зала, Настя видела их краем глаза и отмечала, что пару-тройку лиц она совершенно точно видела по телевизору. Пробежал помреж Федотов с толстой папкой в руках, притормозил возле Антона, спросил, нужен ли он, а то он уже освободился и весь к их услугам. Услышав, что сыщикам нужен Дудник, развернулся и снова скрылся за дверью. «Побежал предупреждать, — отметила про себя Настя. — И чего он так суетится? Рыльце в пуху, что ли? Или действительно изо всех сил старается быть полезным?»

— Кстати, — продолжал Лесогоров, — если вас смущает визит в холостяцкое жилище молодого неженатого журналиста, приглашаю вас выпить кофе в артистическом буфете. Будьте моими гостями.

«Гости» во множественном числе означали, что приглашает Артем Лесогоров вроде бы обоих сыщиков. Но смотрит он при этом почему-то только на Настю.

И ей это ужасно не понравилось.

— Мы, — она сделала акцент на этом слове, — непременно воспользуемся вашей любезностью, но в другой раз. Сейчас нам нужно переговорить с Семеном Борисовичем.

— А он еще в зале. — Лесогоров махнул рукой в

сторону двери, из которой вышел. — Так не забудьте о моем приглашении. — И снова остановил на Насте веселый и одновременно проникновенный взгляд.

Репетиционный зал оказался похожим на просторную аудиторию, стулья в которой расставили вдоль стен, а столы разместили как бог на душу положит. Один стол стоял вдоль стены, и за ним сидел, склонившись над каким-то текстом, мужчина, во внешности которого Настя разглядела только длинные, забранные в хвост, густые темные волосы. Остальные столы в живописном беспорядке стояли посреди зала. «Кажется, это называется выгородкой, — подумала Настя. — Вроде бы именно так мне в свое время объяснял Гриневич». Помреж Федотов стоял рядом с сидящим за столом мужчиной и что-то тихо говорил ему. Мужчина если и слушал его, то головы не поднимал. Вероятно, это и был режиссер Семен Дудник.

— Мы можем поговорить с вами? — вежливо спросил Антон.

Дудник поднял голову и недовольно посмотрел на Сташиса.

— О чем? Я ничего не знаю.

При этих словах Федотов почему-то присел за тот же стол, за которым сидел Дудник, и вопросительно воззрился на Настю и Антона, всем своим видом выражая готовность помочь в беседе.

— Мы бы хотели поговорить с вами наедине, — настойчиво произнесла Настя. — Это не займет много времени.

Вообще-то она сильно сомневалась в том, что беседа закончится быстро, вопросов у них было много, но тут все зависело от развернутости ответов. Директор Бережной рассказывал охотно, Федотов вообще отличался многословием, Малащенко проявил сдержанность, хотя и не во всем, а вот как поведет себя Семен Борисович Дудник?

— Помилуйте, я что, мешаю? — В голосе помрежа Федотова прозвучала неприкрытая обида.

— Ладно, Саша, иди, — бросил Дудник. — Я вас слушаю.

Федотов с явной неохотой покинул репетиционный зал. Дудник оторвался наконец от своих текстов и заметок, повернулся к гостям и откинулся на спинку стула, положив ногу на ногу. Вопросы были стандартными: что он думает по поводу покушения на художественного руководителя, не знает ли, были у Богомолова враги или конфликты с кем-нибудь, кто мог быть заинтересован в его устранении? Ничего нового сыщики не услышали, Дудник практически дословно повторил все то, что им уже рассказывали директор, помреж и завлит. То есть конфликтов в театре полно, но они такие мелкие, из-за которых никто никого убивать не станет. И в устранении Льва Алексеевича никто не мог быть заинтересован. Ну и, конечно же, Семен Борисович сокрушался по поводу несчастья с Богомоловым и выражал глубокое сочувствие и худруку, и его жене.

Настя решила несколько сменить направление беседы.

— Скажите, Семен Борисович, как вы считаете, что будет с театром, если Богомолов не вернется к работе?

— Мне даже не хочется об этом думать, — тяжело вздохнул Дудник. — Это будет ужасно, если Лев Алексеевич не вернется к нам.

— Почему?

— Потому что у нас с ним были огромные планы,

он хотел, чтобы я поставил одну из комедий Рэя Куни, он сейчас очень модный автор, на него публика пойдет, и еще собирался поручить мне постановку Вампилова и Коляды.

— И что вам может помешать подготовить эти спектакли без Богомолова? — спросил Антон. — Ведь не он же собирался ставить, а вы.

— Как вы не понимаете! — в голосе Дудника зазвучала досада. — Под Льва Алексеевича идут хорошие дотации, замминистра культуры — его близкий друг, и Богомолова всячески поддерживают наверху, а если его не будет, то вместо него придет другой худрук, и денег уже могут не дать. На что тогда я буду ставить? Конечно, нам всем может повезти, если новый худрук окажется креатурой Минкульта или Департамента культуры, а если нет? Тогда все наши с Богомоловым планы рухнут.

— А что, новый худрук непременно будет прислан сверху? — Настя решила воспользоваться обрывочными знаниями, почерпнутыми из разговоров с Гришей Гриневичем. — Насколько я знаю, это не обязательно. Художественного руководителя может выбрать труппа.

— Может, — неохотно согласился Дудник.

Настя бросила взгляд на Сташиса, глаза у того снова стали стеклянными. «Не слушает, — с усмешкой подумала она. — Наблюдает, наблюдатель-самоучка. Интересно будет узнать, что он высмотрел».

— А может так случиться, что труппа выберет вас? — задала она коварный вопрос.

Он произвел на Семена Борисовича странное впечатление. Режиссер побледнел, потом резко залился краской и с негодованием воскликнул:

— Вы что? Вы меня подозреваете в покушении на

Льва Алексеевича? Да вы с ума сошли! Зачем мне быть худруком? Это же огромная ответственность, которая мне абсолютно не нужна. У меня и так все в полном порядке, я полностью реализуюсь творчески, много ставлю, у нас с Богомоловым были огромные планы, и в другие театры меня постоянно приглашают. А если я стану худруком, мне придется заниматься совершенно другими вещами. Нет, нет и нет! — Он перевел дух и уже спокойнее добавил: — Да меня труппа и не выберет.

— Почему вы так думаете? У вас плохие отношения с творческим коллективом?

— Отношения у меня отличные, — усмехнулся Дудник. — Я люблю актеров, актеры любят меня, и с художниками у меня полное взаимопонимание. Но я, видите ли, слишком молод для такого положения, какое занимает Лев Алексеевич. Таких молодых режиссеров не выбирают и не назначают, ну разве что в совсем молодых авангардных театральных коллективах. А у нас театр старый, с традициями, с биографией, так что мне в любом случае пост худрука не светит. Да мне и не нужно. Я прекрасно живу и ставлю все, что мне захочется.

После разговора с Дудником Настя потащила Антона на служебную лестницу искать место для курения. Место нашлось на площадке между вторым и третьим этажом, оно оказалось оборудовано двумя скамьями, двумя металлическими пепельницами на высоких ножках и устрашающего вида плакатом, извещавшим о том, что курение, конечно, убивает, но здесь, в этот самом месте, курить разрешено. Пол между скамьями был усыпан пеплом, видно, те, кому не повезло занять место поближе к пепельнице, не особо утруждали себя попытками дотянуться до нее. Но хотя бы окурки не валялись, и на том спасибо.

— Ну, — иронически осведомилась Настя, с наслаждением делая затяжку, — и что вы скажете? Или вы опять не слушали?

— Нет, — очень серьезно ответил Сташис, — я старался слушать, но все равно кое в каких местах наблюдал. В общем, я вам так скажу: он все врал.

— Все-все-все? — недоверчиво прищурилась Настя. — Прямо все, от первого до последнего слова?

— Практически все. От первого до последнего слова. Не было у него никаких совместных планов с Богомоловым. И ничего он не ставит и творчески не реализуется.

— И что, прямо ни одного слова правды?

— Нет, почему же, когда он говорил, что под Богомолова деньги дают, а под другого худрука могут не дать, тут он не врал. Но все остальное — ложь. Он очень хочет быть худруком, но страшно боится.

— Боится? Чего? Быть худруком?

— Не знаю, — признался Антон. — Но он боялся на протяжении всего разговора, даже когда говорил совершенно нейтральные вещи.

— Но ведь это глупо! — пожала плечами Настя. — Все, что он говорит, можно проверить. Как же он не боялся, что его ложь вылезет на свет божий?

— Ну, про совместные с Богомоловым планы можно лгать абсолютно спокойно, потому что сам Богомолов показаний давать не может, и еще не известно, когда сможет, а все остальные могут быть просто не в курсе, о чем там договаривались худрук и очередной режиссер, какие совместные планы строили и что именно худрук обещал режиссеру. А что касается того, что Дудник много ставит и творчески реализуется, я это легко проверю в Интернете. А вот ему, видимо, в голову не приходит, что тупые менты умеют пользоваться компьютером и вообще знают про Интернет и ориентируются в нем. Я на сто процентов уверен, что нигде этот Дудник ничего не ставит, но я, конечно, обязательно проверю.

— Что, не нравится он вам? — понимающе кивнула Настя.

— Не нравится, — честно ответил Антон. — А вам?

— И мне тоже.

Едва за Сташисом и Каменской закрылась дверь репетиционного зала, режиссер Семен Дудник собрал свои бумаги и выскочил в коридор. Промчавшись вдоль безликих дверей к лестнице, он спустился на этаж ниже и свернул к кабинету директора-распорядителя.

В приемной у Бережного сидели три человека. Дудник вышел назад в коридор, достал мобильник и быстро нашел в списке имя Бережного.

— Володя, у тебя толпа в приемной, вызови меня, ладно? Надо срочно переговорить, — быстро сказал он вполголоса, вернулся в приемную, поздоровался с секретарем и занял свободный стул.

Ожидающие недовольно покосились на Дудника: все знали, что он дружит с директором, и подозревали, что пройдет в вожделенный кабинет вне очереди. Однако режиссер сидел с отсутствующим видом, не делая ни малейшей попытки прорваться в обход других.

На столе у секретаря ожил селектор:

— Дина Ильинична, там Дудника нет случайно? Найдите мне его срочно.

Дина Ильинична выразительно посмотрела на

Семена и кивнула, дескать, идите. Дудник вскочил и скрылся за дверью.

В кабинете Бережного сидела пожилая завтруппой, которая складывала в пластиковый файл знакомые на вид листки бумаги: проект репертуара на январь.

— Так вы гарантируете, что Самойлов сможет играть в январе? — спросила она, вставая. — Тогда я ставлю «Пигмалион» на январь. Вы точно уверены, что он поправится?

— Да поправится он, поправится, куда он денется? Сколько можно перелом лечить? Я думаю, он уже к середине декабря будет в форме. Ну, еще месяц дадим ему на восстановление, все-таки в «Пигмалионе» у него акробатики много, пусть еще подлечится. Но на вторую половину января можете уверенно ставить.

Завтруппой вышла, и любезная добродушная улыбка Бережного, с которой он проводил сотрудницу, немедленно растаяла и сменилась выражением тревоги.

— Что случилось? — обратился он к Дуднику. — Что за срочность?

Дудник нервно прошелся взад-вперед по кабинету и со всего размаху плюхнулся на кожаный диванчик.

— К тебе приходили из милиции?

— А как же, прямо с утра. Я, честно признаться, надеялся больше никого из них не увидеть, думал, в понедельник все спросили и успокоились. Ан нет, что-то им, видно, еще нужно. А что, тебя тоже дернули?

— Конечно, только что вырвался от них. Володя, ты им про Малащенко рассказывал?

— Рассказывал, куда же деваться? — развел руками Бережной. — Кофе будешь?

— Не буду, — отмахнулся Семен Борисович, — не хочу. Зачем, зачем ты рассказал? Не надо было!

— Ну, милый мой, это не разговор. Они же как пиявки вцепились, подавай им конфликты. А как я могу умолчать? Не я, так кто-нибудь все равно расскажет, да хоть сам Илья Фадеевич или Сашка Федотов, у него же вода в одном месте кипит, он вообще язык за зубами держать не умеет. Так что уж лучше я, по крайней мере, у них не возникнет ощущения, что мы пытаемся что-то скрыть. А тебя тоже об этом спрашивали?

— Нет, — покачал головой Дудник, — меня не спрашивали.

— Странно, — задумчиво проговорил Владимир Игоревич. — По идее, должны были бы... Или же в этой истории они ничего подозрительного не усмотрели и благополучно выкинули ее из головы. Это хорошо.

Дудник поменял положение ног, поерзал.

— Ты про Кирилла им не говорил?

— Ты что, — возмутился Бережной, — как можно? Мы же договорились.

— Черт, как бы они не дознались, — озабоченно сказал Семен.

— А как они дознаются? При этом присутствовали вахтерша Тамара Ивановна и охранник-чоповец. Тамара Ивановна сразу же ко мне побежала как к директору, а я тебе рассказал. Ты же никому больше не говорил?

— Да вроде нет, хотя мог случайно забыться и ляпнуть кому-нибудь. Но вроде нет. Ну, Илье Фадеевичу, конечно, сказал. А Тамара Ивановна? Она могла кому-нибудь рассказать?

— Да сто раз, но только кому? Уборщицам, своей сменщице, в общем, низовому персоналу, а с ними милиционеры общаться не будут.

— Ты уверен?

— Наверняка! — твердо ответил Бережной. — Сам посуди, речь идет о покушении на художественного руководителя, ну при чем здесь вахтерши, уборщицы и охранники? Да никогда в жизни их никто на допрос не вызовет. О чем их можно спрашивать-то? О разногласиях на худсовете? Или о творческой политике театра? Их дело — впустить-выпустить и за служебным гардеробом следить, а ничего другого они и не знают. Так что мы с тобой будем молчать, Малащенко тоже, а больше милиционерам узнать об этом не у кого. Ну, успокоился?

— Да не очень, — признался Дудник.

— Тогда давай я все-таки кофейку сделаю, посидим, пока ты в себя не придешь, а то на тебя смотреть страшно. Да возьми же себя в руки! — прикрикнул директор на режиссера. — Нельзя так распускаться.

— У тебя люди в приемной... — пробормотал Дудник. — Неудобно.

— Что неудобно?

— Ну, ты меня кофе отпаивать будешь, а они там ждут. У них же дела, срочные вопросы.

— А мы их порешаем, пока ты будешь кофе пить, — безмятежно улыбнулся Владимир Игоревич, нажимая кнопку селектора. — Дина Ильинична, приглашайте следующего. — Он прошел в дальний угол кабинета и принялся колдовать над кофеваркой, ласково приговаривая: — Ты посиди, Сенечка, посиди, расслабься, приди в себя, никакой катастрофы пока не произошло.

Владимир Игоревич Бережной был твердо убежден в том, что чашечка хорошего кофе вместе с добрыми словами и ласковой улыбкой помогают сгладить любой конфликт и снять любую, даже самую сильную нервозность. Во всяком случае, этот метод всегда помогал.

Белочка в деле спасения приблудного Кота Гамлета делала все, что умела, использовала все известные ей мази, притирки, примочки, отвары из листьев и коры, но помогало все это почему-то плохо. Гамлету становилось хуже и хуже, он совсем перестал вставать, даже для того, чтобы попить из лужи, и лежал целыми днями, уткнувшись носом в траву. Рассказы Ворона он слушал, но было непонятно, слышит ли хоть одно слово, воспринимает ли повествование.

— Ребята, — решительно заявила Белочка после того, как Ворон закончил очередную серию, — так мы Кота не поднимем. Моих силенок тут не хватает.

— А что же делать? — испугался Ворон.

— Надо звать Змея, он мудрый, он все знает. Он что-нибудь дельное подскажет, — сказала Белочка, даже не подозревая, какую бурю эмоций вызывают ее слова в душах Ворона и Камня.

Ворон Змея ненавидел. И когда-то даже поставил перед Камнем ультиматум: или он, Ворон, или Змей. Камень посоветовался со Змеем, и они решили отношений не прерывать, но сделать свое общение тайной для ревнивого и подозрительного Ворона. С тех пор так и повелось. Друзья общались тайком, чтобы Ворон ни о чем не догадался.

И теперь слова Белочки привели обоих в смятение. Камень был уверен, что Ворон ни за что не поступится своим давним ультиматумом и на присутствие Змея согласия не даст. А жаль, потому что Белочка дело говорит: Змей действительно мудрый, он очень много всего полезного знает и наверняка подсказал бы, что еще можно сделать, чтобы помочь несчастному Коту.

Ворон же весь внутренне набычился. Не было бы тут Белочки, он бы, конечно, высказался решительно и нелицеприятно и ни за что не допустил бы, чтобы эта ползучая гадина снова появилась рядом с Камнем. Но Белочка была здесь, и с этим приходилось считаться. Дело в том, что Ворон с Белочкой дружил, более того, он за ней ухаживал, вполне платонически, но все-таки... И выглядеть в ее глазах бессердечным существом, которое по непонятной причине препятствует тому, чтобы Коту была оказана квалифицированная помощь, Ворону не хотелось. Ну и, наконец, последнее, но, по сути, главное: ему было жалко Кота Гамлета. При всех обстоятельствах, при том, что Кот капризничал, что вообще появился сам по себе, никто его не звал и не ждал, появился и нарушил тысячелетнее уединение Ворона и Камня, влез со своими проблемами, просьбами, нытьем и болячками — при всем при этом Ворон его ужасно жалел. Он был вечным, этот Ворон, и за свою долгую жизнь перевидал такое количество больных людей, животных, птиц, рыб и растений, что очень хорошо представлял себе, как они страдают и мучаются. А сердце у него, по существу, было мягким и добрым. Только ревнивым очень.

— Что скажешь, дружище? — осторожно спросил его Камень. — Какая твоя позиция?

— Ну, надо так надо, — буркнул Ворон. — Только где его искать-то? Шляется, поди, где-нибудь на другом конце планеты, его фиг отыщешь, Кот наш помереть успеет пять раз, пока мы этот драный шланг найдем.

— А мы Ветер попросим, — тут же нашлась Белочка. — Я его сегодня утром видела, он прилетал и сказал, что будет неподалеку, у него там какой-то антициклон откуда-то двигается, так что он наготове.

— Ну, что? — с тщательно скрываемой надеждой и радостью спросил Камень. — Слетаешь? Позовешь Ветер?

— Куда я денусь, — с неохотой проворчал Ворон и улетел.

Вернулся он очень скоро, молча уселся на ветку прямо над Камнем и нахохлился.

— Нашел? — спросил Камень.

— Нашел. Наладил его на поиски нашего глиста-переростка. Обещал помочь, — скупо проинформировал Ворон.

Ждать пришлось совсем недолго, Змей, как и Ворон, умел находить прорехи в пространственно-временном континууме и моментально оказываться в любом нужном месте в любую интересующую его минуту.

Выслушав суть проблемы, Змей сразу же посоветовал поискать пенициллин.

— Где ж мы тебе пенициллин возьмем в лесу-то? — рассердился Ворон. — Тоже выдумал! Я могу, конечно, слетать куда-нибудь и из аптеки украсть, но Камень мне не разрешает ничего из той жизни в эту тащить, говорит, что это нарушение.

— А плесень? — возразил Змей. — Найдите любую плесень и сделайте из нее лекарство.

— И правда! — всплеснула лапками Белочка. — Как же я забыла! Мне же рассказывали про антибиотики, а у меня из головы вон! Спасибо, Змей, подсказал.

Она тут же умчалась искать плесень, а Ворон недовольно хмыкнул:

— И это все, на что ты способен? Знаешь одно-единственное средство, как помочь нашему Коту? Мы рассчитывали на большее, — надменно произнес он, планируя над Камнем, Котом и Змеем.

— У меня есть еще два средства, — спокойно заметил Змей.

Он начал выписывать круги вокруг неподвижно лежащего Кота. Из его длинного упругого зеленоватого тела сложилось одно кольцо, потом второе, потом третье, четвертое, и Кот, наконец, оказался в центре Змея, словно окруженный надежной защитной стеной. Змей приблизил голову к морде Кота и что-то зашептал. Ну, уж это Ворону вконец не понравилось. Мало того, что приперся, так еще и секреты разводит у него за спиной! Нет, терпеть такое совершенно невозможно!

— Чего ты там шепчешь? — злобно спросил он. — Я требую гласности.

Но Змей словно не слышал, он продолжал что-то нашептывать, склоняясь все ниже и ниже к уху Гамлета. И вдруг Гамлет поднял морду и дико завыл.

— Что с ним? — перепугался Камень. — Ему так плохо? У него что-то болит?

— Что ты ему сказал, негодяйская веревка?!! — завопил Ворон. — Ты его обидел, что ли?

Змей поднял голову повыше и тихо проговорил:

— Ему очень плохо. У него болит душа. Он оплакивает папеньку. Он сдерживался, не хотел показы-

106

вать, как сильно горюет, потому что стремился выглядеть в ваших глазах достойно и не нагружать вас своими переживаниями. Его можно понять. Но это очень вредно для здоровья. Когда горе, надо обязательно плакать, выть, кричать, если душа требует. Она проплачется и начнет выздоравливать. А пока ваш Кот будет давить в себе свое горе, он вообще не поправится, раны заживать не будут, воспаления не пройдут, кости не срастутся.

А Кот все выл и выл. Потом вытье сменилось всхлипываниями, из слипшихся глаз покатились слезы, обмотанное травянистыми циновками тельце сотрясалось в судорогах. Камень, Ворон и Змей терпеливо ждали.

И наступил момент, когда Кот успокоился. Судороги прекратились, рыдания утихли, слезы высохли. Теперь он лежал, положив морду на лапы, а не уткнув в траву, и Камень счел это хорошим признаком.

— Вот видишь, — торжествующе обратился он к Ворону, — не зря мы Змея позвали, он действительно знает, что делать.

— Ты говорил, у тебя есть два средства, — сварливо заметил Ворон. — А я пока вижу только одно.

— Дайте ему облизаться, — прошипел Змей. — Снимите с него то, во что Кот завернут, пусть оближет шерсть.

— Зачем? — недоверчиво спросил Ворон. — Завертки целебные, Белочка специально травки собирала, это же для лечения.

— Вы его потом опять завернете, но облизаться ему обязательно надо, — настойчиво проговорил Змей. — Я сам не знаю, как это работает, но работает всегда. Своими глазами видел.

— Ну и снимай сам, — Ворон был откровенно невежлив.

Но Змей оказался готовым ко всему, в том числе и к тому, что далеко не все на этой поляне будут ему рады.

— Я бы с удовольствием, но у меня нет рук и пальцев. И Камень тут не помощник. Придется тебе, Ворон. Больше некому.

Ворон нехотя слетел вниз и при помощи лапок, когтей и клюва довольно ловко развернул Кота Гамлета. Пришлось признать правоту Змея: Кот немедленно принялся вылизываться, причем делал это с хрюканьем, чавканьем и видимым удовольствием. Закончив туалет, он уселся в центре змеиного кольца и заявил:

— Как бы то ни было, а Льва Алексеевича мне очень жалко. Пусть хоть что про него говорят.

Присутствующие поняли, что Кот неожиданно быстро оклемался и готов к беседе. Камня интересовал один вопрос, который ему не терпелось задать, но он разумно рассудил, что сначала Коту надо попить, потом дождаться, пока Белочка принесет плесень.

— Вы пока помолчите, уважаемый Гамлет, — строго проговорил Камень, — поберегите силы, они вам пригодятся, когда мы приступим к обсуждению рассказанного Вороном отрывка. Вам надо попить, потом Белочка вас полечит, а уж тогда мы побеседуем.

Кот послушно замолчал и улегся, уперевшись головой и лапами в тело Змея. Когда Белочка принесла плесень и сделала новую циновку с антибиотиком, в которую завернули Кота, Камень выступил со своим вопросом:

— А что, этот Богомолов действительно такой противный, как рассказывал Гриневич?

Гамлет возмущенно поднял голову и помотал ею, будто пытался стряхнуть с себя целебную плесневую завертку.

— Вот еще! — сердито промяукал он. — Да таких, как Лев Алексеевич, еще поискать! Настоящий хозяин, за порядком следит, а главное — котов любит, меня, во всяком случае, всегда погладит, и на корточки присядет, и за ушком почешет, и поговорит ласково. Нет, это все фигня, он добрый, он хороший, а эти все, которые его ненавидят, просто дураки, не понимают ничего. Ведь что такое художественный руководитель — генеральный директор? Ну вы сами своими тупыми мозгами подумайте. Он же руководитель, он же директор. Значит, ему по должности положено всех ругать, всех контролировать, за всем следить, кричать, если не слушаются, наказывать, даже бить он имеет право. Пусть скажут спасибо, что не бьет, а мог бы. Вот мне знакомые коты на помойке рассказывали, что их хозяева чуть что не так — сапогом по брюху, чтобы порядок знали и себя понимали в этом мире правильно. А Лев Алексеевич — он душка. И бабушку мою он любит, и маменьку тоже с рук не спускает, а маменька у меня — будьте-нате, абы к кому на руки не пойдет. Если она у него на руках сидит, значит, хороший, это и к гадалке не ходи.

— А люди в театре что, этого не понимают? — удивился Камень. — Почему они Богомолова так не любят?

— Конечно, не понимают! Люди вообще мало что понимают, они очень странные. Поэтому в их жизни и порядка никакого нет, одни сплошные войны и конфликты, трагедии и взаимное непонимание. Вот состоял бы мир из одних котов, куда спокойнее было бы. И еще я лично Льва Алексеевича очень уважаю за его репертуар, не тот, который в театре, а тот, который он сам ставит. Он классику любит, а классика — это наше театральное все. Мне так папенька объяснял.

— Почему же тогда этот твой «душка» так поступил с человеком, которого называют странным словом «завлит»? Директор же сказал, что Богомолов нанес удар по его профессиональному самолюбию. Зачем было так некрасиво поступать? — строго спросил Ворон.

Кот Гамлет немедленно кинулся на защиту художественного руководителя.

— Так это надо правильно понимать! Илье Фадеевичу просто было ужасно обидно, что человек, который меньше образован, чем он сам, говорит, что завлит не понимает художественной ценности пьесы. Завлит — и не понимает! Это как, по-вашему? Сам-то Илья Фадеевич с тремя высшими образованиями, поэтому даже те, у кого их только два, будут в его глазах малограмотными. Он человек немолодой, кучу книжек прочитал за свою длинную жизнь, объем знаний у него колоссальный, но он не хочет понимать, что он — уникум, думает, что все должны быть такие же, как он, и предъявляет очень высокие требования к людям. Я же говорю, люди странные и мало что понимают, отсюда все недоразумения.

— А про что завлит врал? — поинтересовался Змей.

— Где врал? Кто сказал, что Малащенко врал? — разволновался Гамлет. — Илья Фадеевич — человек кристальной честности. Он никогда не врет! Вот, например, он кошек не любит, так прямо об этом и заявляет, ни от кого не скрывает, и вид не делает. Уж на что он мою бабушку уважает и то не притворяется, будто маменьку мою любит. Не люблю, говорит, и все тут. Это его принципиальная позиция, и я его за это уважаю. Так что пусть этот ваш Антон, или как его, не выдумывает, не может Илья Фадеевич соврать.

— Ну, не соврал, пусть скрыл что-то. Не знаешь, что именно? — настаивал Змей.

— Понятия не имею. Но уверен, что ваш Антон просто ошибся. Он еще молодой, жизни не знает.

Камня продолжало одолевать любопытство.

— А драматурга этого, Лесогорова, ты видел? — задал он следующий вопрос.

— А как же, — важно кивнул Кот, — встречал, он к бабушке однажды в гримуборную заглядывал, когда мы с папенькой там гостили. И в буфете я его видел один раз, это когда он только-только начал приходить в театр, его пьеску еще репетировать не начинали, только какие-то оргвопросы утрясали. А потом-то папенька заболел, и я в театр приходить перестал. Ох и красавчик этот Лесогоров! Все театральные девицы по нему наверняка сохнут. И ваша эта Анастасия Павловна тоже в него влюбится, вот посмотрите.

— Да не может быть! — не поверил Ворон. — Она же старше его чуть ли не в два раза!

— Ну и что? У людей и не такое бывает. Он ей глазки построит-построит — и все, она готова. Он то уже начал, как я погляжу, флиртует с ней вовсю, и в кафе приглашает, и к себе в квартиру. Так что ждать недолго. Кстати, ты не знаешь, она замужем или старая дева?

— Вот не знаю, — признался Ворон. — До этого еще не досмотрел.

— А она красивая? — не отставал Гамлет.

Камень не выдержал и расхохотался:

— Ну ты нашел, у кого спросить! Что наш летун-хлопотун в красоте-то понимает?

— А вот и понимаю, — немедленно обиделся Ворон, — не то что некоторые, которые женщин-то человеческих полторы штуки за всю вечную жизнь видели! Не, некрасивая она, эта ваша Анастасия Павловна, худая какая-то, длинненькая такая, бледненькая, волосы светлые, правда, лежат на голове красиво, тут уж спорить не стану, что красиво — то красиво, но все равно бесцветно как-то. Ни одной краски. А вот бабушка твоя, Гамлет, — совсем другое дело, царица, прынцесса. Глаза яркие, волосы — как у меня крылья, чернущие, на щеках нежный румянец, губы сиреневые, четкие такие, как нарисованные, брови выгнутые, и платье на ней — загляденье, все переливается, такое розовое с сиреневым, в тон губам, а в ушах серьги огромные, с аметистами.

— А, — кивнул Кот, — знаю, и платье это знаю, его папенька очень любил, всегда хвалил, когда бабушка его надевала, и серьги эти помню, их ей депутат Госдумы подарил, батюшкин папенька. Он бабушкин давний поклонник, раньше у них любовь была, лет двадцать назад, когда бабушка была помоложе, а этот депутат еще сопливым пацаном бегал, лет сорок ему было, что ли, ну, я тогда еще не родился, по папенькиным рассказам только знаю. Потом страсть прошла, а дружба осталась, он теперь ее поклонником числится, цветочки дарит и всякие другие подарки. Ну, спрашивайте еще, кому что непонятно, я объяснять буду.

Вот этого Ворон уже никак стерпеть не мог. Что это еще за новости? Кто тут, на этой поляне, главный объясняльщик? Кто тут лучше всех знает, что происходит в ТОЙ жизни? Кто основной и постоянный носитель информации и всяческих новостей? Уж ясное дело, что никак не Кот Гамлет. Он вознамерился было выступить с пространной репликой, но не успел, потому что послышалось шипение Змея:

— Ты не знаешь случайно, о чем таком говорили директор и режиссер? Что они хотят скрыть? И кто такой Кирилл?

— Вот чего не знаю — того не знаю, меня в театре давно не было. И про Кирилла впервые слышу.

Кот настолько хладнокровно констатировал собственную некомпетентность, что это мгновенно примирило Ворона с ним и успокоило. Видно, этот Гамлет не такой уж плохой парень, не знает — и честно признается, не пытается выкручиваться, нагонять на себя важный вид и притворяться всезнайкой.

Но, похоже, Ворон рано радовался, потому что Гамлет почесался щечкой о Змея и вдруг выгнул спину.

— Хотя погодите-ка... Кирилл? Есть в театре Кирилл, он рабочий сцены, крепкий такой, здоровущий, морда красная, видно, выпить любит. Но я с ним мало общался, я не люблю, когда перегаром пахнет или даже просто спиртом. Не выношу. Это у меня с детства.

— А этот Кирилл — он мог ударить Богомолова по голове? — продолжал допрос Змей. — Может, они ссорились?

— Да бог с вами, Змей, что вы такое говорите? Где художественный руководитель, а где — рабочий сцены? Если уж рабочий сцены что-то сделает не так, то у него начальник — завпост, он выволочку и устроит, а если о промахе рабочего узнает худрук, он будет ругаться с завпостом, до рабочего не снизойдет. Там иерархия, это понимать надо, — поучительно проговорил Гамлет.

— Кто такой завпост? — немедленно отреагировал Камень, который во всем любил ясность и конкретность.

— Заведующий художественно-постановочной частью. Это сложно объяснять, но, если попроще, он отвечает за то, чтобы на сцене все было красиво. Декорации там, сукна, чтобы все смонтировано было, как надо, чтобы все вертелось, крутилось, поднималось, опускалось и так далее. Так вам понятно?

— Более или менее, — успокоился Камень. — А жену Богомолова ты видел когда-нибудь?

— Леночку-то? — Морда Кота Гамлета неуловимо изменилась, не то он пытался улыбнуться, не то предался приятным воспоминаниям. — Видел. Красивая она. Молодая. Ручки гладенькие. И пахнет от нее хорошо. Я ее давно знаю, почти с рождения. Сколько себя помню — всегда ее в театре встречал.

— Она что, работает в этом театре? — уточнил Змей.

Ворон сидел сердитый и обиженный. Жену худрука Богомолова он не видел и ни на один вопрос ответить не мог. А Кот, выходит, знает... Это плохо. Промах надо немедленно исправлять.

— Нет, — старательно и охотно объяснял Гамлет, — она работает в другом месте, Леночка антрепризные спектакли на гастроли возит. А в театр просто часто приходит, к Льву Алексеевичу. Кстати, когда они поженились, в театре был банкет для своих, бабушку приглашали и папеньку, так что мы с маменькой на их свадьбе были. Помню, курицу такую давали — объеденье! Мне папенька несколько кусочков припрятал и дома угостил. До сих пор забыть не могу. Хорошая была свадьба!

Но неугомонный Змей снова полез за подробностями.

— Так они что, давно женаты? Ты говоришь, что знаешь Леночку практически с рождения. Тебе самому-то сколько лет?

Вопрос о возрасте Гамлета остался открытым, отвечать на него Кот не пожелал.

— Почему давно? Недавно. Примерно год или год с небольшим. А Леночка и раньше, до свадьбы еще, все время приходила. В общем, это неважно. Важно, что я ее знаю и что она красивая и хорошо пахнет.

— Тут не ты решаешь, что важно, а что не важно, — раздраженно каркнул Ворон. — И на твои слова полагаться нельзя, потому что ты сам толком не знаешь, ни сколько тебе лет, ни как давно Богомолов на своей Леночке женат. У тебя вообще со временем отношения сложные, ты в нем не ориентируешься. Вот я полечу и сам посмотрю, как там и чего.

— Полети, полети, — согласно покивал овальной головой Змей. — Потом нам все расскажешь.

— Тебя не спросил, — огрызнулся Ворон и полетел за следующей серией.

Вот уже шестой день она сидит в этом больничном коридоре перед входом в отделение реанимации, сидит молча, только изредка, когда удается, разговаривает с врачами — лечащим и завотделением, да с теми, кто приезжает, чтобы узнать о состоянии Левы. А приезжают многие, в первую очередь — свекровь, Анна Викторовна, Левина мама, друзья и коллеги Льва, люди из его театра, а также брат Елены и ее друзья. Только что она может им сказать? То, что ей самой говорят врачи: состояние не улучшается, но и не ухудшается, больной без сознания, ушиб головного мозга, кома. Правда, вчера завотделением сказал ей, что, поскольку за первые пять суток состояние не ухудшилось, появилась слабая надежда на то, что больной выживет. Но ведь это только надежда, а не точный прогноз.

Конечно, Елена Богомолова могла бы рассказать куда больше, все произошедшее до сих пор яркой картиной стоит перед глазами, но только разве это кому-нибудь интересно? Всех волнует только одно: выживет ли? А если выживет, то каким станет? Прежним? Или глубоким инвалидом?

...6 ноября Лева отправился на юбилей, вернуться должен был поздно, а Лена с ним не пошла, настроения не было, она только утром в тот субботний день вернулась из поездки, привезла труппу с гастролей из Тюмени, устала смертельно, да и нездоровилось, замерзла и простыла. Лена напилась горячего чаю, завернулась в кашемировую шаль, забралась с ногами в кресло и до полуночи смотрела телевизор, а в четверть первого позвонила Леве на мобильный, сказала, что ложится спать, и пожелала ему счастливо догулять банкет. Лева был слегка навеселе, в приподнятом настроении, заботливо поинтересовался, как она себя чувствует, передал приветы и пожелания скорейшего выздоровления от общих знакомых. Одним словом, хорошо они поговорили, тепло, по-доброму. И Елена спокойно легла спать.

Разбудил ее настойчивый звонок в дверь. Она даже не испугалась, взглянув на часы, показывавшие 3.15, только слегка удивилась и, пока шла к двери, на ходу повязывая поясом теплый халат, с улыбкой думала о том, что Лева, видно, очень хорошо повеселился на юбилее, если потерял ключи или вообще забыл, как ими пользоваться. Она ни секунды не сомневалась, что звонит ее муж, и готовилась встретить его иронической улыбкой и какими-то снисходительными словами. Однако за дверью стоял совершенно незнакомый мужчина. Более того, он был в милицейской форме.

— Гражданин Богомолов здесь проживает? — сурово спросил милиционер.

— Здесь. Только его нет. А что случилось? — сердито отозвалась Елена, уже готовая начать ругаться с ретивым блюстителем порядка, который не дает честным гражданам спать по ночам.

— А вы ему кем приходитесь? Жена?

— Да. Да в чем дело-то?

— Оденьтесь, пожалуйста, и спуститесь вниз. С вашим мужем несчастье.

Еще несколько минут совершенно выпали из памяти Елены, она потом не могла вспомнить, как одевалась, как бежала вниз по лестнице с третьего этажа, как выскочила на улицу... Ничего этого она не помнила. Точные и ясные воспоминания начались с того момента, как она увидела лежащего на тротуаре перед подъездом мужа. Лев лежал лицом вниз и не двигался. Он, всегда такой элегантный и красивый, теперь напоминал сломанную куклу с нелепо подогнутыми ногами и задравшимся рукавом на правой руке. Почему-то именно этот задравшийся рукав врезался в память Елены и больнее всего ударил ее в сердце. Рядом стояли два милиционера, один из них — тот, который приходил к ней в квартиру.

— Что с ним? — в панике закричала она. — Ему

плохо? Сердце? Надо вызвать «Скорую»! Что вы стоите?! Вызывайте врачей!

— Уже вызвали, — спокойно сообщил ей один из милиционеров. — Сейчас приедут.

Елена присела на корточки рядом с мужем и попыталась перевернуть его, но милиционеры тут же пресекли ее деятельность.

— Не надо, гражданочка, не трогайте, он без сознания. Пусть врачи сами, а то напортите что-нибудь.

Она хотела было возразить, но тут же услужливое сознание вытолкнуло на поверхность обрывочные сведения о том, что вроде бы в каких-то ситуациях, при каких-то травмах больных трогать нельзя. Или нельзя их переворачивать? В общем, что-то такое нельзя категорически, и Елена испугалась. Причинить мужу вред ей совсем не хотелось.

Ей хотелось помочь. Она сидела на корточках, смотрела на неподвижное тело Левы, и ей казалось, что он лежит очень неудобно, лицом вниз, ему нечем дышать, он задыхается в таком положении. Ну где же врачи? Почему они так долго не едут? Она пристально всматривалась в спину Льва, пытаясь уловить малейшее движение, которое свидетельствовало бы о том, что он дышит, ей все время казалось, что он уже умер, но она гнала от себя эту мысль и бесцельно, но упорно гладила рукой ткань его пальто и руку в том месте, где завернулся рукав. Несмотря на холодную погоду, рука была теплой, и это вселяло пусть призрачную, но надежду на то, что ничего страшного все-таки не случилось, что все обойдется и все будет хорошо. Вот сейчас приедут врачи, перевернут Левушку, сделают укол, помогут ему встать, доведут до квартиры, а там уж она его разденет, уложит, согреет и подаст горячий чай, укроет его потеплее и просидит рядом, держа за руку, до самого утра. А утром все будет как всегда. Лева встанет, побреется, примет душ и, элегантный и красивый, отправится в свой театр.

— Возьмите паспорт мужа, — послышался голос патрульного. — Мы его взяли из кармана, чтобы прописку посмотреть, иначе не нашли бы вас. И еще вот...

Елена с трудом повернула голову и увидела в руках у милиционера бумажник Левы и какие-то документы, кажется, удостоверение члена Союза театральных деятелей и еще какие-то пропуска, а также связку ключей.

— Проверьте, все ли на месте, может, чего пропало. Да вы в бумажник загляните, деньги-то целы?

Елена постаралась сосредоточиться, посчитать, сколько денег в бумажнике, насчитала три с чем-то тысячи, но поняла, что никак не может знать, много это или мало, вся сумма или что-то украли. Вроде бы больших денег у Левы быть сегодня не должно... Но все остальное на месте — и документы, и ключи.

«Скорая» приехала довольно быстро, хотя Елене эти десять минут показались целой вечностью. Из машины вышли врач и медсестра, через несколько секунд появился и водитель, который открыл заднюю дверь и достал носилки. Подойдя к сотрудникам патрульно-постовой службы, он о чем-то коротко переговорил с ними, после чего обе машины — ППС и «Скорая» — включили фары, направив свет на лежащее тело.

Врач приступил к осмотру, и Елена затаив дыхание слушала каждое слово, которое он негромким усталым голосом говорил медсестре:

— Больной без сознания... дышит... пульс скорый, ритмичный, повышенного наполнения.

Медсестра, открыв чемоданчик, уже набирала в шприц содержимое ампул, а врач, близоруко щурясь, устанавливал катетер.

— Что вы будете ему колоть? — в ужасе спросила Елена.

— Противошоковые препараты, сердечные, гормоны, мочегонные средства. Противосудорожные тоже.

— Так что с ним? Сердце? Он никогда не жаловался. Правда, он сегодня выпил, он был на банкете, — зачем-то принялась объяснять Елена. Ей казалось, что если она придумает причину, то само следствие окажется не таким страшным.

— У него черепно-мозговая травма, — сказал врач, слегка повернувшись в сторону Елены. — По голове его ударили, судя по всему. Более точный диагноз установят в больнице, но похоже на ушиб мягких тканей затылочной и теменной области. Вы с нами поедете?

— Конечно, конечно, — забормотала Елена.

В тот момент она совершенно не подумала ни о мобильном телефоне, ни о документах, ни о деньгах. Ничего этого у нее с собой не было, только ключи от квартиры.

Она забралась в машину и села на неудобное сиденье рядом с носилками. На другом, в изголовье носилок, устроился врач.

— Почему он не приходит в сознание? — спросила Елена дрожащим голосом. — Вы же сделали уколы. Они что, не помогли? Так сделайте еще какие-нибудь, что вы сидите?

— Да какое сознание, — устало махнул рукой

врач, которого Елена только теперь, хотя и с трудом, разглядела. Он был немолодым и некрасивым. — Больной в коме.

— Как — в коме?! — ахнула она. — И когда теперь... ну, когда он...

— Этого никто не знает. Мозг — штука чрезвычайно сложная и чрезвычайно мало изученная. Никто вам никаких прогнозов не даст. Может быть все что угодно. Он может прийти в себя через минуту, а может и через год, и через пять лет. Если вообще выживет. Я вам советую быть готовой ко всему. Черепно-мозговые травмы — вещь очень коварная.

Они приехали в больницу, добрались до приемного покоя, потом Леву осматривали невропатолог, реаниматолог, нейрохирург, они о чем-то совещались вполголоса, и Елене, сидевшей в коридоре, были слышны только отдельные слова:

— Внутричерепная гематома... томограмма мозга... кровь на биохимию... сахар обязательно... анализ мочи... ЭКГ...

Потом вышел один из врачей, молодой, энергичный, совсем не сонный, несмотря на то что был пятый час утра, и объяснил Елене, что нужно проверить наличие внутричерепной гематомы, потому что если она есть, нужно оперировать немедленно, а если ее нет, больного можно сразу помещать в реанимацию, потому что состояние его стабильно. Леву увезли на обследования, а Елена так и осталась сидеть в коридоре перед приемным покоем, потому что ей никто не сказал, где еще можно подождать. Она совершенно растерялась, и сама ни у кого ничего не спросила. Примерно через час она робко постучала в приемный покой, и ей объяснили, что муж уже в реанимации с предварительным диагнозом «ушиб головного мозга, кома». Реанимация находится в другом корпусе на восьмом этаже. Она, конечно, может туда пройти, но дальше коридора ее не пустят, в реанимацию никого не пускают, не положено.

Но Елена, конечно, пошла. И ее, конечно, не пустили. Она просидела там до десяти утра, раскачиваясь и обхватив себя руками, потом попросила в ординаторской разрешения позвонить, и за ней приехал брат, Вадим Вавилов.

Дома она поспала два часа, переоделась, собрала сумку, в которую положила две бутылки воды и пакет с бутербродами, и снова отправилась в больницу. На восьмой этаж. В коридор перед дверью в реанимацию. Она будет тут сидеть до тех пор, пока Лева не придет в себя, пока она не увидит его, не поговорит с ним, не убедится, что с ним все будет в порядке.

Так она и провела все шесть дней, уезжая домой на ночь. Врачи гоняли ее, завотделением сердился, говорил, что ей надо ехать домой и вообще заниматься своими делами и не мешать, что здесь все профессионалы и обойдутся без нее, что она все равно ничем помочь не может. Но она упорно сидела, потому что не было сил жить как-то по-другому. Сил вообще не было ни на что, кроме этого тупого сидения в коридоре.

За эти шесть дней ей говорили разное: и что муж может самостоятельно дышать, сердце стабильно, есть глотательный рефлекс, и что больной стал беспокойным, у него были однократные судороги, и что у него поднялась так называемая мозговая температура, которая плохо сбивается. То наступало какое-то улучшение, и Елене говорили, что появилась реакция на прикосновение — дрогнули веки, появилась реакция на боль инъекций, то снова становилось хуже. Елена каждый день спрашивала врача, какое лечение проводят ее мужу, но спрашивала больше для проформы, потому что в медицине все равно ничего не понимала и ответы оценить не могла. Но и ответы, естественно, были такими же формальными, как и вопросы: лечение проводится антигеморрагическое, противосудорожное, противоотечное, гормональное, антибактериальное и так далее.

Она спрашивала об этом, потому что не хватало смелости спросить совсем о другом и не хватало мужества выслушать возможный ответ. Разве важно, чем и как Леву лечат? Куда важнее понимать, что с ним будет? Каким он будет? И будет ли вообще? Но спросить об этом у Елены душевных сил не было.

В конце коридора замаячила знакомая спортивная фигура — Никита Колодный, актер, которому Лева дал наконец одну из двух главный ролей в новой пьесе. А по сути — не одну из двух главных, а действительно главную, потому что дело не только в объеме роли, во времени нахождения на сцене, но и в драматургии образа, а она в этой роли куда интересней, чем в другой, тоже большой роли Зиновьева, которого будет играть Миша Арцеулов. Миша... Миша.

— Ну как, Леночка? — Никита подошел и расцеловал Елену в обе щеки. — Есть новости? Как Лев Алексеевич?

— Все так же, — печально ответила она. — Без изменений.

— Как же так? — Никита не то растерялся, не то огорчился, Елена не поняла. — Ты же позавчера говорила, что есть небольшое улучшение.

— Позавчера было, а сегодня уже нет. Никита, я

правда ничего не знаю, мне ничего не говорят и к Леве не пускают. Состояние стабильно тяжелое — вот и все, чего я могу от них добиться.

— Господи! — Колодный присел рядом, обнял Елену за плечи, прижал к себе. — Бедная девочка, бедная моя, как же тебе тяжело, могу себе представить. Ты так и сидишь тут? Я надеялся, честно признаться, тебя не застать, думал, что ты все-таки возьмешь себя в руки и поедешь домой. Тебе надо отдохнуть, Ленуся, а ты себя истязаешь. Тебе силы нужны, а Льву Алексеевичу ты сейчас ничем помочь все равно не можешь.

— Я не могу уйти, — пробормотала она, утыкаясь Никите в плечо и давясь слезами, — мне кажется, что, пока я здесь, неподалеку, Лева это чувствует, и ему легче. Уж не знаю, поля там какие, или аура, или флюиды — я сейчас во все готова верить, только бы это Леве помогло. Если бы я могла посидеть рядом с ним, подержать его за руку, я уверена — он бы это почувствовал и пришел в себя.

Она тихо заплакала, а Колодный молча сидел рядом, обнимал ее и гладил по руке. Елена была благодарна ему за это молчаливое сочувствие и за теплое широкое плечо, на которое стекали ее слезы.

— Мы все очень переживаем за Льва Алексеевича, — наконец заговорил актер. — Многие хотели приехать сюда, да что многие — практически все, но мы же понимаем — больница, реанимация, тебе тут не до нас, да такую делегацию сюда и не впустят, выпрут прямо с порога. Я отбил себе право поехать и обещал сразу же позвонить и все рассказать. Владимир Игоревич с утра уже звонил доктору, но тот ничего не сказал, жена, говорит, тут сидит, в коридоре, я ее только что видел, так что она, если захочет, сама вам все скажет, а я права не имею, потому что вы не родственник. Ты не думай, Бережной каждый день звонит, а ему каждый день одно и то же отвечают: мол, жена все знает, а вам информацию не дадим. Но там, в театре, все сидят, после репетиции никто не ушел, все ждут, когда я позвоню и расскажу, как тут дела у Льва Алексеевича.

Елена вытерла слезы, еще раз всхлипнула и выпрямилась.

— Ну а вообще, как в театре дела? — спросила она просто для поддержания разговора. Ей совсем было не интересно, как дела в «Новой Москве», но хотелось выглядеть вежливой, хотя бы в знак благодарности за внимание и поддержку.

— Да как... — махнул рукой Колодный. — Никак. Все ждут Льва Алексеевича, без него ничего не двигается. Сеня, конечно, проводит репетиции, все идет по графику, но это же не то, не то... Лучше Льва Алексеевича никто эту пьесу не поставит, никто не сможет сделать так, чтобы она продержалась хотя бы сезон, уж больно слабый материал. Сеня не потянет. Если он полностью соберет спектакль, это будет провалом уже на премьере. И останусь я опять без главной роли. У меня вся надежда только на то, что Лев Алексеевич скоро поправится и сам будет собирать спектакль. Пусть лучше мы его выпустим позже, пусть даже не в этом сезоне, а в следующем, но уж это будет действительно хороший спектакль.

Никита говорил еще что-то в том же роде, но Елена уже не слушала его. Ей стало вдруг неприятно и очень обидно: Лева там, за этой стеклянной дверью, лежит в коме, и неизвестно, чем все это закончится, чем, когда и как, а эти, из театра, думают только о себе и о своих спектаклях и ролях. И все их сочувствие к ней, к Елене Богомоловой, есть не что иное, как банальный сбор информации для удовлетворения собственного ориентировочного инстинкта: человеку свойственно неистребимое желание знать, на что лично он может рассчитывать, как будут развиваться события лично для него, что с ним будет и с какими обстоятельствами ему придется иметь дело. В общем-то это вполне понятно, и ничего плохого в этом нет, ничего предосудительного, но... Но почему-то очень больно, когда для тебя это вопрос жизни твоего единственного, близкого и любимого, а для других — всего лишь вопрос удовлетворения инстинкта.

— Посидеть с тобой? — участливо спросил Колодный. — Хочешь, я сбегаю, куплю тебе поесть, кофе принесу, тут внизу есть кафетерий. Или хочешь, вместе сходим, я с тобой посижу, а ты поешь. Лен, возьми себя в руки, надо держаться, от того, что ты раскиснешь, никому легче не будет, и в первую очередь легче не станет Льву Алексеевичу.

— Я не хочу есть, — ровным голосом ответила Елена. — Ты иди, Никита, иди, не надо со мной сидеть, я в порядке. Скажи там всем вашим, что у нас все без изменений.

Она долго смотрела вслед Колодному, смотрела даже тогда, когда за ним давно уже закрылись двери лифта, расположенного в дальнем конце коридора.

Так она и просидела до вечера. Надо было уезжать домой, но на Елену накатила такая тоска, навалилась такая тяжесть, что не было сил сдвинуться с места. А ведь надо еще машину вести... Как ее вести в таком состоянии, когда на глаза постоянно наворачиваются слезы и руки начинают дрожать?

Она вытащила телефон и, позвонив брату, прорыдала в трубку:

— Вадик, приезжай, пожалуйста, в больницу, забери меня, я не могу сесть за руль, мне очень плохо.

— Что-то случилось? — встревоженно спросил Вадим Дмитриевич. — С Левой...? Что?!

— Да все то же, без изменений. Просто я что-то расклеилась. Ты меня заберешь?

— Конечно, конечно, жди, никуда не уходи, я за тобой поднимусь.

Вадим приехал примерно через час, крепко ухватил сестру под руку и повел к лифту. Усадив в свою машину, достал из бардачка маленький «мерзавчик» коньяку и протянул ей:

— На, глотни.

Елена отрицательно помотала головой.

— Не хочу. Не буду.

— Глотни! — Его голос стал требовательным и жестким. — Посмотри, до чего ты себя довела: не ешь, не пьешь, не спишь, посинела вся, трясешься. Выпей и расслабься хоть немножко. Ругать тебя хотел, слова всю дорогу готовил, а как тебя увидел — так сердце зашлось. Ну пожалей ты себя, Ленок!

— А Леву? — пробормотала она сквозь вновь нахлынувшие слезы. — Леву кто пожалеет?

— Леву и так все жалеют, уж поверь мне. Кстати, хочу тебе сообщить, что я нанял частного детектива.

— Зачем? — удивленно посмотрела на брата Елена.

— Ну как — зачем? Одна голова — хорошо, а две в любом случае лучше. Пусть тоже покопается, может, найдет что-нибудь, что государственные сыщики проглядят. Хуже-то всяко не будет.

— Ой, Вадик, может, зря ты это затеял, а?

— Да почему же? — искренне удивился Вавилов. — Ты разве не хочешь, чтобы преступника поймали?

— Не знаю, — тихо прошептала Елена. — Я ничего не знаю, Вадик. Я хочу только одного: чтобы Лева поправился. Или хотя бы просто выжил.

— Ты говоришь ерунду, — строго осек ее Вадим Дмитриевич. — Вор должен сидеть в тюрьме. И будет сидеть. Это не я сказал, а Глеб Жеглов.

— А если...

— Что — если? Ты уж договаривай, не жмись. Тебе что-то известно?

— Нет, я ничего не знаю, но я боюсь.

— Чего ты боишься?

— Ты понимаешь, Ксюша... Лева так ее любит, он души в ней не чает, хотя, конечно, видит все ее особенности, и нельзя сказать, чтобы он был от них в восторге, но это же... Ну, в общем, ты понимаешь. Лева этого не переживет.

Вавилов долго молча смотрел на Елену.

— Неужели ты всерьез думаешь, что это может быть?

Она снова заплакала. И ответить ничего не могла. Не знает она, ничего не знает.

Когда Никита Колодный говорил Елене Богомоловой, что после дневной репетиции никто не ушел из театра и что все сидят и ждут от него новостей, он изрядно покривил душой. Все артисты разбежались по своим делам, даже те, кто был занят в вечернем спектакле. Исключение составила только Евгения Федоровна Арбенина, которая никаких новостей от Колодного не ждала, справедливо полагая, что подобные вопросы решаются при помощи мобильного телефона, а вовсе не путем бесцельного пребывания в театре. Просто она любила и свой театр, и свою гримуборную, здесь она чувствовала себя как дома и в то же время ощущала собственное присутствие на службе. И не на какой-то там службе, а на Великой Службе Театру.

Настя Каменская и Антон Сташис этого, конечно, знать пока еще не могли, поэтому они в сопровождении помрежа Федотова просто поднялись на этаж, где находятся гримуборные, и отправились от лестницы направо, на женскую сторону. У них был выбор, направо идти или налево, и Федотов объяснил, что правая сторона — женская, а левая — мужская.

— На сегодня мне мужчин уже хватит, — решительно произнесла Настя. — Давайте попробуем поговорить хоть с одной женщиной, а то у нас сплошной мужской взгляд на ситуацию получается.

Они шли по коридору вдоль дверей, на которых висели таблички с фамилиями актрис, на каких-то — по две, а на некоторых — и по четыре, стучали, нажимали на дверные ручки, убеждались, что в гримерке никого нет, и шли дальше. До тех пор, пока из-за двери с табличкой «Е.Ф. Арбенина» не услышали:

— Да-да, входите!

Настя вопросительно посмотрела на Александра Федотова.

— Она одна в гримуборной? Все по двое — по четверо, а она — одна? Почему? Арбенина же не единственная народная артистка России в вашем театре, есть и другие, — шепотом спросила она.

— Это театр, — выразительно пожав плечами прошептал в ответ Федотов.

Ответ Настю не удовлетворил, но к сведению она его приняла.

Народная артистка России Евгения Федоровна Арбенина полулежала на диванчике, одну руку подставив под голову, а другой поглаживая белоснежную пушистую кошку. Настя сразу почувствовала стойкий запах табака, который укоренился здесь за много лет, несмотря на систематические проветривания. А ведь Насте говорили, что курить в здании театра можно только в строго отведенных для этого местах, и гримуборные к таким местам никак не относятся. Значит, и в этом для Арбениной было сделано исключение. Или она просто умеет договариваться с неподкупными пожарными?

— Евгения Федоровна, принимаете гостей? — В голосе Федотова Настя услышала неприкрытое подобострастие.

— Добро пожаловать, — прозвучал ответ.

Голос у Арбениной был необыкновенно звучным, приятного низкого тембра, именно таким, каким Настя запомнила его по фильмам, а улыбка поистине царственная.

— Я вас оставляю на попечение Евгении Федоровны, а когда освободитесь, наберите меня, я подскочу, — заторопился помреж.

Арбенина в разговор вступила охотно, даже переложила кошку и приняла другую позу, чтобы удобнее было жестикулировать.

— Сеня Дудник? — переспросила она в ответ на очередной вопрос и поморщилась: — Да ничего он не ставит, я вас умоляю! Кому он нужен? Пара спектаклей где-то в провинции, а так сидит здесь и дожидается, пока Лев Алексеевич ему с барского плеча не скинет возможность что-нибудь поставить, ерунду какую-нибудь. В основном он просто замещает на репетициях Богомолова, когда Лев Алексеевич отсутствует.

— А что будет с театром, если Богомолов не вернется? — спросил Антон.

Арбенина слегка приподняла красиво изогнутые брови и заговорила чуть медленнее, не то раздумывая над ответом, не то взвешивая каждое сказанное слово.

— Ну, знаете, слухи разные ходят. Вот вы, например, слышали такую фамилию — Черновалов? Виктор Константинович Черновалов?

— Слышала, — кивнула Настя.

Она не была театралкой, но фамилию эту действительно слышала, хотя ни одного спектакля, поставленного именитым режиссером, не видела. А вот Антон, похоже, и фамилии такой не знает, во всяком случае, лицо его при упоминании Черновалова осталось совершенно бесстрастным.

— Ну вот, — продолжала Евгения Федоровна, — Виктор Константинович сейчас без театра, давно уже, преподает понемногу, иногда его приглашают что-нибудь где-нибудь поставить, иногда он дает мастер-классы и у нас, и за границей. Он уже очень в годах и сильно болеет. Но ему хочется иметь свой театр. Понимаете? Это его заветная мечта. А Черновалова очень любят в верхах, любят, уважают, он к министру культуры без стука в кабинет входит, поскольку наш министр был когда-то его учеником. Так вот, наш Сенечка Дудник тоже в свое время учился у Виктора Константиновича и ходил у него в любимчиках. Так что, если Лев Алексеевич, не приведи господи, не вернется, Черновалов имеет все шансы стать нашим новым худруком. Или нам его сверху навяжут, или при помощи аппаратных игр сделают так, что труппа его выберет. И вот тогда, — Арбенина сделала выразительный жест рукой, — для нашего Сенечки начнется настоящая райская жизнь, потому что ставить Черновалов сам ничего не будет, он слишком стар для этого, у него уже сил нет. То есть будет, конечно, но один спектакль в два года, он вообще всегда славился тем, что работал очень медленно и тщательно, это не то, что теперь: два месяца — и спектакль готов. Виктор Константинович репетировал по восемь-девять месяцев, все доводил, все совершенствовал, собирал спектакль, как картину из бисера, по крохотным, отшлифованным до полного блеска кусочкам. А Сеня при нем будет ставить по три-четыре спектакля в год, набьет руку, сделает себе имя, Черновалов ему поможет получить парочку престижных премий, у него есть такая возможность, а когда через несколько лет Виктор Константинович уйдет на покой окончательно, вот тут у Сени и появятся все шансы стать нашим худруком.

— Откуда такая уверенность? — спросила Настя.

— Ну а как же? Имя и лауреатство у Сени уже будут, это раз. Он — свой, его наш театр давно и хорошо знает — это два. И он не будет повторять ошибок Льва Алексеевича — это три.

— Ошибок? — Антон, словно беркут, немедленно вцепился в неосторожно брошенное слово. — Что вы имеете в виду?

— Видите ли, — засмеялась Арбенина, — я в театре на особом положении, но это не значит, что я слепая и глухая. Лев Алексеевич со мной обращается, как с хрустальной вазой, но вообще-то он человек сложный, неоднозначный, с тяжелым взрывным характером, властный, обидчивый. А Сеня — он чудный мальчик, мягкий, добрый, вежливый, любит актеров и ценит их, а актеры это чувствуют и платят режиссеру тем же. Поэтому, когда в будущем дело дойдет до выбора худрука, наша труппа горой за Сеню встанет. Но именно в будущем, потому что Сеня пока никто, режиссер без имени, а Черновалов поможет ему это имя получить. Вернее, сделать.

Смотри-ка, подумала Настя, оказывается, Дудник — мягкий, добрый, чудный мальчик, который любит и ценит актеров. А ей он таким совсем не показался.

— Почему вы так уверены, что Черновалов сам ставить не будет? — спросил тем временем Сташис. — Зачем же ему тогда становиться худруком? Для чего мечтать о своем театре, если в нем не ставить?

— А он хочет осуществлять художественное руководство, — улыбнулась Евгения Федоровна, — и окончательно уйти на покой с такой должности, чтобы было не стыдно перед самим собой и перед потомками. А сейчас Виктор Константинович кто? Никто. Хоть и известный в прошлом режиссер, а все равно — никто.

Настю ситуация с Черноваловым интересовала в меньшей степени, куда больше ее заинтересовали слова Арбениной о том, что Богомолов плохо обращается с актерами и другими работниками театра. Конечно, информация не нова, об этом ей и Гриневич говорил, но вот развить тему просто необходимо, может быть, всплывут интересные детали.

— Скажите, Евгения Федоровна, может кто-нибудь из ваших так сильно обидеться на Льва Алексеевича, что захочет убить его?

— Да бог с вами! — замахала руками актриса. — Никто! Обижаться — да, тут мы, актеры, первые. Но не убивать же! Люди театра вообще на убийство не способны, вам следует это понять, если хотите найти преступника. Вы не там ищете. Вам, наверное, уже десять раз сказали, что актеры — это большие дети? Ведь сказали же, правда?

— Сказали, — не могла не признать Настя.

Арбенина прищурилась и пристально посмотрела сначала на нее, потом на Сташиса.

— Но вы не поверили. А зря. Потому что это — правда. Мы очень любим поговорить, порассказывать, покрасоваться, но делать ничего не будем. Так уж мы устроены.

— Но ведь, кроме актеров, в театре есть и другие сотрудники, — напомнила Настя. — И у них тоже могли быть причины для обид, для неприязни, даже для ненависти.

— Это да... — словно бы нехотя согласилась Арбенина и вдруг оживилась: — Кстати, я вот вспомнила, был у нас один завпост, так он ухитрился в ночное время проводить на сцене какие-то сомнительные кастинги, и, что самое ужасное, — на эти кастинги привозили малолеток. Уж не знаю, для каких таких целей их тут отсматривали, но только когда это всплыло, пришла милиция, его арестовали и даже, кажется, потом посадили.

— А Богомолов тут при чем?

— Ну как же, он же и вызвал милицию, когда узнал. А узнал он случайно. В общем, это давно было, я подробностей и тогда не знала, а сейчас уж и не вспомню.

— Насколько давно?

— Года четыре назад, может, три. Нет, точно не скажу.

Настя с трудом сдержалась, чтобы не улыбнуться.

Глядя на Арбенину, слушая ее, учитывая ее особое положение в театре, трудно было поверить, что она может не помнить каких-то подробностей. Ох, темнит бабушка русского театра, ох, темнит! Интересно, почему?

— А фамилию этого завпоста помните?

— Скирда, Леонид Павлович Скирда.

Уже хорошо. Зарубин его проверит. Значит, с памятью у Евгении Федоровны все в полном порядке, зря она на себя наговаривает. И не завпоста Скирду она покрывает. Тогда кого же?

— А еще какие-нибудь подобные истории были? — спросил Антон.

— Деточка, — нетерпеливо вздохнула Арбенина, — я вам уже сказала: артист убить не может, не такова у него психика, не таков образ мысли. А что касается других служб, я совершенно не представляю, что там у них происходит. Театр так устроен: каждый знает только свою службу, свое дело, свои обязанности, к другим не суется и не интересуется. Каждый думает только о том, чтобы свой кусочек работы выполнить как можно лучше, потому что от каждого такого кусочка зависит судьба спектакля. И тут уж не до того, чтобы вникать, кто чем занимается за стеной, кто за что отвечает и кто с кем поссорился.

Н-да, одно за этот день пребывания в театре Настя Каменская усвоила прочно: никакого сора из избы. Внутри, между собой, — все что угодно, но наружу — ни-ни.

Прежде чем звонить услужливому помрежу Федотову, надо связаться с Сережей Зарубиным и дать ему информацию про Леонида Павловича Скирду. Сам-то Скирда вряд ли совершил покушение на Богомолова, слишком прямолинейно, слишком высок риск, ведь его историю помнят в театре, но за ним, вероятнее всего, стоит какая-то организованная сила, и вот она-то как раз вполне могла свести счеты с худруком, обломавшим им всю малину. Но, с другой стороны, прошло столько времени... Почему сейчас? Почему не раньше? Ладно, не должна у нее голова болеть на эту тему, ее задача — искать и находить информацию в театре «Новая Москва», а уж Сережка пусть сам решает, что с этой информацией делать.

— Пойдемте, я покажу вам театр, — предложил Федотов, встретив Настю и Антона в коридоре «женской» стороны. — До начала спектакля полтора часа, все заняты, рабочие монтируют декорации, реквизиторы готовятся, потом начнут подходить актеры, им будет не до вас. Я тут немножко посвоевольничал, договорился с главным администратором, он сможет с вами побеседовать после начала спектакля, во время первого действия. До начала у него самое сумасшедшее время, а потом он готов ответить на ваши вопросы.

— Вы — наш антрепренер? — усмехнулся Антон. — Или директор?

Настя незаметно ткнула его локтем в бок. Зачем он нарывается? Да, этот Федотов навязчив и чрезмерно любопытен, но без него они бы тут совсем пропали. И вообще, людей не надо обижать, это золотое правило любого опытного оперативника.

Однако Александр Олегович Федотов и не подумал обижаться.

— Помилуйте, я — ваш гид-переводчик, это будет ближе к истине. Ну так что, пойдем смотреть театр или вам не интересно?

— Нет, нам очень интересно, — поспешно откликнулась Настя.

Антон только молча кивнул, дескать, да, любопытно было бы взглянуть, но энтузиазма в его глазах Настя не заметила.

Помреж повел их по служебной лестнице наверх, открыл железную дверь, прошел вперед и сделал приглашающий жест рукой.

— Проходите, только очень осторожно, смотрите под ноги, здесь открытые люки.

Они оказались на верхней галерее, узкой, темной и, на первый взгляд, абсолютно ненадежной конструкции. Насте моментально стало не по себе и захотелось вернуться назад, на такую понятную, хорошо освещенную служебную лестницу. Она покрепче ухватилась руками за перила, которые показались тонкими и шаткими. Антон, между тем, чувствовал себя совершенно уверенно, легко передвигался по галерее вслед за Федотовым и задавал массу вопросов.

— Это штанкетное хозяйство, — Федотов показал на множество тросов и толстых канатов, на которых были укреплены тяжелые противовесы. — Выше уже только колосники.

Он показывал что-то еще и увлеченно рассказывал, но Настя его не слушала, она вообще не двигалась с места, словно приросла к нему. Сцена была далеко внизу, монтировщики ставили декорации и казались сверху крошечными ожившими игрушками. Она перевела взгляд выше и заметила висящий между падугами скелет. Смотри-ка, у театра как такового тоже есть чувство юмора! А если свалиться отсюда на сцену, то, наверное, это стопроцентная смерть. Интересно, бывают ли в театрах несчастные случаи с монтировщиками? А преступления, когда кого-нибудь умышленно сталкивают с верхней галереи? Перила невысокие, столкнуть человека ничего не стоит, было бы желание... Господи, что за мысли лезут в голову в этом странном и страшном месте! Вон отсюда, бегом, и как можно быстрее. Вниз, туда, где сцена, где люди, где под ногами привычная твердь, а не сплошной воздух. Да, вот она, причина, почему ей так страшно и неприятно здесь, на галерее: кругом воздух и пустота, галерея сплошь решетчатая, и все выкрашено черной краской: и пол, и перила, поэтому плохо видно, и кажется, что ничего вообще нет, только один воздух, нет ничего основательного и надежного, все шатко, темно и страшно. Как на краю бездны. Наверное, надо обладать каким-то совершенно особенным характером, чтобы годами здесь работать.

— Александр, — позвала она, — давайте спускаться, вы еще обещали нам сцену показать.

Федотов обернулся, и глаза его в темноте как-то странно блеснули.

— Что, Анастасия Павловна, страшно? Да вы не бойтесь, театр добрый, он никому зла не делает. А вот вашему коллеге, я смотрю, совсем не страшно, он тут быстро освоился.

— Время, Александр, время. — Настя выразительно посмотрела на часы.

Они спустились вниз, причем Настя с неудовольствием отметила, что ноги у нее стали какими-то ватными, во всяком случае, по ступенькам она спускалась не совсем уверенно. Они снова шли по коридорам, и Настя, как ни силилась, так и не смогла вспомнить, были они сегодня здесь или еще нет. Кажется, были, потому что вроде бы вот эту дверь она вроде бы помнит... Да, все верно, Федотов открывает ее, и они снова оказываются в кулисах.

— Вот мое рабочее место, — указал помреж на небольшой стол с встроенным в него пультом и лампой на длинной гибкой ножке, — но сегодня спектакль веду не я.

Буквально в метре от стола помрежа был еще один стол, на котором лежали разнообразные предметы, а рядом стояла молоденькая девушка с толстой тетрадкой в руках. Тетрадка была открыта, девушка смотрела в нее, потом переводила взгляд на стол, что-то перекладывала, снова смотрела в тетрадку...

— Что она делает? — с любопытством спросил Антон.

— Это новенькая, реквизит «заряжает». Опытные реквизиторы каждый спектакль наизусть знают и без записей обходятся, а новеньким приходится первое время с тетрадкой сверяться. В такие тетради каждый спектакль записывается, подробно-подробно, и схема рисуется, как и что должно лежать.

— А не все равно, как оно лежит? — простодушно спросил Сташис.

— Да вы что! — искренне возмутился помреж. — Лежать должно в строго установленном порядке, так, как удобно актеру, как он привык. Подходя к реквизиторскому столику, он не должен думать, не должен шарить глазами и искать, где лежит то, с чем ему сейчас надо выходить на сцену, он должен знать точно и иметь возможность схватить предмет практически не глядя. Перед выходом на сцену актер не должен тратиться на такую ерунду. Ну, если хотите на сцену, то пойдемте, а то скоро занавес закроют, и все ощущение потеряется.

Декорации на сцене уже были почти смонтированы, но занавес все еще был открыт, и Настя, сделав шаг из-за кулис, оказалась перед огромным проемом пустого зрительного зала. Еще несколько минут назад, стоя на верхней галерее, она думала, что ей так страшно, как давно уже не было. Ничего подобного, ей совсем не было страшно, потому что по-настоящему страшно ей стало только сейчас. Ноги приросли к подмосткам, стали чугунными, спина окаменела, она смотрела в провал зала и понимала, что не может ни пошевелиться, ни выдавить из себя хотя бы звук. А ведь актеры должны здесь плакать и смеяться, страдать и радоваться, и делать это легко, искренне, достоверно. И при этом слушать партнера, улавливать его замысел, не путать текст, не забывать, где кто должен стоять и куда идти, и быть каждую секунду готовым к импровизации, и вовсе не потому, что захочется похулиганить и освежить навязший в зубах текст роли, а просто потому, что кто-то, или ты сам, или твой партнер, совершит малюсенькую ошибку, и ее надо будет отыгрывать. Про такие ошибки и вызванные ими невольные импровизации ей много рассказывал Гриша Гриневич, она всегда воспринимала эти рассказы как забавные анекдоты и с готовностью смеялась вместе с ним. И только сейчас, стоя на почти готовой к спектаклю сцене, Настя Каменская вдруг впервые в жизни реально осознала, сколько нечеловеческого труда стоит за красотой и кажущейся легкостью того, что видит зритель из зала, сидя в удобном кресле с программкой в руках, сколько людей должны день и ночь трудиться, чтобы придумать и воплотить эту красоту и добиться этой легкости и правдивости. И сколько нервных клеток нужно истратить, чтобы оживить придуманный спектакль. Да что оживить — даже просто научиться ходить по этой сцене и нормально разговаривать и то стоит неимоверных усилий.

«Они совершенно другие, — думала Настя, стоя на сцене и глядя в зал, — и мне никогда их не понять. Общаясь с Ирой Савенич, я этого не чувствовала, но Ира не играет в театре, она в кино снимается. Наверное, театр — это что-то совсем особенное, и люди здесь особенные, ни на кого не похожие. Мне будет трудно».

— Анастасия Павловна, — как сквозь стену донесся до нее далекий голос. — Анастасия Павловна!

Она стряхнула оцепенение и с трудом повернулась. Федотов стоял в кулисах и делал ей знаки обеими руками. Интересно, давно ли она так стоит и давно ли он ее зовет?

— Анастасия Павловна, пойдемте, вы у меня совсем из графика выбились.

— Из какого графика? — не поняла Настя.

— Вы же целый день на ногах, по театру ходите, вам сейчас надо пойти со мной в артистический буфет, покушать, выпить чаю, отдохнуть, а сразу после семи, как спектакль начнется и все опоздавшие рассядутся, я вас поведу к Валерию Андреевичу, нашему главному администратору.

— То есть вы и рабочие графики для нас составляете? — Насте не удалось скрыть сарказм, хотя она и постаралась.

— Помилуйте, а как же иначе? — Федотов добродушно улыбнулся и развел руками. — Коль я взял над вами шефство, то и должен вас опекать, следить не только за тем, чтобы вы не заблудились, но и за тем, чтобы вы у меня тут не голодали и не надорвались.

Идемте, идемте, я понимаю, что сцена произвела на вас неизгладимое впечатление и вы теперь немного не в себе, но это нормально, подмостки почти на всех так действуют в первый раз, однако надо и о здоровье подумать.

Еда в артистическом буфете была не бог весть какая разнообразная и вовсе не изысканная, но зато свежая и приготовленная явно с любовью. Настя неожиданно поняла, что страшно голодна, и с нескрываемым удовольствием съела картофельный салат и два сырника с изюмом.

— Александр Олегович, а что это за история была с завпостом Скирдой? — спросил Антон, уминая поджаренные в гриле сосиски.

— А, — улыбнулся Федотов, — вам уже рассказали? Жалко, я хотел сам порадовать вас этим анекдотцем, как раз собирался за чаем его преподнести, но, видно, меня опередили. Кто, интересно? Наверное, Семен Борисович?

— Да это не важно, кто именно, — уклонился от ответа Сташис. — Нам бы подробности какие-нибудь. Не поможете?

— Видите ли, я тоже не полностью в курсе, потому что все происходило на верхнем, — помреж ткнул пальцем в потолок, — уровне. Я знаю только, что Льву Алексеевичу кто-то стукнул, будто по ночам в театре что-то происходит. Кто стукнул — не знаю, но факт остается фактом: Лев Алексеевич сам лично начал по ночам ездить в театр, вахтерам и охранникам запретил шум поднимать, приезжал, тихонько входил в здание и начинал его вместе с чоповцем на цыпочках обходить. Один раз приехал, другой, третий, а на четвертый поймал нашего Леню Скирду с поличным. Оказалось, что Леня вступил в сговор с одной сменой охраны и вахтершей, они в то время все работали «сутки — трое», поэтому одни и те же вахтеры всегда попадали в смену с одними и теми же чоповцами. Теперь у театра договор с другим агентством, у него свой график, скользящий, а тогда смены совпадали. Вот с одной такой сменой Леня договорился и раз в четыре дня устраивал на сцене кастинг с какими-то толстосумами и моло-денькими девками. Лев Алексеевич тут же вызвал милицию и всех сдал, вахтершу уволил, с охранным предприятием договор разорвал и нашел другой ЧОП. Вот, собственно, и все, что я знаю.

— Погодите, погодите, Саша, — Настя потрясла головой, не веря услышанному. — Вы хотите меня уверить, что художественный руководитель театра, режиссер Богомолов, по ночам, вместо того чтобы спать, приезжал в театр с одной-единственной целью поймать за руку неизвестно кого и неизвестно на чем? Он что, решил сменить амплуа режиссера на амплуа ночного сторожа? Это бред какой-то!

— Это не бред, — усмехнулся Федотов. — Это Богомолов Лев Алексеевич. Наш Лев Алексеевич, видите ли, любит, чтобы его боялись, вот такая у него характерологическая особенность. Он считает именно это главным признаком, главным атрибутом власти, а вовсе не право подписи на финансовых документах и не принятие каких-то решений, связанных с деньгами. Он в этих документах и в этих решениях все равно ничего не понимает. А власти ему хочется. Лев Алексеевич очень любит наведываться в разные цеха, проверять службы, ловить с поличным, чтобы не распивали на рабочих местах спиртное или даже просто чай, чтобы не шили в пошивочном цехе левые заказы, чтобы не нарушали дисциплину, и все прочее. Такой, знаете ли, Карабас-Барабас, требовал работы, работы и работы, никаких нарушений и послаблений. И еще он страшно любит увольнять, причем громко так, с криком, со скандалом, чтобы крикнуть во все горло: «Вон отсюда!!!», и чтобы весь театр это слышал и боялся.

«А ведь он Богомолова не любит, — думала Настя, внимательно слушая помрежа. — И не просто не любит. Он его ненавидит. Люто. Давно. Но что-то тут не то... Что-то не так... Надо поговорить с Антоном, может, он что-то углядел».

Театр волновался и негодовал. Как это можно: разрешить посторонним людям стоять на сцене, на этом святом месте, да еще перед спектаклем, да еще в уличной обуви! Это уму непостижимо! К сожалению, в последние двадцать лет такое случается все чаще и чаще, но Театр все никак не мог к этому привыкнуть, смириться и принять. Он и не хотел ни привыкать, ни принимать, ни смиряться! Не будет этого!

То ли дело раньше... Такое святотатство было просто немыслимым, к сцене относились бережно, любовно, уважительно, ее берегли от посторонних, как святыню, и никто не смел находиться на ней без дела, просто так, из любопытства, как вот эти, сегодняшние. Экскурсанты, ни дна им, ни покрышки. Ведь еще в июне 1897 года на своей исторической встрече в «Славянском базаре» Станиславский и Немирович-Данченко условились, что нахождение в театре в верхнем платье, в калошах, шубах и шапках строжайшим образом воспрещено. А эта, из милиции, в уличной обуви на подмостки выперлась.

Театр хорошо помнил, как сюда приходил сам

знаменитый Шверубович из МХАТа, как ходил по зданию, осматривал цех объемных декораций, разговаривал с художниками. Вот человек был! Уж он-то знал, как нужно относиться к сцене. Театр тогда слышал, как Шверубович рассказывал о Станиславском, о его особой неслышной походке, которую Константин Сергеевич выработал у себя, чтобы тихо-тихо проходить за сценой во время спектакля. Великий режиссер передвигался с чрезвычайной осторожностью, долго выбирал ногой точку опоры, ставил ее, медленно переступая с носка на всю стопу, переносил вес тела на одну ногу, медленно отрывал от пола другую, искал ею опору... От такого отношения к сцене и сама атмосфера в театрах была иной, более торжественной, более таинственной, более сказочной. Даже занавес в те времена висел иначе, и складки его спускались из-под арлекина по-другому, мягче, плавнее, изящнее... Эх, да что там говорить!

А теперь стоит посреди сцены какая-то чужая тетка и пялится в зал. Чего она увидеть-то хочет? Нет там ничего, кроме кресел. На самом деле Театр прекрасно знал, что в зале есть много чего такого, что лично он видел и ощущал, но разве эта тетка способна на такое тонкое видение? Там, в зале, есть все, весь спектр человеческих чувств, страданий, переживаний, там и радость, и веселье, и горестные воспоминания, и внезапные светлые слезы, и иронические улыбки, и восторг, и негодование, и презрение — да все разве перечислишь? Разве можно в нескольких словах передать все, что остается в зрительном зале после того, как спектакль посмотрит несколько сотен человек, каждый из которых — со своей историей, со своим характером, со своим жизненным опытом, со своими уникальными воспоминаниями, а стало быть, со своим индивидуальным и неповторимым восприятием? И следы этого восприятия, следы переживаний каждого отдельного зрителя остаются здесь, в зрительном зале, в его воздухе, в обивке кресел, в дереве паркета, во всей атмосфере. Эту атмосферу Театр чувствует, читает, как книгу, дышит ею, живет в ней. Но эта худощавая блондинка, которую зачем-то привел на сцену неугомонный и вездесущий Сашка Федотов, ничего этого не почувствует и не поймет. Так для чего ей стоять тут?

За два часа до начала каждого спектакля Театр начинал настраиваться, он хорошо знал, какую пьесу будут давать и какие актеры в ней заняты, и готовил себя к тому, чтобы принять благодарного зрителя, разделить вместе с ним удивление от чуда, которое начнется, едва раздвинется занавес, и поглотить в себя все то горькое и тяжелое, что может выплеснуться из человека во время спектакля. Пусть выплескивается, пусть выходит из людей все черное, тяжким грузом лежащее на сердце, он, Театр, все оставит себе, чтобы человек вышел отсюда обновленным и легким. Театр на все готов ради того, чтобы зрителю здесь нравилось и чтобы он возвращался сюда снова и снова.

И артистам Театр должен помочь во время спектакля, и помощнику режиссера, ведущему спектакль, и бригаде монтировщиков, и реквизиторам, и костюмерам, и осветителям, и радиотехникам, и электронной службе, и билетерам, и администраторам, словом, всем, кто выходит по вечерам на Службу Театру.

Но все это требует сил и полной сосредоточенности, это дело ответственное, к нему нужно подходить серьезно и отдаваться ему всей душой. А эти гости, которые с самого утра шатаются по коридорам и лестницам Театра, отвлекают. Раздражают. Не дают сконцентрировать внимание на главной задаче, ради которой Театр, собственно говоря, и существует. Хоть бы они уже ушли поскорее и больше не возвращались!

Гости покинули сцену, и Театр вздохнул с облегчением.

Но покидать здание они, кажется, не собирались...

Выждав пятнадцать минут после третьего звонка, Настя Каменская и Антон Сташис отправились к главному администратору театра, занимавшему небольшое, но очень уютное помещение прямо рядом с входом в вестибюль. Окошко, через которое администратор общается со зрителями, было закрыто и задернуто темно-голубой шторкой, на стоящем прямо под окошком письменном столе горела настольная лампа, стены увешаны афишами с репертуаром театра на текущий и следующий месяцы, а также анонсами предстоящих премьер.

Главный администратор театра «Новая Москва» Валерий Андреевич Семаков, худой, с костлявым лицом и редкими волосами, встретил гостей без восторга и даже без показного радушия. Он устал, был недоволен и не скрывал этого.

— Обиды? — переспросил он, выслушав первую порцию ставших уже традиционными для сыщиков вопросов. — Конечно, есть. А в каком коллективе их нет? Даже между двумя людьми и то всегда есть обиды, а если речь идет о двух сотнях?

Семаков, точно так же, как завлит Малащенко, считал, что основная причина обид в театре — несправедливость, однако истоки этой несправедливости он, как представитель не творческой, а административной части театра, видел не в субъективности взглядов и оценок, а в незнании специфики работы и выдвижении неправомерных требований. Руководство не знает, как работает конкретный цех или другое подразделение, оно начинает требовать невозможного и не слушает никаких объяснений и оправданий, а за невыполнение строго наказывает. Разумеется, это обижает людей. Кроме того, руководство не вникает и не собирается вникать в трудности, с которыми постоянно сталкивается та или иная служба, и не понимает, на какие изощренные уловки и чудовищные переработки приходится идти, чтобы решить поставленные перед ней задачи, и пока у службы все в порядке, это воспринимается как должное, даже «спасибо» от начальства не дождешься, как будто никак иначе и быть не может, зато как только случается малейший огрех — тебя смешивают с грязью, забыв о долгих годах безупречной и отнюдь не легкой работы. Ну, и еще один источник обид — наличие любимчиков. Сколько субъективизма в оценке художественных достоинств или таланта, столько же его и в оценке людей, это в общем-то нормально, это тоже имеет место в любом коллективе, но в театре проблема любимчиков принимает поистине гипертрофированный размах. Любимым актерам дают играть, а есть и такие, которых просто не замечают, словно их и нет. Нелюбимые приходят только за зарплатой, и это, конечно же, унизительно и обидно. Любимых сотрудников руководство приближает к себе, советуется с ними, обсуждает проблемы, приглашает на посиделки, берет с собой в поездки, и такое «приближение к трону» всегда очень заметно всем остальным и не может не задевать.

— Валерий Андреевич, а что входит в круг ваших обязанностей? — с любопытством спросил Антон.

Семаков хмуро усмехнулся.

— Твердо установленных функциональных обязанностей ни у кого нет, это вы должны понять сразу.

— Что, совсем нет? — изумилась Настя. — Они же должны быть прописаны для каждой должности.

— Вот именно, что должны быть. В нормальном театре они есть, в нормальных театрах вообще все иначе, а у нас вся работа поставлена с ног на голову. Наверное, где-то эти бумажки валяются, в сейфе у директора, вероятнее всего, но лично я за все годы работы в театре их не видел. Что руководство поручит — тем и занимаемся. Вот я, к примеру, должен работать со зрителями и заниматься прокатом репертуара, то есть продвигать спектакли, организовывать гастроли и зарабатывать для театра деньги. Но вместо этого я, по заданию руководства, занимаюсь и рекламой, и изготовлением корпоративной продукции типа открыток и буклетов, и составлением программок, и организацией их изготовления, и подготовкой материалов для ежемесячника «Театральная афиша». Типографии, тиражи, бумага, цвет, контакт с художником — все это на мне, хотя моя единственная прямая обязанность — работа со зрителем и с прокатом.

— И что, так было всегда? — поинтересовался Сташис.

— Нет, конечно, — костистый нос Семакова досадливо сморщился. — При прежнем художественном руководителе я занимался только тем, чтобы зритель мог посмотреть спектакль. А это означало, что я выезжал с актерами, возил их на творческие встречи, организовывал информирование населения, опекал актера, создавал ему условия, транспорт, гостиницы, питание, билеты и все такое. А теперь я никого никуда не вожу, а вместо этого руковожу билетерами, которые каждый день перед спектаклем должны положить перед собой девятьсот программок и карандашиком поставить галочки напротив фамилий тех актеров, которые сегодня играют. Очень творческая задача! — В его голосе зазвучала неприкрытая горечь и обида. — Даже репертуарные книжки, которые нужно делать каждый месяц, и те на мне, хотя, по всей логике, этим должна заниматься завтруппой, потому что именно она несет главную ответственность за составление репертуара.

— Так почему же она этим не занимается? — настырно продолжал Сташис.

Настя с любопытством покосилась на Антона. Впервые за весь день он проявил такую активность при беседе, на всех предыдущих встречах он задавал совсем мало вопросов, все больше молчал, смотрел, наблюдал. И что его так заинтересовало в работе главного администратора?

— Потому что Лев Алексеевич распорядился, чтобы этим занимался главный администратор.

— Именно вы? — уточнил Сташис.

Настя заметила, что при этом он сделал странное движение головой, словно увидел что-то в стороне, но хотел скрыть это от Семакова. Она быстро обвела глазами кабинет и поняла причину такого странного, на первый взгляд, уточнения. На втором, придвинутом к противоположной стене столе стояли рядышком две треугольные таблички из плотного картона: «Главный администратор Семаков В.А.» и «Главный администратор Красавина Л.Г.». Значит, в театре два главных администратора. А он глазастый, этот Антон Сташис, и смекалистый.

— Да, — с оттенком того самого уничижения в голосе, которое, как говорят, паче гордости, ответил Валерий Андреевич, — конкретно — именно я.

— А не Красавина?

— Нет, — коротко отрезал Семаков. — Лилия Георгиевна у нас занята другими делами.

— Какими? — не отставал Антон.

— Другими, — последовал исчерпывающий ответ. — Красавина работает с артистами. А я занимаюсь вот этим. — Семаков выхватил из кармана и потряс перед ними маленькой синенькой книжицей. — Завтруппой составляет репертуар на месяц, а сделать макет книжки, заказать тираж в типографии, закупить бумагу, вывезти тираж — это моя обязанность. И обратите внимание, — с этими словами главный администратор перелистал книжечку, открыл на нужном месте и протянул Антону, — здесь не только график работы на месяц, но и телефонный справочник, и не дай мне бог допустить хоть малейшую ошибку и не учесть последние кадровые перестановки. Головы мне не сносить. А кадровые перестановки у нас постоянные, потому что Лев Алексеевич очень любит увольнять людей и брать на работу новых. И за этим следить должен тоже я, потому что раз репертуарная книжка — моя епархия, то и за точность данных в телефонном справочнике тоже я отвечаю.

Настя протянула руку, взяла книжку, полистала ее и спросила:

— У вас не найдется еще одной для нас? — спросила она.

— Да берите, у меня есть свободные, — махнул рукой Семаков.

— И все-таки, Валерий Андреевич, — не отставал Сташис, — как вы считаете, почему так получилось? Почему у двух главных администраторов, то есть у людей, которые, по идее, должны по очереди, в разные дни, выполнять одну и ту же работу, такие разные обязанности?

Семаков вспыхнул, не в силах сдержать прорвавшуюся злость.

— Почему? Да потому что Лев Алексеевич хочет все решать сам, а ума и знаний у него не хватает, вот и дает поручения всем подряд, невзирая на должности и те самые пресловутые функциональные обязанности. А что вы хотите? Он малограмотный и малообразованный человек, а мнит себя бог весть кем, мечтает стать гуру в режиссуре классического репертуара.

Тут уж Настя немедленно вцепилась в несчастного Семакова.

— Что значит — малограмотный? В чем это проявляется?

Семаков вздохнул, потер длинными узловатыми пальцами виски.

— Я вам расскажу для примера одну историю, если вам ее еще не рассказали.

— Про Илью Фадеевича Малащенко? — догадалась Настя.

— Да, — удивленно протянул Валерий Андреевич. — Значит, рассказали?

— Вы имеете в виду историю с худсоветом и пьесой Лесогорова?

— Нет, что вы, это совсем другая история, более давняя. Но и куда более показательная. Вы знаете, что в нашем театре есть музей? Ну, конечно, не знаете, это и понятно. Дело в том, что наш музей — это не помещение, где хранятся экспонаты, а такая специальная, как вы выражаетесь, функциональная обязанность. Номинально должен быть человек, который эту обязанность будет выполнять, то есть собирать архив театра, готовить подборки материалов к юбилеям актеров, режиссеров, спектаклей, к каким-то памятным датам. А на практике эту обязанность чаще всего поручают кому-нибудь как дополнительное обременение. Вот в нашем театре такое «обременение» досталось Илье Фадеевичу, нашему завлиту. Но надо знать Илью Фадеевича! — Голос Семакова зазвучал проникновенно и с глубоким уважением. — Это не только человек чрезвычайно образованный, но и чрезвычайно ответственный, если уж берется что-то делать, то делает с полной отдачей и великолепным результатом. Так вот...

...Готовилась постановка пьесы «Беседы францисканцев», основанной на реальных событиях. Сюжет пьесы состоял в том, что какие-то рыцари вели осаду монастыря, все монахи, кроме двенадцати последних, смогли убежать и спастись, а эти двенадцать остались, страдают в осажденном монастыре от голода и жажды и ведут беседы. Постепенно, один за другим, они умирают. Поскольку пьеса написана в девятнадцатом веке, то есть считается классикой, Богомолов взялся ставить ее сам. Пока он был в отпуске, Илья Фадеевич Малащенко, выполняя функции истинного музейщика, обратился во францисканское издательство, где ему показали огромное количество материалов об этом историческом событии, но все эти материалы были на итальянском и польском языках, что вполне естественно. Илья Фадеевич — человек широко образованный, в этих языках довольно прилично ориентируется, он все эти материалы сам прочел, нужное перевел, причем объемы переводов оказались довольно большими. Оказалось, что каждый персонаж пьесы имел своего реального прототипа, и Илья Фадеевич тщательно выписал все сведения по персоналиям и раздал эти материалы актерам, которые, пока Богомолов был в отпуске, работали над ролями самостоятельно. Актеры были в полном восторге и искренне благодарили завлита. А потом приехал Лев Алексеевич, ему показали то, что сделано на основе добытых Малащенко материалов, а режиссер замахал руками и заорал, что все не так и что он видит этих персонажей совсем по-другому. Лев Алексеевич категорически настаивал на собственном видении, никаких аргументов насчет исторической правды не слушал, и вся работа завлита оказалась никому не нужной. Илья Фадеевич был возмущен, оскорблен и обижен до глубины души. Он пытался поговорить с Богомоловым, убедить его, что ценность самой пьесы в том и состоит, что она практически документальна, и эту документальность нужно всеми силами сохранить, однако Лев Алексеевич повел себя крайне надменно и грубо поставил Малащенко на место, сказав буквально следующее:

— Вы, уважаемый Илья Фадеевич, в творческий процесс не вмешивайтесь, вас никто об этом не просил, тем более что вы ничего в нем не понимаете, ваше дело как заведующего музеем — собирать архив, вот и собирайте, а уж спектакли мы как-нибудь без вас поставим.

Естественно, Малащенко после этого стал считать Богомолова человеком тупым и малообразованным.

У самого-то Ильи Фадеевича три диплома о высшем образовании: иностранные языки, филология и искусствоведение, — закончил рассказ Валерий Андреевич Семаков. — А Лев Алексеевич считает для себя возможным так с ним обходиться. Это было в самом начале, когда Лев Алексеевич только-только пришел к нам, и мы тогда толком еще не поняли, какой он трудный, своеобразный и властный человек, и относились к нему по инерции так же, как к нашему прежнему худруку, который ничего подобного себе не позволял и с мнением завлита всегда считался. И этот случай с «францисканцами» стал для нас хорошим уроком, мы сразу поняли, с кем имеем дело.

Да, подумала Настя, история показательная, но вряд ли имеет отношение к покушению на убийство. Пора переходить к более насущным вопросам. Например, проверить то, о чем поведала актриса Арбенина.

— Скажите, Валерий Андреевич, вы слышали какие-нибудь разговоры о возможном приходе в театр режиссера Черновалова? В том случае, разумеется, если Богомолов не поправится.

— Слышал, — тут же без раздумий откликнулся Семаков, — а как же. Весь театр гудит, только об этом и разговоров.

— И как вы сами считаете, это реально?

— Понятия не имею, — пожал плечами администратор. — Это не моя епархия.

— Но все-таки, — не отставала Настя, — как вы

думаете, что будет, если Богомолов не вернется и вместо него будет другой худрук?

— Я думаю, что, кто бы ни пришел, все равно это будет только худрук, а не худрук-директор, как сейчас.

— И что из этого следует?

— То, что Володя Бережной снова станет директором, это же очевидно, — Семаков посмотрел на Настю как на нерадивую ученицу, которая не может взять в толк элементарных вещей. — Володя — отличный руководитель, он проработал в театре много лет и знает здесь все от и до. Надо быть полным идиотом, чтобы поменять его и привести другого директора. Никто лучше Володи с нашими проблемами не справится. Его любит труппа, потому что он искренне любит актеров, заботится о них, уважает персонал, старается всем помочь, как может. Кроме того, он блестящий организатор, знает все до мелочей, вплоть до того, где лучше закупать ткани для декораций и костюмов и как их выбирать на фабрике. Володя всегда знает, как сделать так, чтобы сэкономить деньги и все-таки не поступиться качеством, у него крепкие личные связи со всеми поставщиками и подрядчиками. И когда Бережной был нашим директором, мы все горя не знали. А вот когда Лев Алексеевич сам занял должность директора и перевел Володю в директоры-распорядители, мы все были просто в шоке и не понимали, как театр будет функционировать.

— Почему же Бережной согласился на понижение в должности? Ведь он мог развернуться и уйти. А он остался, — задумчиво заметила Настя. — Разве он не обиделся?

— Обиделся, конечно, — с готовностью кивнул

главный администратор, — расстроился, переживал, что и говорить. Но он так любит театр, так предан ему, что не смог уйти, остался, пусть и распорядителем. Не могу я, говорит, бросить артистов на растерзание Богомолову, если я не буду стоять буфером между ним и актерами, театр вообще рассыплется.

— Значит, — вступил Антон, — Бережной заинтересован в том, чтобы Богомолова не стало и вместо него пришел другой худрук?

Семаков мгновенно сделался будто ниже ростом, плечи приподнялись, почти полностью поглотив шею.

— Я этого не говорил, — быстро и нервно сказал он. — И вообще, я ничего в этом не понимаю. Это не моя епархия.

Похоже, насчет епархии — его любимое выражение.

На сегодня разговоров было уже достаточно, у Насти гудела голова, и они с Антоном решили закругляться. Одевшись в служебном гардеробе, они сдали на вахте ключ от кабинета Богомолова и вышли на улицу. Влажный холодный воздух моментально омыл лицо, с каждым вдохом проникая все глубже в легкие. Уже через три шага Настя почувствовала, что озябла, но машина, слава богу, стояла совсем рядом.

— Антон, у меня к вам просьба. Вы могли бы задержаться минут на пятнадцать? — спросила она. — Надо кое-что обсудить.

В принципе она готова была и к отказу, потому что своими ушами слышала, как Сташис обещал своему «солнышку», своей «зайке» и «ласточке», что вечером они увидятся, и, если он не врал и речь действительно шла о восьмилетней дочери, а не о восемнадцатилетней девахе, ему уже пора двигать домой, время-то к девяти, ребенку скоро спать пора ложиться.

Но он согласился. Правда, все-таки посмотрел на часы, но теперь Настя уже не раздражалась: как ни странно, но она привыкла к этой его манере всего за один день, как привыкла к тому, что на протяжении всего дня у него тренькал мобильник, извещая о поступлении нового сообщения, и к тому, что в паузах между беседами Антон на ходу просматривал эти сообщения, набирал номер и тихонько разговаривал то с «ласточкой», то с кем-то, кого называл на «вы», но обсуждал проблемы сына и дочери. Видимо, это была няня, та самая, в стильной дорогой одежде. А вот разговора с женой Настя так и не заметила. Странно. Может, ссора? Или она в отъезде и о детях справляется непосредственно у няни, а не у мужа? Или она просто-напросто настоящая жена сыщика, которая твердо усвоила, что без крайней нужды не нужно звонить мужу во время работы?

Она предложила сесть в ее машину, и Антон молча подчинился.

— У меня к вам две темы разговора, — начала Настя с места в карьер. — Одна — по делу, другая по его организации. С какой начать?

— Начните с организации, — улыбнулся Сташис, — это методически более правильно.

Она с интересом посмотрела на оперативника.

— Антон, мы с вами сегодня впервые работали вместе. Так получилось, что я как будто взяла бразды правления в свои руки, была более активной при беседах, задавала больше вопросов, решала, к кому мы пойдем и что будем делать дальше, а вы в основном отмалчивались и только наблюдали. Я хочу, чтобы вы поняли меня правильно: я так веду себя не потому, что хочу быть в нашей паре главной, а просто потому, что я так привыкла. Мне уже много лет, если вы не поняли, я старше вас почти в два раза, у меня больше опыта. Но это не означает, что у меня больше прав.

— А что, в таком случае, это означает? — спросил Антон без тени насмешки.

— Это означает только одно: я уже давно в любой паре главная, понимаете? Я уже забыла те времена, когда была маленькой неопытной девочкой-лейтенантом, которая всех и всего боялась. До недавнего времени я была взрослой матерой теткой-полковником и если работала с кем-то вдвоем или даже втроем, то всегда была ведущей. Под словом «всегда» я имею в виду последние пятнадцать лет. И за эти пятнадцать лет я привыкла проявлять инициативу и самостоятельно принимать решения. Ни в коей мере не хочу вас принизить или задвинуть в угол, вы — представитель власти, представитель государства, а я никто и отлично это понимаю. Если вам мое поведение показалось обидным, простите меня, это не умышленно. Всего лишь сила привычки, сложившийся годами стереотип работы.

— Я понял, — кивнул Сташис. — Уверяю вас, я нисколько не в обиде. Наоборот, я страшно рад, что у меня есть возможность поучиться у вас.

— А вот этого не надо, — нахмурилась Настя.

— Чего не надо?

— Лести. И учиться у меня не надо.

— Почему? — удивился Антон. — Сергей Кузьмич говорил, что...

— Я вам как-нибудь потом объясню почему. Так мои извинения приняты?

— Анастасия Павловна...

— Тогда о самом деле. Помреж Федотов так задушил нас с вами своей опекой, что мы не успели обменяться мнениями по поводу Арбениной. И главного администратора надо бы обсудить, чтобы завтра ничего не упустить. Что скажете? Что показали ваши специальные наблюдения?

— Арбенина видит все недостатки Богомолова и относится к ним адекватно, — не спеша заговорил Антон, — но она от него зависима. Он ее любит и дает ей играть, поэтому она боится сказать про него худое слово, хотя прекрасно понимает, что именно худых слов он и заслуживает.

Настя была с этим полностью согласна, но ей был любопытен ход мыслей молодого оперативника.

— Из чего такой вывод?

— Частично из фактов, частично из того, что и как она говорила. О том, что Богомолов любит Арбенину и она ходит у него в любимицах, нам сказали. А в принципе достаточно открыть репертуар театра и посмотреть, в скольких спектаклях она занята, чтобы понять, что это правда. А вот когда она рассказывала про завпоста Скирду, ее мучили противоречивые чувства. Я тогда обратил внимание на это, но не понимал, в чем дело. А потом понял.

— Потом — это когда?

— Когда Федотов рассказал нам, как Богомолов ходит по цехам и службам и вылавливает нарушителей. Согласитесь, его как художественного руководителя, режиссера, творца это не украшает. И Арбенина это понимает. Поэтому она готова была рассказать нам о кастингах Скирды, но совершенно не готова была рассказывать о том, каким способом эти кастинги были прекращены. Она напрягалась и следила за каждым своим словом. И за вашим тоже, чтобы не упустить ход беседы и не позволить ей сползти в опасную сторону. Она очень красивая, очень достойная и очень талантливая женщина, но, по сути, — старая и несчастная.

— Несчастная? — повторила Настя. — Красивая, достойная, талантливая — и при этом несчастная?

— Конечно, — убежденно ответил Антон. — Она в том возрасте, когда каждый прожитый день, как бы прекрасен он ни был сам по себе, уменьшает шанс получить еще одну роль, шанс еще раз выйти на сцену. И этот ее шанс целиком и полностью во власти одного человека — художественного руководителя театра, который единолично, опираясь только на собственные вкусы и пристрастия, решает, будет она играть или нет. Она абсолютно зависима от Богомолова и при этом, как человек умный, отдает себе отчет, что ее профессиональная жизнь зависит от человека, не очень достойного в человеческом плане. Разве это может быть приятным? Конечно, она несчастлива. И страшно боится, что Богомолов не вернется в театр, потому что новый худрук может не только не сделать ее своей любимицей, он может вообще ее не замечать. Спектакли, в которых она играет, будут сняты с репертуара и заменены другими, а если и не сняты, то ее роли отдадут другой актрисе, помоложе, которая новому худруку нравится больше. И Евгения Федоровна, со всеми своими регалиями и заслуженным прошлым, превратится в актрису, которая приходит в театр раз в месяц за зарплатой. Или вообще не приходит, потому что зарплаты теперь начисляют на карточки. Ей еще повезло, она в штате, так что зарплату ей в любом случае выплатят, а вот если бы она была на договоре, то в конце сезона его просто не возобновили бы — и все. И живи, как хочешь.

Забавный мальчишка, с одобрением подумала Настя, в такие молодые годы — и такое глубокое понимание. Откуда что берется?

— Ну хорошо, а Семаков? С ним вы активно беседовали, я даже удивилась.

— Вы же сами все поняли, — застенчиво и как-то по-детски улыбнулся Антон. — Я просто обратил внимание на то, что в театре два главных администратора, и уцепился за это. А там уж и все остальное вылезло.

— Что именно? Поделитесь, сравним впечатления, — попросила Настя.

— Раньше Семаков был в фаворе у прежнего худрука и после прихода Богомолова некоторое время сохранял свои позиции, а потом Богомолов отдал предпочтение Красавиной, скорее всего, он уже сам брал ее на работу, приблизил к себе, отдал ей на откуп работу с актерами и с прокатом репертуара, а Семакова загрузил всякой мутью. Семаков, Малащенко и Бережной — это одна гвардия, они любят и уважают друг друга и своего предыдущего худрука, а Богомолова дружно ненавидят. Только Бережной это тщательно скрывает, а завлит и администратор на такие глупости силы не тратят и лепят всю правду-матку в глаза. При этом завлит Малащенко старается сохранить лицо, а администратор Семаков — нет, ему все равно.

— Как вы думаете почему?

— Трудно сказать. Вероятно, это проблема возраста. Малащенко очень немолод, ему за семьдесят, потеряй он эту работу — другую уже не найдет. Чувство собственного достоинства не позволяет ему петь Богомолову дифирамбы, но здравый смысл подсказывает, что надо все-таки не нарываться на увольнение. А Семаков намного моложе, он легко сможет устроиться куда-нибудь, ведь у него как у человека, работающего со зрителями, наверняка обширнейшие связи в любых сферах, так что он без работы не останется, вот и поливает Богомолова направо и налево, не скрывая чувств.

Настя помолчала, переваривая услышанное. Она готова была подписаться под каждым словом Сташиса. И искренне не понимала, откуда у молодого мальчишки такая способность понимать людей и их побуждения.

— Антон, вы где учились?

— На Волгина, а что?

— И больше нигде?

— Больше нигде. А что, надо было еще что-нибудь закончить? Сергей Кузьмич говорил, что вы в МГУ учились...

— Да я бы тоже с удовольствием на Волгина поучилась бы, — усмехнулась Настя, — но в мое время девочек туда не принимали, только мальчиков. Так что университет для меня был мерой вынужденной, я с самого начала собиралась работать в милиции. Ладно, проехали. И последний вопрос — про нашего гида-переводчика. Как он вам показался?

— Проныра, — засмеялся Антон. — Этот Федотов в любую дыру влезет. Я почти на сто процентов уверен, что он занимается нами не из любезности, а исключительно из желания держать руку на пульсе и знать, с кем мы общаемся. Желательно, конечно, еще и знать, о чем мы разговариваем и вообще как продвигается следствие. Но я не могу пока понять: это в нем играет банальное любопытство, или у него есть какой-то специальный интерес.

— Вот и я не могу, — вздохнула Настя. — Но мужик он противный, правда?

— Правда, — согласился Сташис. — Скользкий какой-то. И потом, его слишком много.

Антон пересел в свою машину и уехал, нахально сделав ловкий разворот через две сплошные полосы. Настя, проклиная собственную законопослушность, долго ехала в совершенно не нужном ей направлении, пока не увидела знак, разрешающий разворот. До дома она добралась, против ожиданий, довольно быстро, несмотря на то что был вечер пятницы, когда машин на дорогах обычно бывает много до позднего времени.

Дома ее встретили запах рассольника и муж с толстым томом какого-то научного труда в руках.

— Лешка, — с восторгом закричала Настя, — ты сварил суп! Я о нем мечтала целую неделю.

— Только в обмен на рассказы о театре, — строго проговорил Чистяков, снимая очки для чтения. — Я о них мечтал целый день. Мне всю жизнь хотелось заглянуть по ту сторону занавеса, чтобы понять, как там все устроено.

Она быстро переоделась и метнулась на кухню к заветной кастрюле. Рассольник был именно таким, как она любила, наваристым, с перловкой.

— Леш, — очень серьезно сказала Настя, вытирая полотенцем вымытую тарелку, — я бы тоже хотела узнать, как там у них в театре все устроено. Но боюсь, что мне это не под силу. Театр трепетно хранит свои секреты. Знаешь, вроде все обо всем рассказывают, никто не отмалчивается, никто не отказывася отвечать на вопросы, а все равно ничего не понятно. Наверное, чтобы понять театр, нужно в нем родиться и умереть.

Она уснула быстро и крепко, во сне видела непонятно что, но проснулась среди ночи с мыслью: «Настырный помреж Федотов тоже принадлежит к гвардии ненавистников худрука Богомолова. И дело даже не в том, как он рассказывал о Льве Алексеевиче. Это он организовал встречу с Семаковым. А ведь мог с таким же успехом сказать нам, что договорился с Красавиной, которая, судя по всему, будет работать на следующий день. И Красавина наверняка стала бы нам петь о том, какой Богомолов замечательный. Но Федотов отвел нас именно к Семакову, который своей неприязни к Богомолову даже скрыть не пытается. Ну что ж, число ненавистников растет. Интересно, насколько оно велико? Ох, чует мое сердце, запаримся мы с Антоном в этом театре».

А вот завтруппой, немолодая подвижная женщина, проработавшая в театре больше десяти лет и всех знающая, оказалась ярой поклонницей Льва Алексеевича Богомолова, явно включенной в свиту приближенных. Она многословно и убежденно говорила о том, какой замечательный человек Богомолов, какой талантливый, какой неординарный. Ей не хватало смелости открыто уклоняться от вопросов Насти и Антона, приходилось отвечать добросовестно и подробно, но при этом она постоянно повторяла: «Теоретически это возможно, но не в нашем театре. У нас так не бывает».

— У нас не может быть несправедливости в оценке трудозатрат актера, мы одни из очень немногих в Москве, кто ввел систему баллов, — говорила она. —

Каждая роль в каждом спектакле оценивается определенным количеством баллов, от одного до десяти, в зависимости от объема и сложности роли. И в конце месяца идет подсчет исходя из того, что актер за этот месяц наиграл, и начисляется надбавка к базовой зарплате. Так что никакой несправедливости и никаких обид, все честно. Одно дело, если ты восемь раз за месяц вышел на сцену в сложнейших ролях, да еще иногда с танцами и акробатикой, и совсем другое, если ты вышел двадцать раз и произнес: «Гонец из Пизы прибыл!» Такая разная по сложности работа должна и оплачиваться по-разному.

Как только речь зашла о баллах и цифрах, Настя тут же оживилась. Здесь она чувствовала себя в своей стихии.

— А кто устанавливает, какая роль сколько баллов стоит? — спросила она.

— Лев Алексеевич, директор-распорядитель и я, мы садимся втроем и разбираем каждый спектакль.

— А если мнения расходятся? Как тогда?

— Они не расходятся, как правило, — строго посмотрела на Настю завтруппой. — Но в крайнем случае решение принимается большинством голосов. Хотя у нас такого никогда, пожалуй, не было.

«Значит, было, — подумала Настя. — И не просто было, а случается постоянно. И расклад сил тут понятен: с одной стороны — Бережной, с другой — Богомолов и завтруппой. Вот вам и большинство голосов. Бережной, наверное, старается выбить для актера побольше баллов, Богомолов вредничает и жмется, поскольку о материальной поддержке артистов не заботится, а завтруппой ему подпевает».

— Может ли так быть, что главная роль в спектак-

166

ле оценивается меньшим количеством баллов, чем роль второго плана?

— Может, — кивнула завтруппой, — если роль второго плана подразумевает серьезные физические нагрузки или какие-то другие привходящие моменты.

— Например?

— Например, игра в сложном и тяжелом по весу костюме или в сложном гриме, с горбом и имитацией протеза.

— И как реагирует на это актер, играющий главную роль? Обижается?

— Конечно, — неосторожно согласилась потерявшая бдительность завтруппой.

— На кого? На того, кто установил такие баллы? То есть на Богомолова? — нажимала Настя.

— Нет, у нас в театре такого быть не может, — тут же отыграла назад женщина. — Это я вам так говорю, чисто теоретически.

«Значит, было, — снова подумала Настя. — Любимчику, играющему роль второго плана, дадим баллов побольше, а главную роль, которую играет актер «не из свиты», оценим пожиже. Любопытно подсчитать, велико ли число актеров, заковырявших обиду на Богомолова именно из-за этих баллов».

— А за что в принципе актер может обидеться на худрука? Не у вас в театре, — уточнила Настя с улыбкой, — а так, теоретически.

— Ну, причина только одна: не дают ролей, не дают играть. Больше обижаться не за что.

Настя перелистнула блокнот и приступила к следующему блоку вопросов.

— В вашем театре много актеров, активно занятых в кино и на телевидении. Это не мешает работе в театре?

— Мы стараемся, — скупо улыбнулась завтруппой. — Для этого я и существую, чтобы правильно составить репертуар с учетом занятости актера в съемках.

— А если это невозможно? Просто технически не получается?

— Тогда приоритет театру, это даже не обсуждается, — твердо ответила женщина. — Прежде чем подписать контракт на съемки или на постоянное участие в телевизионной программе, актер обязательно должен получить разрешение художественного руководителя. Если разрешение есть, актер потом уже только приносит мне записки с датами, когда просит не занимать его в репертуаре в следующем месяце, а мое дело — это учесть. Тут можно манипулировать и днями, и составами, в общем, есть возможности, главное — руку набить.

— Давайте вернемся к ситуации, когда вам не удается по техническим причинам учесть график актера. Вы сказали, что приоритет безусловно отдается театру. Что это означает на практике?

Завтруппой пожала плечами и передвинула какие-то бумаги на своем столе.

— Актер выходит и играет спектакль в тот день, который удобен театру. Вот и все.

— А как же съемки? Или телевидение?

— Срываются. Или переносятся на другое время. Все зависит от того, как это прописано в контракте с продюсерской компанией. Могут пойти навстречу и изменить график съемок, а могут и неустойку стребовать. Вы сами поймите: допустим, должна сниматься сцена со сложной техникой, каскадерами, на натуре, а это все огромные деньги. И вот все организовано, все готово, разрешение муниципальных властей на съемку заранее получено, техника заказана, договор с каскадерами заключен, и все это заблаговременно, потому что у всех долгосрочное планирование. И вдруг оказывается, что актер не может сниматься. То есть для того, чтобы перенести съемку, надо аннулировать разрешение и получать новое, расторгать договоры на технику и с каскадерами, платить им неустойку, договариваться обо всем заново на другой день, а в этот другой день они не могут, потому что у них уже договоры с другими клиентами, в общем, морока страшная. И за всю эту мороку продюсеры должны платить из своего кармана. С какой стати? Они вполне могут перевести стрелки на актера и заставить его заплатить неустойку за срыв съемок. Повторяю, это все зависит от того, что записано в контракте, ну, и, разумеется, от личных отношений актера и продюсеров. Бывают контракты совершенно драконовские, а бывают и вполне лояльные, учитывающие востребованность конкретного актера в театре.

«Вот и еще один повод для конфликта актера и худрука, — отметила про себя Настя. — Худрук при помощи преданной ему завтруппой вполне может, лично не марая рук, выставить актера на такие бабки, что «мама не горюй». Но если спросить, не было ли такого, она, конечно, ответит, что это возможно лишь теоретически и, в любом случае, не в этом театре».

Она снова перевернула страницу и пробежала глазами домашние заготовки.

— За что можно уволить актера? За какие провинности?

Завтруппой снисходительно улыбнулась, хотя напряжение продолжало таиться в каждой черточке ее скуластого породистого лица.

— Тут у нас, как у всех. Дисциплина, опоздания, неявка на репетицию или на спектакль, приход в нетрезвом состоянии.

— И если актера нужно уволить, то...

— То начинается ловля блох, — машинально продолжила завтруппой и тут же спохватилась: — Но, конечно, не у нас, у нас такого не бывает. А в принципе дается команда «ату!», и начинается скрупулезная слежка за неугодным. Например, у нас в правилах записано, что актер должен явиться на репетицию не позже, чем за пятнадцать минут до начала. И не дай бог ему явиться за четырнадцать: получивший команду помреж тут же фиксирует опоздание и пишет докладную. Пришел с похмелья, с запахом, — докладная. Явился на репетицию не готовым, не выучил роль — докладная. Вот и вся технология. Три нарушения — увольнение. Но это только для тех, кто в штате. А с теми, кто на договоре, приходится либо ждать истечения срока контракта, либо уж расторгать договор и платить неустойку.

— Скажите, а трудно выучить роль? — внезапно спросил Сташис, который до этого хранил молчание, как обычно, то и дело поглядывая на часы.

Женщина засмеялась, на этот раз уже расслабленно.

— Знаете, как говорил покойный Олег Николаевич Ефремов? «Чего там учить-то? Сорок раз прочитал — и выучил. А не выучил — прочитай еще сорок раз».

— Наверное, это безумно трудно, — задумчиво протянул Антон.

— Конечно, — с готовностью согласилась завтруппой. — А кто вам сказал, что актерское ремесло легкое? Оно и есть безумно трудное. Трудное и технически, и морально.

— Морально? — переспросила Настя.

— А как вы думали? — темные глаза женщины сверкнули. — Вы только представьте, ведь актер должен выходить на сцену и играть в любом состоянии — с сердечным приступом, с температурой, с больными зубами, после любых известий, даже придя с похорон близкого человека, потому что спектакль нельзя отменить просто так. Я уж не говорю о том, что иные спектакли играются годами, и нужно выходить на сцену и играть все то же самое, то же самое, то же самое... и постараться, чтобы это было не скучно, чтобы это было живо, чтобы сверкало и переливалось. А вы говорите: трудно роль выучить! Трудно, конечно, но это ерунда по сравнению с тем, как трудно эту роль готовить, думать над ней, работать, вкладывать в нее часть себя, причем иногда часть болезненную, которую и трогать-то страшно. А дети? Дети у актеров растут практически без родителей, потому что родителей или вечно нет дома, потому что они или на репетициях, или на спектакле, или на съемках, или они целиком погружены в себя, в мысли о новой работе, о новой роли, о новом спектакле. Вы знаете, сколько трагедий с детьми именно в актерских семьях? А сколько разрушенных браков, неустроенной личной жизни?

Завтруппой говорила об этом так горячо и напористо, что стало понятно: со всеми этими бедами актеры бегут именно к ней. Интересно, подумала Настя, если у Богомолова был роман с какой-нибудь актрисой, она об этом расскажет? Ведь ударить его битой по голове могли и из ревности, почему нет? Но, скорее всего, не расскажет, она слишком предана художественному руководителю. Хотя какой смысл скрывать? Ведь все равно расскажут, не она — так кто-нибудь другой. Но пусть лучше этот другой, только не она сама. Она останется в глазах руководителя чистенькой. Ладно, посмотрим.

— Романы? — Завтруппой приподняла широкие бесформенные брови. — Это не ко мне. Вам лучше с Люсенькой Наймушиной поговорить, она со всеми дружит и все знает.

— Когда ее можно застать в театре?

— Сейчас я вам точно скажу. — Завтруппой достала какие-то листки и бегло просмотрела их, держа в вытянутой руке. — На сегодняшнюю репетицию ее не вызывали, сегодня репетируют куски, в которых она не занята, вечером она в спектакле тоже не занята, так что в театре Люся сегодня не появится, а вот завтра она на репетиции будет, завтра запланировано проходить ее сцену. Она придет к одиннадцати, в два освободится, и вы сможете с ней поговорить.

— Пойдемте, я провожу вас в женский костюмерный цех, Бэлла вас ждет, — оживленно говорил помреж Федотов, ведя Настю и Антона от кабинета завтруппой вдоль коридора к лестнице.

— Вы уже составили нам расписание на весь день? — иронически осведомилась Настя.

— Помилуйте, а как же иначе? — весело отозвался Александр. — Я ведь вас предупреждал: театр — это не завод, где у всей бригады смена и все на месте, у нас рабочие графики плавающие, и, если я не буду водить вас за ручку, сами нужных людей будете в три раза дольше искать. Вот вы, например, не знаете, что заведующая женским костюмерным цехом уже на месте, а руководитель мужского цеха придет только к часу дня, потому что она поехала в поликлинику к зубному врачу, будете послушно ждать ее у закрытой двери и только время потеряете. Я вас сейчас отведу к нашей Бэллочке и побегу на репетицию.

Настя была уверена, что предприимчивый помреж выбирает им собеседников не наобум, а следуя определенной системе. Ну что ж, его можно понять. Если она права и он втайне ненавидит Богомолова, то и сводит сыщиков преимущественно с теми, кто может рассказать о художественном руководителе театра какую-нибудь гадость. Конечно, это не всегда получается, потому что Настя и Антон четко заявляют о своих требованиях и вполне конкретно называют тех, с кем хотели бы встретиться, и тут уж у Федотова пространства для маневра нет, но если речь идет просто о представителе какой-нибудь службы, то в выборе Александра Олеговича сомневаться не приходится, вчерашний пример с двумя главными администраторами показал это со всей очевидностью. Значит, можно надеяться на то, что Бэлла из костюмерного цеха тоже расскажет что-нибудь интересное про конфликты Льва Алексеевича Богомолова с сотрудниками театра. А ничего другого сыщикам, собственно говоря, и не требуется. Несмотря на всю свою несимпатичность и назойливость, помреж Федотов оказался, сам того не ведая, просто неоценимым помощником.

По лестнице они поднялись на один этаж, прошли по коридору, в конце которого обнаружился выход на другую лестницу. Господи, сколько же лестниц в этом здании?! Поистине, архитектор обладал изощренной фантазией, а может быть, хотел сделать здание таким же таинственным, загадочным и непостижимым, как и само искусство театра. Снова переход на один пролет вниз, и вот она, дверь женского костюмерного цеха.

— Бэллочка, мы пришли! — радостно заявил Федотов. — Я на репетицию, ты уж, будь ласкова, проводи потом наших гостей, куда они попросят, а то они дорогу назад не найдут.

— Мы найдем, — попытался сопротивляться Антон, но помреж был непреклонен.

— Я провожу, провожу, — ласково пропела густым красивым контральто Бэлла, пышная крашеная блондинка лет тридцати пяти или чуть больше, с приятным округлым лицом и быстрыми мелкими движениями. — Иди, Саша, не беспокойся.

Настя обвела глазами тесное, но хорошо освещенное помещение. Комната угловая, окна выходят на две стороны, вдоль окон стоят профессиональные электрические швейные машины, явно не новые. В середине — большой стол, в одном его конце место для отглаживания, в другом — оверлок, по центру — место для раскроя тканей. Три женщины сидят за машинками, одна гладит, а еще одна сидит в уголке, держа на коленях что-то алое, украшенное бисером, и шьет вручную, низко склонив голову.

— Вот так мы и живем, — весело сказала Бэлла. — У нас хорошо, правда? Тут пошивочный цех, а мои владения рядом, за стенкой, но только там присесть негде, одни костюмы висят, и душно очень. Так что мы уж с вами здесь пообщаемся. Смотрите, это девочки сами делают из обрезков.

Она указала рукой на стену, и Настя только сейчас обратила внимание на многочисленные картины в рамках и под стеклом. Пейзажи, натюрморты, абстрактные, но очень эмоциональные и красочные изображения.

— Здорово, — искренне восхитилась она, рассматривая картины. — Бэлла, где мы можем с вами поговорить, чтобы не мешать остальным?

— А вот туточки. — Бэлла подошла к розовой в цветочек шторке и отдернула ее.

Настя была уверена, что это примерочная, и ошиблась. За шторкой оказалось нечто вроде комнаты отдыха, здесь стоял небольшой столик, уставленный мисочками с печеньем, конфетами, сахаром. Вокруг столика — шесть стульев, рядом на тумбочке примостился электрический чайник. Чайная посуда, судя по всему, находилась в самой тумбочке.

— Присаживайтесь, — пригласила Бэлла. — Может, вам чайку сделать?

Настя собралась было отказаться, но Антон ее опередил:

— Если можно, было бы здорово.

Ну, в общем, это и правильно, подумала Настя. Ответить благодарностью на жест гостеприимства — пройти полпути к успеху.

Разговор начали с конфликтов. Насте почему-то показалось, что это будет правильно. Глядя на радушную, веселую пышнотелую Бэллу, трудно было представить себе, что ее может заинтересовать тематика, столь дорогая сердцам мужчин: о перспективах кадровых перестановок и о художественно-творческой политике театра «Новая Москва».

— Ой, артисты у нас балуются, как дети! — со смехом говорила Бэлла. — Они знаете что вытворяют? Это же уму непостижимо! Одна актриса другой костюм испортила, да так, что никто и не заметил, когда она это сделала. Та, другая, актриса приходит к началу спектакля, ей костюмеры-одевальщицы приносят костюм, а в нем выходить нельзя. Скандал, крик! Кто виноват? Кто недосмотрел? Почему вовремя не увидели? Актрисе на сцену через десять минут выходить, а костюм надеть нельзя. Ну мы, конечно, из-под себя выпрыгнули, вышли из положения, но актриса-то уже вся на нервах, как ей играть в таком состоянии? Она на нас собак спустила, а нам же обидно. Мы-то, одевальщицы, точно помним, что после предыдущего спектакля костюм проверили и приняли, он был в полном порядке. У мужчин тоже случай был: один актер другому подпорол швы на костюме, чтобы в момент приседания они разошлись.

— И как? — с любопытством спросил Антон. — Разошлись швы?

— Не то словечко! Треснули с грохотом! Все, кто в тот момент был на сцене, изо всех сил постарались, чтобы ситуацию смикшировать, уж как они только не импровизировали, чтобы актеру с порванными сзади штанами спиной к зрителю не пришлось поворачиваться. Памятный был случай, его долго потом обсуждали. Но молодцы, все сделали как надо, зритель ни о чем не догадался.

— Значит, вы не только шьете костюмы, но и следите потом за их состоянием? — уточнила Настя.

— Нет, вы не поняли, — тряхнула головой Бэлла. — Шьют костюмы здесь, в пошивочном цехе. А мы — костюмеры-одевальщики, это другое. Мы за стенкой сидим. И я среди костюмеров главная. Одевальщиков начальник и мочалок командир, — весело пошутила она. — Но вообще-то я на этой должности недавно, всего полгода, до этого я была старшим костюмером, а заведующей была Нина Гункина, очень хороший работник, очень опытный, много лет в театре проработала. А когда ее уволили, меня на ее место и назначили.

— Уволили? — Настя моментально сделала стойку. — За что? Или она все-таки сама уволилась?

— Да нет, какое там сама! Уволил ее Лев Алексеевич, да с криком, со скандалом. Нина, конечно, отчасти сама виновата, маху дала, но все равно это было бесчеловечно. Ведь столько лет безупречной работы! И вот, один-единственный промах — и все.

Бэлла рассказала, что в театре существует такой источник внебюджетных средств, как сдача в аренду, то есть в прокат, театральных костюмов. Когда спектакль списывают, остаются костюмы, многие в хорошем состоянии, и среди них бывают очень красивые, дорогие, исторические. Вот их с удовольствием арендуют для стилизованных мероприятий, театрализованных представлений и всяких вечеринок. Отдают в прокат, разумеется, то, что уже не нужно, а если что-то из таких костюмов планируется использовать, отдавать это нельзя ни в коем случае.

В «Новой Москве» от постановки «Бориса Годунова», которую списали два года назад, оставался очень красивый женский костюм. Вообще от «Годунова» осталось много хороших костюмов, и их всегда охотно брали напрокат, и этот женский костюм тоже сдавали в прокат, но для новой постановки одной исторической пьесы решили его использовать, потому что делать новый очень дорого, его нужно вручную камнями и стразами расшивать, а это стоит больших денег, как и любая ручная работа. В общем, этот костюм запланировали для новой пьесы, и в костюмерный цех сразу была дана команда его отвесить и в прокат не сдавать. Но кому-то приспичило получить для своей вечеринки именно этот костюм, и Нине Гункиной предложили очень хорошие деньги за то, чтобы она его все-таки отдала. Клялись и божились, что на следующий день вернут костюм в целости и сохранности. Ну, Нина не удержалась, деньги взяла, очень уж соблазн был велик, а зарплата-то копеечная. И костюм отдала.

На следующий день костюм не вернули, а художник по костюмам стал требовать костюм для репетиции. Гункина выкручивалась, как могла, но правда все равно открылась, и Лев Алексеевич был просто в ярости! Но это бы еще ладно, куда хуже другое: когда через три дня костюм вернули, он оказался безнадежно испорчен. И вот тут Богомолов дал себе волю, орал, ругался и уволил Нину Гункину по статье «за грубое нарушение трудовой дисциплины». А у Нины дочка беременна, на сносях, носила она очень тяжело, и врачи предупреждали, что роды будут трудными. Мужа у дочери не было, так что все заботы легли на плечи Нины, которая хотела устроить дочку в хороший роддом, где опытные врачи и сильная реанимация, но для этого нужны были деньги. Это все происходило в конце апреля, когда театр готовился отмечать свое 85-летие, так как в современном виде, как драматический театр, он был создан в мае 1925 года. Планировались пышные торжества и хорошие премии. Гункина очень рассчитывала на эти деньги, а если к ним прибавить те, которые она получила за костюм, ей бы как раз хватило на оплату роддома для дочери. А тут Богомолов ее увольняет, никакой премии ей теперь не полагается, и с такой записью в трудовой книжке ей на приличную работу теперь не устроиться, в таком возрасте работу вообще не найти — тех, кому больше сорока пяти, никуда не берут, да еще Нина сдуру, в полной истерике, призналась, что взяла деньги, потому что надо для дочери, так Лев Алексеевич заставил ее эти деньги вернуть театру. Конечно, официально их в кассу внести невозможно, но он потребовал, чтобы Гункина на эти деньги отреставрировала костюм. Короче, она совсем без средств осталась.

А дочери подошло время рожать. И рожать она отправилась по месту жительства, да так неудачно попала, ночью в майские праздники, весь персонал нетрезвый, врачи все проморгали, ребенка не спасли, а мать болела тяжело и долго.

— Могу себе представить, как Нина ненавидит Льва Алексеевича, — закончила Бэлла. — Но битой по голове она, конечно, не могла... Это я вам гарантирую.

— Нина — одинокая женщина? — спросила Настя. — Или у нее был мужчина? Может быть, любовник или гражданский муж?

Бэлла на несколько секунд задумалась, пожевала губами.

— Вроде бы нет, иначе он, наверное, помог бы ей с деньгами, я так думаю, — наконец проговорила она. — Я ее, правда, давно не видела. Может, за это время появился кто-то. Нина вообще-то женщина красивая, яркая.

— А родственники? Братья, племянники?

— А вот брат у нее есть, это точно, — оживилась Бэлла. — Она про него много рассказывала, очень его любила. Правда, он, кажется, судимый.

Ничего себе, «правда»! Можно подумать, что если судимый, так его нельзя любить и много о нем рассказывать. И вообще, ранее судимый брат Гункиной, обуреваемый жаждой мести за любимую сестру и ее дочь, это как раз то, что нужно. Хотя история майская, а теперь уже ноябрь на дворе, но это ничего не значит. Возможно, болезнь молодой женщины повлекла за собой инвалидность, и это стало понятно только сейчас, то есть лишь теперь можно в полной мере оценить масштаб последствий того факта, что Богомолов уволил Гункину с «волчьим билетом» и отнял полученные ею за костюм деньги.

Воспользовавшись тем, что обладающий острым слухом помреж Федотов находится на репетиции, Настя, дойдя в сопровождении Бэллы до кабинета Богомолова, немедленно позвонила Зарубину и в двух словах рассказала про костюмершу Гункину и ее предположительно судимого братца.

— Что-то ты зачастила, Настя Пална, — проворчал Сергей. — Всего второй день в театре, а уже второго подозреваемого мне подсовываешь. Я еще с твоим Скирдой не разобрался.

— Мне притормозить? — осведомилась она. — Мне-то что, я могу и помедленнее, мне спешить некуда. Только твой мальчик вряд ли со мной согласится.

— Ты мне мальчонку не порть, — угрожающе произнес Зарубин, — его еще воспитывать и воспитывать. А вообще, как он тебе? Годится хоть на что-нибудь?

— На что-нибудь — определенно годится, — с уверенностью ответила Настя. — Только я никак не пойму, на что именно.

— А его что, рядом нет? Ты как-то очень свободно говоришь, будто он тебя не слышит. Или ты прямо при нем правду-матку режешь?

— Он вышел, ему позвонить надо. Ладно, Сереженька, пойдем мы с Антоном дальше шакалить. Но знаешь, вся наша деятельность в театре сильно смахивает на ловлю черной кошки, которой нет в темной комнате.

Служебная квартира театра находилась на самом верху, под крышей, и состояла из одной комнаты и маленькой кухни с двухконфорочной плитой, парой навесных шкафчиков, небольшим столом и двумя стульями. Одним словом, кухня более чем скромная, зато комната просто замечательная. Просторная, с эркером, камином и огромными окнами. Видно, в те времена, когда театр строился, еще до революции, сие жилище подразумевалось двухкомнатным, и комната с камином должна была выполнять функцию гостиной, совмещенной с кабинетом, а в нынешней кухне предполагалась спаленка, в которой вполне помещались одна достаточно широкая кровать, тумбочка и комодик. Ни тумбочки, ни комодика, ни тем более кровати в этой комнатке давно уже не было, но Артем Лесогоров каждый раз, когда находился в кухне, невольно начинал прикидывать, как бы этот набор мебели здесь разместить, и в конце концов начал уже воочию видеть и атласное покрывало, и уютную лампу под абажуром на прикроватной тумбочке, и часы с цепочкой и галстучную булавку, небрежно брошенные на крышку комода красного дерева.

Воображение у Артема было живым и порождало весьма яркие картины. Собственно, именно оно, воображение, заставило его оставить на время журналистику и, подобно булгаковскому Сергею Леонтьевичу, взяться за создание пьесы.

Кроме воображения, у Лесогорова был ряд представлений о том, каким должен быть настоящий журналист. Настоящий журналист должен уметь собирать материал в любых условиях, даже при полном отсутствии записывающей техники. Настоящий журналист должен уметь чуять «острое» и «жареное» там, где никто не видит ничего, кроме пресного и протертого. Настоящий журналист должен собирать свой материал так, чтобы никто вокруг не догадался, какой именно материал и хотя бы приблизительно на какую тему он собирает. Настоящий журналист не должен ни с кем делиться добытыми потом и кровью сведениями до тех пор, пока не опубликует свой сенсационный материал. Ну и наконец, настоящий журналист должен много курить и пить много очень крепкого кофе.

Придя с утренней репетиции в эту квартиру, любезно предоставленную ему театром, чтобы не приходилось каждый день мотаться из дальнего Подмосковья, Артем скинул ботинки, в одних носках прошел на кухню, сварил в джезве крепчайший кофе и с чашкой в руках улегся на диван в комнате. Сейчас он немного переведет дух, полежит полчасика, а потом примется разбирать и приводить в порядок свои записи, сделанные во время репетиции, и вносить новые правки в текст пьесы.

А эти полчаса на диване с чашкой кофе он проведет в раздумьях и попытках спланировать ближайшие действия. Ему просто необходимо успокоиться, потому что внезапно одолевшая Артема нервозность мешает сосредоточиться. Бережной и Дудник. Дудник и Бережной. Неужели они о чем-то догадываются? Нет, не должны, он, Артем, не допустил ни одного прокола. Но все-таки их поведение тревожит. После покушения на Богомолова Семен Борисович Дудник стал постоянно бегать в кабинет к директору-распорядителю Бережному, да и в коридорах театра Артем стал частенько видеть их вместе. С чего бы вдруг? Раньше Лесогоров никакой такой особенной дружбы между ними не замечал. А тут вчера Артем зашел в буфет, видит — Дудник и Бережной сидят за одним столиком, голова к голове — и тихонько, но возбужденно что-то обсуждают. Артем подошел, хотел присесть к ним, у него были вопросы к Дуднику по пьесе, но они сразу замолчали и сделали вид, что вообще ни о чем не разговаривали. Артему это ужасно не понравилось. Просто ужасно не понравилось. Неужели они что-то заподозрили? Неужели он где-то что-то упустил?

А если заподозрили, то поделились ли своими подозрениями с сыщиками? Вот в чем главный вопрос. Ах, как бы узнать, что этим сыщикам удалось выведать в театре! Уж Артем так старался произвести впечатление на женщину, которая существенно постарше парня-оперативника и, стало быть, является главной, он и глазки ей строил, и на кофе намекал, и к себе приглашал, только не похоже, чтобы она клюнула. Ничего, никуда она от него не денется, наверняка синий чулок, одинокая старая дева, а уж с женщинами он обращаться умеет. Растает эта старая сыщица, рассуропится и все ему выложит. Можно было бы попробовать через парня действовать, он молодой, не похоже, что зубастый и собаку съел в сыскном деле, тоже может оказаться болтливым, но какой-то взгляд у него жесткий, нехороший взгляд, Артем таких людей побаивается и старается с ними не связываться. А вот сыщица, кажется, ее фамилия Каменская, — хороший вариант, то, что надо.

Всю ночь после разговора с людьми с Петровки Илья Фадеевич Малащенко не спал. Все последние дни его мучили страшные подозрения, он каждую минуту ожидал плохих известий, но изо всех сил держался, чтобы окружающие не заметили его тревоги.

Однако после визита сыщиков Илью Фадеевича охватила самая настоящая паника. Неужели они о чем-то догадались? Неужели что-то пронюхали? С одной стороны, не должны были бы, но, с другой, не зря этот молодой оперативник по имени Антон завел разговор о внуках и дедушках-бабушках, ох не зря. Он явно что-то имел в виду. Или не имел? Просто так говорил, прощупывал? Если бы знать, если бы знать!

Найти внука Илья Фадеевич собирался еще накануне, вечером того же дня, когда приходили оперативники, но сообразил, что искать Кирюшу в квартире, где он живет, бессмысленно, молодой парень по вечерам дома сидеть не станет, наверняка закатился куда-нибудь с дружками и веселится до упаду, явится ближе к утру, а потом будет до обеда отсыпаться. Даже если дед придет и начнет звонить в дверь, Кирилл не откроет, он просто не услышит звонка, оглушенный усталостью и алкоголем. И зачем только родители дают ему деньги! Поощряют безделье и разгильдяйство сына. Илья Фадеевич вспомнил, как радовался лет пятнадцать назад, когда его сын стал преуспевать в бизнесе, в семье появились деньги, семилетнего Кирюшу отдали в конно-спортивную школу и на теннис и перевели на обучение в частную гимназию. Разве он мог предполагать тогда, что эти деньги боком выйдут, и в первую очередь для внука, который в своей частной гимназии учился вместе с детьми нуворишей в малиновых пиджаках, разбогатевших на криминальном бизнесе лихих девяностых. Теперь Кирюше уже двадцать два, и вместе со своими дружками он просто прожигает жизнь, совершенно забросив учебу в институте. Учится он, разумеется, на коммерческом отделении, потому что на бюджетное поступить мозгов не хватило и усидчивости. Ах, не было бы у сына этих денег, может, и Кирюша другим вырос бы. Но Илья Фадеевич внука любил без памяти, и, что самое главное, — внук платил ему такой же преданной любовью. Он за деда готов был глотку порвать любому. И однажды действительно чуть не порвал. Пару лет назад, зимой, какие-то хулиганы стали приставать к возвращающемуся поздно вечером домой Илье Фадеевичу, сорвали с него шапку, окружили и, угрожая пудовыми кулаками, заставили снять дорогую кожаную куртку на меху — подарок сына. Тщедушный немолодой Илья Фадеевич вынужден был подчиниться. Потом, конечно, он написал заявление в милицию, но толку-то от того заявления... А спустя две или три недели они шли вместе с Кирюшей из магазина — внук раз в неделю специально приезжал, чтобы помочь деду закупить продукты и все необходимое, — и им навстречу попался один из тех подонков. Илья Фадеевич имел неосторожность указать на него Кириллу, который, не раздумывая, бросил сумки с продуктами в снег и кинулся на дедова обидчика. Драка вышла жестокой, прохожие вызвали милицию, которая, к несчастью, в этот раз успела приехать быстро, обоих задержали и отправили в отделение, потом отец Кирилла носил туда деньги, чтобы сына отпустили без последствий.

Так что основания беспокоиться за судьбу внука у Ильи Фадеевича были, да еще какие.

В три часа дня в субботу, 13 ноября, Илья Фадеевич позвонил в дверь квартиры, которую его внук снимал на родительские, разумеется, деньги. Кирилл открыл только после четвертого или пятого настойчивого звонка, заспанный, с опухшим лицом. Он стоял на пороге в одних трусах и силился понять, что происходит.

— Дед? Ты чего? Случилось что-нибудь?

Илья Фадеевич молча прошел в квартиру и захлопнул за собой дверь. Внук послушно плелся за ним, позевывая и протирая глаза.

— Ты чего, дед?

— Где ты был в прошлую субботу? — строго вопросил Малащенко. — Поздно вечером и ночью. Вспоминай немедленно.

— Да ты что! — от изумления Кирилл даже проснулся. — Откуда я могу помнить, где я был? Наверное, в клубе тусовался. Прошлая суббота — это же неделю назад.Ты бы еще про прошлый год спросил.

— Отвечай немедленно! — повысил голос Малащенко. — Где ты был в ту ночь, когда было совершено покушение на Богомолова? Отвечай! И не смей мне врать!

— Да ты что, дед! Что ты несешь вообще? При чем тут я-то?

Илья Фадеевич пристально вглядывался в лицо Кирилла, вслушивался в его интонации и не мог понять, искренне он возмущается или только притворяется возмущенным. Еще минут двадцать Малащенко требовал ответа, уговаривал, умолял, угрожал, но результат был один: парень ни в чем не признавался, отвечал деду с дурацкой ухмылкой и отводил глаза. Впрочем, это ни о чем не говорило, он всегда отводил глаза, и дурацкая ухмылка постоянно искривляла его в общем-то красивое лицо.

Илья Фадеевич ушел, ничего не добившись. Он так разволновался, что, спустившись вниз и выйдя на улицу, понял: ноги не держат, давление подскочило, голова кружится. Надо посидеть, принять лекарство и подождать, пока пройдет. Он доковылял до ближайшей скамеечки и тяжело опустился на нее.

Что же будет с Кириллом, если все-таки это именно он напал на Богомолова? И что будет с театром, если Богомолов не вернется? Придет новый худрук? Или поставят Сеню Дудника? Оба варианта для Малащенко плохие, потому что Дудник ориентирован на современные пьесы, а ставить нечего, и виноват во всем, как всегда, завлит. Не авторы, которые не пишут хороших достойных пьес, а он, Илья Фадеевич Малащенко, который эти пьесы найти не может. За пять лет работы с Богомоловым Илья Фадеевич так и не приспособился к вкусам и потребностям художественного руководителя, а когда приносил пьесы, слышал в ответ одно и то же: «Это не то. Надо другое». А какое другое? Лев Алексеевич ничего не объяснял, только сердился, кричал и унижал завлита. Но все-таки не выгнал. И не выгонит. А вот как поведет себя Дудник, вкусу которого тоже придется учиться угождать? Нет уж, лучше старое и привычное, чем новое и непонятно какое.

А если на место Богомолова придет кто-то совсем чужой, то начнется свистопляска с кадрами, новый худрук приведет своего завлита, а его, Илью Фадеевича, отправят на пенсию. Кому он будет нужен в свои семьдесят шесть лет? Кто возьмет его на работу? Ах, Кирюша, Кирюша, неужели это все-таки ты сделал? Я помню, как ты сердился, как гневался, когда я попал в больницу после того худсовета, ты приехал ко мне, сидел на краю постели, держал меня за руку, а я рассказывал тебе, как Лев Алексеевич меня оскорблял. Понятно, ты хотел за деда посчитаться, и как дед я могу этому только радоваться, но ведь не таким же чудовищным способом! Ты же чуть человека не угробил, Кирюша! А может, и угробил, это еще как повернется. И сядешь ты в тюрьму на долгие годы. А я останусь совсем один, да еще и без работы. Потому, что даже если со Львом Алексеевичем все обойдется и он вернется в театр, то, когда тебя поймают и разоблачат, все узнают, что это мой внук чуть не убил Богомолова, и держать меня на этой работе Богомолов не станет. И никто не стал бы. Я на его месте тоже не стал бы. Так что моя судьба понятна. Тебя только жалко, Кирюша. И Богомолова тоже жалко, какой ни противный он человек, но ведь человек же и лежит теперь без сознания, и неизвестно, что с ним будет, если он вообще выживет. И жену его молоденькую тоже очень жалко. Два дня назад Илья Фадеевич вместе с завтруппой ездил в больницу, видел Леночку Богомолову, говорил с ней, спрашивал, как Лев Алексеевич. Они и сочувствовали, и помощь предлагали, только Леночка их как будто не слышала. На нее смотреть больно, почернела вся, исхудала за несколько дней, руки дрожат, голос тоже дрожит, глаза опухшие не то от слез, не то от бессонницы. Жаль девочку. Если бы можно было чем-то реально помочь ей или Льву Алексеевичу, Малащенко сделал бы все, что мог.

Мысли текли плавно, цепляясь одна за другую и перемежаясь воспоминаниями... Через некоторое время Илье Фадеевичу стало легче, он поднялся со скамейки, сделал несколько шагов, почувствовал себя уже вполне уверенно и отправился в театр.

Секретарь Льва Алексеевича Богомолова, красивая брюнетка с длинными гладкими волосами и точеной узенькой фигуркой, носила совершенно не подходящее к такой внешности имя — Ева. Она увлеченно листала какой-то гламурный журнал, однако при появлении на пороге приемной Насти и Антона немедленно вскочила, как вышколенный денщик.

— Чай подать, Анастасия Павловна? — услужливо спросила она.

— А кофе нельзя? — отозвалась Настя.

— Сейчас сделаем!

Настя и Антон прошли через приемную в отведенный им кабинет, оставив красотку Еву хлопотать возле кофемашины, намного более дорогой и «продвинутой», чем в кабинете директора-распорядителя Бережного.

С Евой сыщики познакомились еще накануне и уже успели составить о ней первое впечатление. Веселая, жизнерадостная и очень доброжелательная девушка не была отягощена интеллектом, зато щедро одарена привлекательностью и обаянием. По Богомолову искренне горевала, но тем не менее хорошего настроения не теряла и оживленно щебетала на любые предлагаемые темы. Похоже, на своей должности она успела пройти неплохую школу, потому что сразу признала в Насте и Антоне пусть и временное, но новое начальство и вела себя соответственно, то есть выражала полную готовность служить и выполнять поручения, не фыркала презрительно и не вела себя так, будто делает гостям одолжение.

— Скажите, Ева, — спросила Настя, когда девушка ставила перед ними две наполненные ароматным напитком чашки из дорогого сервиза, — Лев Алексеевич — хороший начальник? Вам с ним легко работается?

— Ой, что вы! — всплеснула руками Ева. — Лев Алексеевич — такая лапочка, он такой добрый — вы не представляете! Мне с ним очень хорошо, очень!

— И в чем же его доброта проявляется? — поинтересовался Антон.

— Он меня всегда отпускает, если мне куда-то надо, — простодушно заявила Ева. — Ну, вы понимаете, фитнес там, или салон красоты, или просто погулять. Нет, я же понимаю, если у него назначены переговоры и он ждет посетителей, то я всегда на месте, и встречу, и доложу по всем правилам, и провожу в кабинет, и чай подам, и напитки. А если он никого не ждет и никаких особых дел нет, Лев Алексеевич никогда меня не держал, и отпустит пораньше, и прийти утром разрешает попозже, а то я, знаете, поспать люблю. — Она радостно рассмеялась и поправила красивые гладкие волосы, лежащие на ее прямой узкой спинке и без того идеально.

Настя невольно любовалась девушкой, до того она была хороша и при этом совершенно безыскусна. Одета с иголочки, уж в этом-то Настя теперь разбирается, в тесно облегающем черном костюме с короткой юбкой и белоснежной блузке, стоящей не одну сотню евро, в туфлях на высоченных каблуках, и все это великолепие подчеркивается тоненьким колечком из платины с небольшим бриллиантиком и такими же, явно из одного гарнитура, серьгами. Вся сияющая молодостью и благополучием, здоровьем и безмятежностью, и это несмотря на то, что по поводу случившегося с Богомоловым она, конечно, переживала и не пыталась этого скрыть.

— А если Лев Алексеевич не поправится, то вам, наверное, придется привыкать к другому начальству, — бросила Настя пробный шар.

— Ой, я даже думать об этом не хочу, — глаза Евы моментально налились слезами. — Это будет ужасно. Я так люблю Льва Алексеевича, так люблю... Он очень хороший, честное слово, я вот до него работала в банке, тоже секретарем у начальника, меня туда папа устроил, скучища страшная, а отлучиться нельзя ни на минутку, не то чтобы там уйти пораньше, прийти попозже или еще что-то. А здесь так здорово! Интересно. Артисты, спектакли, журналисты, деловые люди приходят, мне все девчонки знакомые обзавидовались, я им всем автографы добываю. — Слезы исчезли, уступив место очередной радостной улыбке.

— И зарплата вас устраивает? — недоверчиво спросила Настя.

— А что мне зарплата? — искренне удивилась Ева. — Я же не за зарплату работаю, а просто чтобы дома не сидеть. Я уже пробовала, сидела целых полгода, так чуть с ума не сошла. Одеться не для кого, показаться некому, краситься не нужно, поговорить не с кем, тощища! А здесь классно. И люди интересные, и работа не в напряг.

— Не за зарплату работаете, — с улыбкой повторил вслед за Евой Антон. — А жить на что? Да вы присядьте, Ева, что вы все на ногах стоите.

— Нет, спасибо, — отрицательно покачала головой девушка, — сидеть в присутствии руководства — это дурной тон, так Лев Алексеевич говорит.

— И все-таки насчет зарплаты...

— Ну что вы все про деньги! — Ева досадливо

тряхнула головой. — Мне денег хватает, мне родители дают на все, что нужно.

Ну, здесь в принципе все более или менее понятно, подумала Настя. Лев Алексеевич Богомолов живет скромно, в смысле жилищных условий, все доходы тратит на то, чтобы «выглядеть». И хорошенькая брюнеточка Ева — часть имиджа, визитная карточка, именно такая, какая и должна быть у состоятельного и успешного мужчины. Те, кто заботится о наилучших результатах, берут секретарями опытных женщин средних лет, которые фактически могут в известные моменты подменить самого руководителя и не допустить сбоя в работе, а вот те, кто больше всего хочет «выглядеть» и произвести впечатление, сажают в своих приемных такие вот «визитные карточки». В общем, все укладывается в единую картину и не противоречит тому, что уже известно о Богомолове: не умеет толком решить ни один деловой вопрос, зато всячески демонстрирует властные полномочия. Девочку он выбирал по внешним данным и отдавал себе отчет, что такую красотку надо чем-то удерживать, а чем? Не зарплатой же секретаря в театре. Значит, преференциями, иначе говоря — послаблениями, разрешениями, мягким обращением, потаканием. Есть, правда, еще один старый испытанный метод, но... как-то не похоже. Уж больно открытая девочка, что думает — то и говорит.

— А как вы нашли это место? — спросила Настя.

— Так меня же папа сюда привел, — пожала хрупкими изящными плечиками Ева. — Он Льва Алексеевича сто лет знает. Папа так и сказал: «Ты у Льва Алексеевича будешь, как у Христа за пазухой, а заодно и под надзором. Имей в виду, Лев Алексеевич тебе глупостей наделать не даст, я сразу обо всем узнаю». — Она рассмеялась, открыто и звонко. — Я тут прямо как в тюрьме, шаг влево, шаг вправо — считается побег. Никому даже глазки нельзя построить, все знают, что Лев Алексеевич дружит с моим папой, а Льва Алексеевича в театре боятся.

Значит, старый испытанный метод в данном случае не применялся, констатировала Настя. Ну и ладно, перейдем к основному вопросу.

— Припомните, Ева, кто в последний месяц приходил к Льву Алексеевичу. И вообще, какие посетители к нему ходят?

— Ну, какие. — Девушка наморщила гладкий фарфоровый лобик. — Всякие ходят. Насчет рекламы приходят, журналисты, телевизионщики, спонсоры, писатели иногда тоже бывают, рукописи приносят, но я их сразу к Илье Фадеевичу отправляю, хотя бывают такие настырные, что к завлиту идти не хотят, а хотят непременно свои писульки самому Богомолову показать. Актеры частенько пытаются прорваться.

— Ваши? — уточнила Настя. — Из «Новой Москвы»?

— Нет, ну что вы, наши к Льву Алексеевичу без вызова не ходят, это не принято. Если у них бывают вопросы к руководству, они идут сразу к Владимиру Игоревичу, — голос Евы подозрительно изменился, в нем появилось придыхание восторженности, — а Владимир Игоревич уже сам разбирается. Льву Алексеевичу не до этого.

— Не до этого? — прищурилась Настя. — А мне казалось, что в театре нет никого важнее актера. Я, честно признаться, не понимаю, как художественному руководителю может быть «не до этого», если к нему пришел актер.

— Ой, ну что вы, Лев Алексеевич — это лицо нашего театра, он должен представлять театр во внешнем мире, и представлять достойно. Вот журналисты, телевидение, спонсоры, реклама — это по его части. А актерами занимаются завтруппой и Владимир Игоревич.

— Хорошо, а еще кто приходил?

— Жена Льва Алексеевича, Лена.

— Часто она приходит?

— Да когда как, она же возит антрепризу, поэтому ее часто в Москве не бывает. А вообще, она в театре своя, ее тут все знают. И дочка еще приходит, противная такая, мой папа про таких девиц говорит, что они из «протестного течения».

Настя в изумлении посмотрела на девушку. Такие наукообразные слова никак не вязались с уже сложившимся образом глупенькой инфантильной дочки богатеньких родителей.

— Откуда-откуда?

— Из «протестного течения», — старательно повторила Ева.

— А кто ваш папа, простите?

— Он доктор наук, занимается социологией.

Ну слава богу, с улыбкой подумала Настя, отлегло. А то она уж решила было, что совсем утратила нюх на людей.

— И почему ваш папа так говорит про дочку Льва Алексеевича? И кстати, как ее зовут?

— Ксюша. Да ну, она халда такая — просто ужас! Волосы выбриты на висках, черт-те что на голове, да еще вытравлены в белый цвет, и пирсинг всюду, где только можно, и в носу, и на брови, и, судя по всему, на языке тоже, потому что она шепелявит. Не понимаю, кому она что доказывает своим видом? А уж одета — вообще караул.

— И часто Ксюша приходит к отцу?

— Регулярно, — усмехнулась Ева. — Раз в две недели — точно, а иногда и чаще случается. В последнее время с ней ее парень стал приходить, но к Льву Алексеевичу в кабинет он, конечно, не заходил, в приемной ждал. Противный такой, глаза мутные, сам весь какой-то непромытый. Б-р-р-р!

— И зачем Ксюша с такой регулярностью приходила к отцу? — поинтересовался Антон. — Наверное, повидаться? Я так понял, они не вместе живут.

— Ну да, повидаться! — фыркнула девушка. — Такие халды ни по кому не скучают и просто так повидаться не заходят. Я так думаю, что она за деньгами ходила.

— Почему вы так решили?

— Я один раз видела, как Лев Алексеевич доставал портмоне и давал ей деньги, я в это время срочную бумагу заносила. Так-то я обычно при их встречах не присутствовала, вот только один раз... Но, думаю, так было всегда, потому что входит дочка в кабинет каждый раз с напряженным лицом, глаза такие тревожные, а выходит сияющая, парень на нее смотрит вопросительно, а она ему жест такой делает, который означает: «Все тип-топ!»

— Имени парня вы, конечно, не знаете?

— Почему же, я слышала, как эта халда его называла Бобом. Только я не поняла, как его на самом деле зовут, ведь его же не могли по-настоящему назвать Бобом, правда?

— Правда, — согласилась Настя, давясь от хохота. Эта простодушная очаровательная дурочка могла кому угодно поднять настроение. Кстати, кажется, она неровно дышит к директору Бережному. Интересно, Антон это отметил или Насте просто показалось? А вот сейчас и проверим.

— Ева, вас не затруднит связаться с Бережным, мы просили его обзвонить и собрать всех вахтеров и охранников.

— Да, конечно! — Ева моментально сорвалась с места и пулей вылетела в приемную.

Настя поймала взгляд Антона и поняла, что они подумали об одном и том же. Из приемной доносился воркующий голосок девушки с такими нежными нотками, что ошибиться было невозможно. Настя от души ей посочувствовала. Вот же попала бедняжка! Ни пококетничать, ни пофлиртовать, ни глазки построить — ничего нельзя под бдительным оком папиного знакомого, который, помимо всего прочего, обожает строить из себя крутого хозяина. И ничего удивительного, что Еве приглянулся Владимир Игоревич Бережной, красавец и обаятельный элегантный мужчина в хорошем среднем возрасте.

Через пару минут Ева снова показалась на пороге кабинета.

— Владимир Игоревич сказал, что все, кого вы просили собрать, придут в течение тридцати-сорока минут. Вахтеры живут в соседних домах, для них прийти — не проблема, а вот с чоповцами труднее. Но Владимир Игоревич сказал, что он все решил и все организовал. Владимир Игоревич...

Было очевидно, что даже само произнесение имени Бережного вызывало в девушке трепет и обмирание. Надо же, как ее зацепило!

Ну что ж, раз у них есть целых полчаса, можно позвонить Зарубину.

— Антон, вы сами свяжетесь с Сергеем Кузьмичом или мне позвонить?

— Насчет чего? — удивился Антон.

— Насчет дочки Богомолова и ее непромытого бойфренда с мутными глазами. Нам с вами нарисовали типичную картину наркомана, который присосался к девушке из хорошей семьи и тянет из нее деньги, а она влюблена до такой степени, что ничего не замечает и не понимает. И если в один прекрасный момент Богомолов отказался давать деньги, то это вполне могло вызвать ярость молодого человека. И дочки, кстати, тоже.

— Вы думаете? — с сомнением произнес Сташис. — Ведь, по показаниям жены, у Богомолова ничего не взяли, все ценности были на месте, и бумажник, и часы. Если бы нападавший был приятелем дочки, он непременно взял бы что-нибудь ценное, иначе нападение теряет смысл, ему же деньги нужны на дозу.

— Ну, мы с вами не знаем, как все было на самом деле, — пожала плечами Настя. — Вы же изначально исходили из того, что у преступников мог был умысел на разбой, но им помешали, и они скрылись с места преступления, не успев ничего взять у потерпевшего. Кроме того, если я правильно поняла то, что вы мне рассказывали, Елена Богомолова не знала точно, сколько именно денег было в бумажнике у ее супруга. Да, какие-то деньги там обнаружились, но без показаний самого Богомолова мы никогда не узнаем, сколько их там было изначально. А вдруг много? А вдруг преступник их все-таки взял?

— Тогда почему взял не все? — возразил Антон.

— Две причины. Первая: большие деньги лежали отдельно, в конверте, их преступник и взял, а в бумажник уже не полез. Вторая: он умный, этот гипотетический преступник, взял много денег из бумажника, а немножко оставил, чтобы у нас с вами, глупых сыщиков, сложилось впечатление, что он бумажник вообще не трогал. Если хорошенько подумать, можно и третью причину найти, и четвертую. Короче, исключать этого Боба из числа подозреваемых я бы не стала. Но решать, конечно, вам, вы же представитель власти. А я только ваш консультант.

— Я понял, — кивнул Сташис.

Он сам позвонил Зарубину, рассказал о дочери Богомолова и ее приятеле, а заодно попросил поспрашивать у тех, с кем Богомолов общался в течение субботы, 6 ноября: а вдруг кто-то знает о деньгах, которые у него могли быть с собой? Возможно, гонорар, или возвращенный кем-то долг, или, напротив, сумма, одолженная у кого-то самим Львом Алексеевичем. И тогда искать преступника надо уже среди тех, кто мог знать об этой сумме. Зарубин в ответ, да так громко, что даже Насте было слышно, разворчался на тему о том, что, мол, сами не дураки и насчет денег уже проверяли, а что касается новых фигурантов, он уже жалеет о своем решении отправить в театр Каменскую. Еще пара дней — и проверять надо будет все две сотни сотрудников и их многочисленных родственников.

— Анастасия Павловна, а что мы будем искать, опрашивая вахтеров и охранников? Ведь Ева нам перечислила всех, кто приходил к Богомолову, и никакие подозрительные лица среди посетителей вроде не замечены.

— Антон, вы же сами слышали, — вздохнула Настя, — Лев Алексеевич был к девочке более чем лоялен, работой ее не перегружал и часто отпускал. А вдруг интересующие нас люди приходили именно тогда, когда ее не было? А кстати... Ева! — позвала она.

Ева тут же прибежала и застыла у двери, как примерная ученица перед классной доской в ожидании задания учителя.

— Кто обычно сидит в приемной вместо вас, когда Лев Алексеевич вас отпускает?

— Завтруппой, — тут же откликнулась девушка, — или кто-нибудь из бухгалтерии.

— Кто именно? Обычно одни и те же сотрудники?

Ева помялась.

— Я не знаю точно, но мне кажется...

Она назвала два имени, и Настя сделала для себя пометку: обязательно поговорить с этими дамами и задать им всё те же вопросы. Интересно, по какому принципу Богомолов отбирал сотрудников для подобных случаев? Кто более предан? Или кто более привлекателен внешне? Завтруппой — понятно, она предана художественному руководителю, а что с бухгалтерами?

У нее на мгновение возникло неприятное ощущение того, что она занимается совершенно не тем. Мутью какой-то. Какая, в сущности, разница, кто сидел в приемной руководителя, на которого поздно ночью напали и ударили тяжелой битой по голове? Она, Настя Каменская, опять излишне углубляется в детали, которые в результате ведут в никуда и не приносят совершенно никакой пользы, кроме разве что чувства добросовестно выполненной работы и уверенности, что ничего не упущено.

Она вышла в приемную и попросила Еву приглашать в кабинет вахтеров и охранников, как только они начнут подходить.

Первый свидетель появился уже через четверть

часа, это была пожилая женщина-вахтер, живущая в соседнем с театром доме. Остальные тоже не заставили себя ждать. И всех их Настя и Антон спрашивали об одном и том же: не приезжали ли к Богомолову в последнее время незнакомые посетители, может быть, люди на дорогих машинах или откровенно бандитской внешности, может, кто-то оставлял письма или пакеты? Не было ли случаев, когда кто-то приехал к Льву Алексеевичу, а его не пропустили? Порядок был таким: посетитель должен сказать на вахте, к кому он приехал, вахтер звонит этому сотруднику и сообщает, что к нему гость, и сотрудник должен сам пройти к служебному входу и встретить человека. За теми, кто приезжал к Богомолову, выходила Ева. Исключение составляли те, кто появлялся в театре постоянно и кого все вахтеры знали в лицо, в частности жена и дочь Льва Алексеевича, а также еще несколько человек. Если Евы не было, то за гостями спускался тот, кто сидел в приемной. Такого, чтобы к Льву Алексеевичу проводили кого-то подозрительного, кого он, вполне возможно, не хотел принимать, и его пришлось уговаривать, вроде бы не было. Во всяком случае, никто из опрашиваемых ничего подобного припомнить не мог. Правда, было одно, но весьма существенное «но»: к кабинету худрука можно попасть из фойе ложи бенуара, то есть к Богомолову мог пройти любой зритель во время спектакля, и это осталось бы незамеченным для вахтеров и охранников. Так что избежать разговора с завтруппой и дамами из бухгалтерии все-таки не удастся.

Настя уже почти разочаровалась в своей затее опросить тех, кто постоянно находится у служебного входа, как вдруг вахтерша Тамара Ивановна, уже распрощавшаяся с сыщиками и сделавшая шаг в приемную, вернулась и решительно села на стул, с которого только что встала.

— Я не хотела вам рассказывать, я вообще не хотела, чтобы об этом кто-то знал, но дело все-таки серьезное... Такое несчастье с Львом Алексеевичем... Может, это и не имеет никакого значения, это все-таки давно было... — начала она путано.

— Насколько давно? — мягко спросил Антон, подсаживаясь поближе к Тамаре Ивановне. — В прошлом году? Или попозже?

— Месяца два назад, в самом начале осени. Тогда нашему Илье Фадеевичу стало плохо прямо в театре, его на «Скорой» в больницу увезли и даже боялись, что инсульт. И через некоторое время пришел Кирюшка, его внук. Ну, это дело обычное, Илья Фадеевич в театре уж столько лет работает и Кирюшку к нам с самого детства приводил, так что мы мальчика давно знаем. Но Кирюша в тот раз пришел сильно выпивший. А Илья Фадеевич-то в больнице, вот я и говорю ему, мол, нет дедушки в театре, он в больнице лежит. А он мне отвечает: «Я не к деду, я к Богомолову вашему пришел». Я тогда очень удивилась, зачем, думаю, ему к Богомолову, что у них может быть общего, какие дела? Ну и начала допытываться, мне же интересно. А Кирюшка вдруг как с цепи сорвался, начал орать, что он Льва Алексеевича убьет, голову ему оторвет, и прочие глупости. И рваться стал через турникет, глаза бешеные, губы побелели, я даже испугалась. Вышла, хотела его не пустить, да куда там — разве мне с ним совладать! Виталик-охранник выскочил, схватил Кирюшку, тот вырывается, орет, в общем, пришлось Виталику врезать ему как следует. Я думала, даже милицию придется вызывать, но ничего, Виталик справился, заломал мальчишку, выставил его на улицу и пригрозил, что в следующий раз руки-ноги ему переломает. Некрасиво вышло, конечно, и я тогда сильно испугалась, потому что Кирюша был очень зол. Встретился бы ему в тот момент Лев Алексеевич — даже и не знаю, чем дело кончилось бы.

Вот это уже интересно!

— Вы сказали Богомолову об этом инциденте? — строго спросила Настя.

— Что вы! Зачем Льва Алексеевича волновать? Ну, выпил парнишка, наговорил лишнего, набузотерил, с кем не бывает. Но Владимиру Игоревичу я, конечно, немедленно доложила, он директор, обязан такие вещи знать.

И снова Владимир Игоревич, отец родной, разрешитель всех проблем. Кажется, он и вправду в театре настоящее первое лицо.

— И что ответил Владимир Игоревич?

— Он очень расстроился. И просил меня никому об этом не рассказывать.

— Почему расстроился? — не отставала Настя.

— Владимир Игоревич очень уважает нашего Илью Фадеевича, он очень переживал, когда тот с приступом в больницу попал.

— Так вы никому и не рассказали? — уточнила Настя.

— Нет, конечно, меня же Владимир Игоревич попросил молчать. Но вам рассказала, потому что тут дело такое... Вы уж меня не выдавайте, а то Владимир Игоревич рассердится.

Стали подтягиваться охранники, и сотрудник ЧОПа по имени Виталий полностью подтвердил рассказ вахтерши Тамары Ивановны.

— Я ему тогда прилично накостылял, — пряча самодовольную усмешку, добавил здоровяк Виталий. — Больше не сунется, во всяком случае, в мою смену.

Настя примерно представляла себе, что скажет Сергей Зарубин в ответ на новую информацию, поэтому право позвонить с докладом она мужественно предоставила Антону. Дождавшись, пока Зарубин выскажет все, что думает, и отключится, она сказала:

— Знаете, Антон, я начинаю думать, что ваши способности приносят большую пользу. Честное слово. Помните, как мы с вами недоумевали, когда вы заметили, что во время разговора о внуках и бабушках-дедушках Малащенко разволновался? Вы оказались правы. А я не права. Признаю.

— В чем не правы? — не понял Сташис.

— В том, что сомневалась в вас. Теперь не сомневаюсь, — улыбнулась Настя. — Но могу констатировать, что мы с вами интуитивно выбрали правильный метод совместной работы: я разговариваю — вы наблюдаете. От такого разделения получается куда больше пользы, чем если бы вы активно участвовали в разговорах. Поделитесь, что еще вы заметили сегодня интересного?

Антон смущенно отвел глаза и усмехнулся.

— По-моему, вы и сами это заметили. В Бережного влюблены все женщины театра, начиная от вахтерш и заканчивая красавицей Евой.

— А завтруппой? Как она вам показалась?

— Ну, эта до мозга костей предана Богомолову. Даже если она что-то и знает, то ни за что не скажет, чтобы не бросить тень на обожаемого Льва Алексеевича, так что дальнейшие беседы с ней, на мой взгляд, совершенно бесполезны. При прежнем худруке она не была в таком фаворе, как сейчас, а при Богомолове переживает пик своей карьеры и очень гордится тем, что является чем-то вроде «серого кардинала» при руководителе.

— Согласна, — кивнула Настя. — А еще что? Про Бэллу из костюмерного что-нибудь скажете?

— Открытая и искренняя, очень переживает за свою коллегу, которую уволили, Гункину. Жалеет ее. Богомолова не любит за его драконовские привычки всех контролировать и презирает за мелочность. Ну ладно, уволил — так уволил, основания были, хотя мог бы и простить. Но выцыганить у несчастной женщины деньги, которые ей нужны были для рожающей дочери, — это просто свинство.

— И снова согласна. А Ева?

— А что Ева? Такая же, как Бэлла, открытая и искренняя, с той лишь разницей, что у Бэллы это идет от внутренней доброты и честности, а у Евы — от инфантильности и глупости. Ну, и от хорошей жизни, наверное. Она же зла-то ни от кого не видела, прожила за папочкиной спиной, благополучная, недалекая, красивая, спокойная. И за Богомолова она не переживает так, как пытается показать. Она просто не умеет еще переживать за людей, слишком молоденькая, горя не знала.

— Что, совсем не переживает? — недоверчиво переспросила Настя, которой показалось, что это не совсем так и девушка все-таки обеспокоена произошедшим.

— Переживает, но не за Богомолова, а за себя. Уж очень ей это место нравится. Работа не в напряг, она сама так сказала, кругом множество интересных мужчин разного возраста, которые делают ей авансы, причем эти мужчины зачастую известные артисты, что, конечно же, возвышает ее в глазах подружек. К тому же есть куда наряжаться и для кого выглядеть. Вы обратили внимание на ее рассказ о том, что она полгода просидела дома и заскучала?

— Да в общем-то нет, — призналась Настя. — То есть я помню, что она это сказала, но никаких особенных выводов из этого не сделала. А вам что-то в этот момент показалось?

— Ничего особенного, просто я подумал: а где же подружки, те самые, для кого она берет автографы у артистов и перед кем держит марку близким знакомством со звездами? Почему ей было скучно полгода сидеть дома?

— И где они? — с интересом спросила Настя.

— Да они учатся или работают, одним словом, днем они заняты. Вот наша Ева и скучала. Учиться она не хочет, лень или мозгов не хватает, а может, смысла не видит, потому что учатся те, кто собирается в дальнейшем строить свою жизнь самостоятельно, а у нашей девочки таких мыслей в голове нет, она привыкла, что за нее все папа делает, так для чего напрягаться? Папа у нее не олигарх и не особо богатый, но при деньгах, если судить по тому, как девочка одета. Настоящий гламур ей недоступен, и ее круг общения состоит из тех, кто не бездельничает и не прожигает родительские деньги. А так она при деле, день занят, место престижное, перед подругами не стыдно, есть для кого краситься и одеваться. И потом, не забывайте, ей нравится Бережной. Даже возьму на себя смелость утверждать, что она влюблена до смерти, как влюбляются только в этом благословенном возрасте.

Настя с любопытством посмотрела на Антона. Ничего себе рассуждения! В этом благословенном возрасте... Сколько Еве лет? Двадцать? Двадцать один? А самому Сташису? Двадцать восемь, он ненамного старше, а рассуждает так, словно ему уже за сорок.

— Так что Ева не за Богомолова переживает, а за себя, любимую, ей место не хочется терять. Мало ли как все повернется? Придет новый руководитель и уволит ее. А ведь есть еще такая невероятно сладкая возможность, что Бережного снова сделают полноценным директором, и вдруг он оставит ее своим секретарем? Вот это уже будет предел всех мечтаний. Вот о чем она волнуется на самом деле, а вовсе не о здоровье Льва Алексеевича.

Настя помолчала, пристально разглядывая Сташиса. Он невольно поежился.

— Что вы на меня так смотрите? Я сказал какую-то глупость?

— Вы меня пугаете, — медленно произнесла Настя. — Давайте-ка собираться домой, на сегодня достаточно.

Театр нервничал. Все началось около полудня, когда эти двое чужаков, шатающихся по зданию целыми днями, зашли в кабинет Владимира Игоревича Бережного. Театр в этот момент наблюдал за ходом репетиции и не обратил внимания на то, что там произошло в кабинете, он только почувствовал, как со стороны кабинета директора вырвалась плотная струя панического беспокойства. Что сыщики сказали Бережному? Чем они его так напугали? Театр все пропустил и злился на себя, потому что если бы почуял неладное вовремя, то хотя бы подслушал, о чем шел разговор, но он был увлечен репетицией, ведь репетиция — это всегда важно, это интересно, это подготовка к будущему спектаклю и в конечном счете подготовка к будущей жизни самого Театра. А смотреть в два места одновременно Театр не мог, не дано ему было, природа устроила его так же, как обыкновенных людей, которые если смотрят направо, то налево уже не видят.

Струя беспокойства и даже какой-то досады мешала Театру наблюдать за репетицией, отвлекала, потом он заметил, что ведущий репетицию режиссер Семен Борисович Дудник посмотрел на свой телефон и что-то прочитал, после чего вся репетиция пошла наперекосяк, а репетиционный зал наполнился каким-то дрожащим волнением, которое немедленно передалось актерам, и они начали все путать и делать не так. После репетиции режиссер прямиком помчался в кабинет Бережного, и тут уж Театр не удержался, посмотрел, послушал, но ничего не понял.

— Ты же был уверен, что она не станет с ними разговаривать...

— Что я могу поделать, она просила их собрать...

— Черт, неужели выплывет... С другой стороны, что такого страшного? Мир не рухнет.

— Да жалко ведь...

— Это да, жалко. Я распсиховался, когда твое сообщение прочитал. Репетицию практически сорвал, все через пень-колоду...

Разговор в кабинете оказался невнятным, и Театр в нем не разобрался. Постепенно он успокоился, страх и волнение расползлись по всему зданию, как дым, и стали совсем незаметными. Театр уже окончательно было настроился на вечерний спектакль, как вдруг почувствовал облако нервозности, движущееся по служебной лестнице вверх, в сторону квартиры, которую предоставляли иногородним режиссерам и драматургам и в которой сейчас жил автор новой пьесы Артем Лесогоров. Облако двигалось медленно и не очень уверенно, и Театр смог сделать единственный вывод: облако породил мужчина. Какой? Кто это? Сам Лесогоров, который чемто расстроен или взвинчен? Но он двигается так неуверенно, словно выпил... Впрочем, это вполне возможно. А если это не Лесогоров, то кто? И зачем этот неизвестный идет к Лесогорову? «Наверное, в гости, — решил Театр. — А нервничает... что ж, мало ли причин у человека, чтобы нервничать». Спектакль — это, конечно, важно, это, в сущности, самое главное в жизни Театра, но любопытство взяло верх. Театр оторвался от сцены и зрительного зала и заглянул на служебную лестницу, очень уж хотелось ему посмотреть, кто это там идет и боится.

Ну и ничего особенного. И чего он так нервничает?

Театр перестал думать о таинственном облаке и снова сосредоточился на сцене.

Елена Богомолова даже не сразу почувствовала, что рядом кто-то сидит. Пошла вторая неделя, как она ежедневно проводит время на этом стуле в коридоре больницы. Стульев, скрепленных в единый блок, было четыре, но Елена почему-то занимала каждый раз один и тот же стул, второй справа, с надорванной чем-то острым обивкой.

Она скосила глаза и увидела Ксюшу, дочку Льва Алексеевича от первого брака.

— Привет, — едва разжимая губы, произнесла Елена.

— Привет, — откликнулась Ксюша. — Как папа?

— Все так же. Плохо.

— Я хочу его увидеть, — заявила девушка.

— К нему не пускают, — равнодушно ответила Елена.

— Что — до сих пор так и не пускают? Ты врешь! Ты просто не хочешь, чтобы мы с ним виделись! Ты всегда ревновала папу ко мне, тебе не нравится, что он меня любит...

Ксюша несла полную чушь, и Елена на какое-то время перестала ее слушать. А зачем? Что нового она услышит? У Ксюши ума ни на грамм, один ветер в голове, так что на нее даже обижаться нет смысла. Ведь ясно же, зачем она явилась. Если бы ее действительно волновало здоровье отца, она бы если и не приезжала, то хотя бы звонила Елене постоянно, как звонит первая жена Левы. Да и Левина мать, Анна Викторовна, бывает в больнице ежедневно, сидит рядом с Еленой часа по полтора-два и уезжает. А Ксюша за все время появилась здесь только второй раз и ни разу не позвонила.

Девушка все бормотала и бормотала какие-то глупости, и Елена не выдержала:

— Ты зачем приехала? Про папу спросить? Я тебе все сказала. Мне и без тебя тошно, давай избавим меня от необходимости слушать твои бредни.

Ксюша умолкла, видимо, понимая, что переборщила и вообще повела разговор явно не так.

— Лен, дай денег, — наконец произнесла она.

— У меня нет, — равнодушно откликнулась Елена.

— Что, совсем нет? Ни копейки? — не поверила Ксюша.

— Отстань, а? — жалобно попросила Елена. — Ну откуда у меня лишние деньги?

— Мне папа всегда давал, — в голосе девушки прозвучал вызов. — Я просила, и он давал без разговоров. Мне очень нужно, правда-правда, очень-пре-очень. Ну какие-то деньги у тебя ведь есть, правда? — заныла она. — Не жмись, отстегни, ну поверь, мне без этих денег кранты. Ну Лен, а?

— Зачем тебе деньги? — Елена спросила просто так, ей совсем не было интересно, зачем Ксюше деньги, ответ она и без того знала.

— У меня совсем ничего нет, голяк полный, даже на телефоне ни копья, ты думаешь, я почему тебе не звоню? Телефон выключен, деньги кончились. И сюда не приезжала, потому что на метро не хватает.

— А у матери попросить не пробовала?

— Так она уже давала, а они кончились. Мама больше не дает, говорит, что я трачу слишком много, а где много-то? Ну Лена!

— У меня денег нет, — твердо и раздельно повторила Елена. — Сейчас ты сюда пешком пришла, да?

— Почему пешком? — Ксюша смешалась, но быстро вывернулась. — Мне Боб дал на билет, только на одну поездку, мне ему вернуть надо. И обратно добраться. Ну будь ты человеком, Ленусик! Хотя бы рублей пятьсот дай.

Елене было так тяжело, так плохо, что сдерживаться и следить за словами сил уже не было. Она развернулась на стуле и села, глядя прямо в глаза девушке.

— Скажи спасибо, что я никому про твоего Боба не сказала, и о том, как отец его с лестницы спустил, и о том, как твой Боб грозился папу убить. Забыла, да? Или думаешь, что я тебя пожалела? Да я отца твоего жалею, не хочу, чтобы он переживал лишний раз. Если будешь меня доставать — имей в виду, я молчать не стану. Думаешь, мы с твоим отцом не понимали, кто его машину краской облил? В два счета расскажу в милиции, кто мог так ненавидеть твоего отца, что ударил его битой по голове, и пусть твоего дружка-наркомана арестуют, будешь ему передачи в Бутырку носить, а то и пойдешь как соучастница, это недолго устроить.

— Ты что?! — заполошно воскликнула Ксюша. — Ты что несешь-то? Хочешь сказать, что Боб... что мы с Бобом...

— Вот именно это я и хочу сказать. Отец просил тебя с ним не встречаться? Просил. Велел, чтобы ты порвала с ним всякие отношения? Велел. А ты что творишь, дрянь такая? Продолжаешь тянуть из отца деньги и отдавать своему хахалю, а он на эти деньги наркоту себе покупает. Еще и тебя подсадит, если уже не подсадил. И ты что же, рассчитываешь, что я тебя буду покрывать? Не надейся. И лучше не зли меня, Ксения Львовна.

— С-сука, — прошипела сквозь зубы Ксюша и почти бегом направилась к лифтам.

Елену трясло, в голове продолжали звучать только что сказанные слова, к ним добавлялись новые, еще более горькие упреки и тяжкие обвинения, и она через некоторое время уже перестала понимать, что все-таки произнесла вслух, а о чем только подумала. Может, зря она набросилась на девчонку? Конечно, Ксюша — дура, каких поискать, но неужели она способна на такое зверство по отношению к собственному отцу? Нет, нет, нет! Это Боб, этот наркоман, это он сам решил поквитаться с Левой за тот скандал и за то, что Лева запрещал дочери общаться с сомнительным приятелем, Ксюша тут совершенно ни при чем. Сказать в милиции об этом или промолчать? Если Боб виноват, то и Ксюшу притянут, и Лева этого не вынесет. Лева не вынесет... Если придет в себя. Если выживет. А если нет?

Лев Алексеевич очень любит свою девочку, он после развода постоянно общался и с первой женой, и с дочерью, никогда не устранялся от помощи, оказывал материальную поддержку, вникал во все проблемы, которые то и дело возникали в его бывшей семье, словом, вел себя порядочно. Он давно видел, что Ксюша растет сложным, плохо управляемым ребенком, и его очень беспокоило поведение дочери, Лев Алексеевич переживал, старался выяснять, с кем она общается, знакомился с ее друзьями и приятелями, и этот Боб ему не понравился сразу. Отец категорически запретил Ксюше с ним общаться, но дочь, естественно, не послушалась, и Лев Алексеевич решил сам поговорить с парнем и объяснить ему, что лучше бы Бобу отстать от Ксении Богомоловой. Боб резонов обеспокоенного отца отчего-то не принял, начал грубить и хамить в ответ, и Лев Алексеевич, что называется, разобрался с ним по-мужски, что было несложно, учитывая мощное телосложение Богомолова и ослабленный наркотиками организм молодого человека. Через два дня после этого Лев Алексеевич обнаружил утром свою машину в изрядно поуродованном виде, и ни у него, ни у Елены не было ни малейших сомнений в том, кто это сделал.

Она так и не успела окончательно успокоиться после разговора с Ксюшей, когда открылась дверь реанимационного отделения, и в коридоре появился заведующий. Елена вскочила, бросилась к нему с вопросами, но ничего утешительного и в этот раз не услышала. Опустив плечи и почти волоча ноги, она вернулась на свой стул, второй справа.

— Мне не ложится на язык! — раздраженно заявил актер Никита Колодный после пятой или шестой попытки произнести предписанную текстом реплику. — Это невозможно произнести, Артем, подумай, как это сказать по-другому.

Автор пьесы «Правосудие» Артем Лесогоров сидел на стульчике у стены и, склонив голову, быстро что-то записывал. Он собрался было ответить Колодному, но его опередил режиссер Семен Дудник.

— Никита Михайлович, не валяйте дурака, нормальный текст. Ну что вы опять придумываете?

— Я не придумываю! — с горячностью возразил актер. — Это невозможно сыграть достоверно, я и сам в это не верю, и зритель не поверит. Семен Борисович, ну согласитесь со мной! Мы же с вами это обсуждали, и вы склонялись к тому, чтобы прислушаться ко мне, вспомните! Вся мотивация Зиновьева какая-то картонная, не жизненная. Он произносит свои реплики, а я даже не понимаю, как их отыгрывать.

Играющий того самого пресловутого Зиновьева актер по фамилии Арцеулов, крупный, вальяжный и неторопливый, невозмутимо пожал плечами.

— Меня моя роль вполне устраивает, так что не надо гнать, Никита. И мне в ней все понятно. И рисунок весь мы с Львом Алексеевичем проработали. Что тебя не устраивает?

Лесогоров продолжал что-то писать, не поднимая головы. Настя с любопытством рассматривала журналиста-драматурга. Что он все время пишет? И почему не вступает в дискуссию, тема которой касается непосредственно его?

Они с Антоном Сташисом попросили у режиссера Дудника разрешения поприсутствовать на репетиции, объяснив свое желание банальной любознательностью. На самом деле Настя и Антон услышали за первые два дня пребывания в театре множество аргументов в пользу того, что Дудник заинтересован в устранении Богомолова, и пришли к выводу, что надо бы присмотреться к Семену Борисовичу повнимательнее. А где удобнее всего это сделать, если не в процессе работы? Нельзя сказать, что Дудник пришел в восторг от их просьбы, он долго объяснял, что присутствие посторонних на репетиции вообще-то не приветствуется, это мешает работе, отвлекает актеров, не дает им сосредоточиться, но в конце концов согласился.

На этой репетиции были заняты три актера: Никита Колодный, игравший некоего Юрия, Арцеулов, исполнявший роль Зиновьева, и та самая Людмила Наймушина, которую завтруппой рекомендовала как человека со всеми дружащего и обо всем сведущего. Наймушина оказалась невероятной красоты женщиной лет тридцати пяти, которую Настя моментально узнала, едва увидев ее точеное лицо. Это лицо частенько мелькало на телеэкране в разных сериалах, которые Настя не особо смотрела, однако была в курсе, потому как телевизор у нее дома был включен постоянно, но без звука, и изображение то и дело попадало в поле ее зрения. Собственно, разговор с Наймушиной был у Насти запланирован именно на сегодня, она собиралась встретиться с актрисой сразу после репетиции.

Кроме режиссера Дудника, автора пьесы Лесогорова и трех актеров, здесь присутствовали помреж Федотов и художник по костюмам, экстравагантно одетая и затейливо укутанная в яркий платок худощавая дама, почему-то, несмотря на несомненную красоту наряда, вызывавшая у Насти ассоциации с Бабой-ягой. Сама репетиция произвела на Настю довольно странное впечатление. Ей казалось, что репетиция — это такое мероприятие, когда что-то, поначалу совсем сырое, разрозненное, невнятное, постепенно становится выпуклым, четким и последовательным. Оказалось, что это не совсем так. Или даже совсем не так. Прошел уже час с того момента, как прозвенел звонок, возвещавший начало процесса, и никакого движения вперед Настя так и не уловила. Все будто застопорилось, Колодный без конца цеплялся к репликам и к несчастному Зиновьеву, апеллировал к режиссеру, обращался к автору, сердился, доказывал, режиссер раздражался и нервничал, а автор иногда отрывался от своих записей и предлагал какие-то варианты, которые, как правило, Колодного не устраивали. Если же Колодному, автору пьесы и режиссеру удавалось достичь хоть какого-нибудь консенсуса и утвердить реплику, устраивающую всех, помреж Федотов тут же вносил изменения в распечатанный текст, лежащий перед ним на столе. Художник по костюмам наблюдала, делала карандашные наброски на плотной бумаге, то и дело обращалась с какими-то короткими вопросами к режиссеру Дуднику, и в целом вся обстановка репетиции напоминала Насте Каменской плохо подготовленное комсомольское собрание времен ее школьной юности.

Ей показалось не то странным, не то забавным, что Дудник обращался к актерам по имени-отчеству и на «вы». Ну, Арцеулов — еще можно понять, ему хорошо за сорок, то есть он явно старше режиссера, но Наймушина примерно ровесница Дудника, а Колодный вообще намного моложе. Интересно, так принято в театральном мире или это персональный стиль Семена Борисовича? Может, это и есть проявление того самого «правильного» отношения к артистам, о котором говорила Евгения Федоровна Арбенина?

Она снова остановила взгляд на Артеме Лесогорове, наблюдая за тем, как он пишет, и вдруг ей показалось, что что-то не так. Что-то в движениях руки автора пьесы было неправильным. Даже нет, не неправильным, а непривычным. Настя зажмурилась на секунду, попыталась отвлечься и снова посмотрела на Лесогорова. Испытанный многократно прием помог и в этот раз: она поняла, что Артем пишет не кириллицей, а стенографирует. Надо же! Она-то думала, что с повсеместным распространением диктофонов и разных навороченных компьютерных программ искусство стенографии давно ушло в прошлое и не пользуется популярностью, особенно среди молодых мужчин. Занятный парень этот журналист-драматург.

— Я не понимаю, — снова прервал на полуслове очередную реплику Колодный и обратился к режиссеру, — как нормальный человек может реагировать на такую чушь! Я не понимаю, как должен реагировать мой герой, когда ему предлагают такие обстоятельства. Семен Борисович...

— Никита, хватит уже, — примирительно произнесла Наймушина, — всем все понятно. Не беспокойся, тебя хорошо видно и отлично слышно, у тебя большая яркая роль, тебе есть что играть и где себя показать. Давай не будем тормозить, надо идти дальше, а из-за твоих придирок у нас сплошные остановки.

— Спасибо, Людмила Геннадьевна. — Дудник бросил на Наймушину благодарный взгляд. — И давайте не забывать, что мы тут не самодеятельностью занимаемся, а продолжаем работу Льва Алексеевича. У него было... у него есть собственное видение, собственная концепция спектакля, и мы не имеем права от нее отклоняться.

Настя буквально кожей плеча почувствовала, как напрягся в этот момент сидящий рядом с ней Антон Сташис. Она слегка повернула голову и взглянула на него. Антон пристально смотрел на Никиту Колодного, и лицо у ее напарника было совершенно отсутствующим и словно бы неживым. Что он там такого любопытного узрел? Надо будет не забыть спросить. Они всего третий день работают вместе, а Настя уже не помнила своих насмешливых и даже язвительных сомнений, которые вызывал у нее молодой оперативник. Она почему-то полностью доверилась его восприятию людей.

— А я не возражаю, — неожиданно подал голос Лесогоров, оторвавшись от своих записей. — Никита Михайлович, по-моему, здесь совершенно прав. Реплика действительно не вполне соответствует тексту роли Зиновьева в предыдущем отрывке. Я сейчас исправлю, одну минуту.

Он снова склонился к своей толстой тетрадке, в репзале повисла тишина, и Настя перевела взгляд на Дудника. Семен Борисович сердился, он нетерпеливо постукивал зажигалкой по столу, за которым сидел вместе с помрежем, и покачивал ногой, всем своим видом показывая, что такое непродуктивное растрачивание драгоценного времени выводит его из себя и только хорошее воспитание удерживает его от того, чтобы взорваться.

Наймушина подошла вплотную к Никите Колодному и что-то сердитым шепотом выговаривала ему, а Арцеулов с безмятежной улыбкой прохаживался вдоль выгородки и примерялся к стулу, на который он должен был сесть в процессе произнесения текста.

Через несколько минут Лесогоров прочитал вслух новый вариант, Колодный расплылся в улыбке, Арцеулов недоуменно тряхнул головой, дескать, не вижу особой разницы, но если вам так больше нравится — ради бога, а Семен Борисович Дудник кивнул помрежу Федотову, мол, годится, фиксируй изменение.

— Михаил Львович, пожалуйста, — обратился режиссер к Арцеулову, — с этого места и пойдем дальше, а то мы с вами совсем тут застряли, так мы до конца репетиции с места не сдвинемся. Один раз пройдем и сделаем перерыв, пусть в голове уляжется.

На этот раз неугомонного Никиту Колодного все, кажется, устроило, обмен репликами прошел благополучно, и Федотов объявил перерыв на пятнадцать минут. Актеры и режиссер немедленно вышли из зала, кто-то — покурить, кто-то — позвонить, кому-то надо было в туалет, а Лесогоров остался на месте и продолжал записывать. Настя подошла к нему и села рядом. Заглянула в тетрадь и поняла, что не ошиблась: драматург действительно стенографировал.

— Почему вы не пользуетесь диктофоном? — спросила она. — Разве стенограмма лучше?

Артем широко улыбнулся и закрыл тетрадь.

— Настоящий журналист должен обязательно владеть стенографией, потому что техника — штука крайне ненадежная, уж вы мне поверьте. Она меня столько раз подводила! Техника в любой момент может отказать, или батарея сядет, или память окажется переполненной. Технику можно украсть, разбить, потерять, можно пролить на нее чашку кофе и так далее. А себе ты всегда хозяин.

— Ну вообще-то верно, — не могла не согласиться Настя. — Вы специально овладевали стенографией, потому что не доверяли технике, или причина в чем-то другом?

— Знаете, лично мне удобнее работать с письменным текстом, чем на слух, я так лучше воспринимаю. Это я еще в детстве понял, а уж когда решил заняться журналистикой и впервые столкнулся с ненадежностью диктофона, то сразу пошел на курсы. И потом, здесь, в условиях репзала, диктофон вообще бесполезен, потому что все находятся от него на разном расстоянии и половина реплик пропадает, не все отчетливо записывается, потом ничего не разберешь. Особенно если несколько человек говорят одновременно. Не буду же я бегать по залу во время репетиции и всем подсовывать диктофон, правда? — Он негромко рассмеялся и окинул Настю теплым, очень мужским взглядом.

Настя взгляд поймала и оценила. И нельзя сказать, что этот взгляд ей понравился.

— А записать все четко и понятно я вполне успеваю, — продолжал Артем. — Тем более что мне все время приходится менять собственный текст в соответствии с пожеланиями участников репетиции, и тут уж на слух полагаться опасно, нужно видеть в записи те слова, которые они предлагают. Зато благодаря стенограмме мне удается быстро все исправить.

Надо бы поговорить с ним о Дуднике. Артем — человек со стороны, не из театра, и ему пассажи насчет сора из избы могут оказаться не близки. А вдруг он знает что-нибудь интересное?

— Вы, кажется, приглашали меня на кофе? — напомнила она. — Я принимаю ваше приглашение, если вы не передумали.

«А если передумал, то я тебя все равно заставлю», — мысленно добавила она.

Но заставлять Лесогорова не пришлось, Настины слова он воспринял с энтузиазмом, и они договорились после окончания репетиции побеседовать в его служебной квартире.

Вторая половина репетиции прошла почти так же, как первая, с той лишь разницей, что терпение Дудника оказалось поистине безграничным, а вот терпение Лесогорова, похоже, истощилось, и в ответ на очередные требования Колодного подправить текст роли Зиновьева, чтобы ему, Никите, было удобнее играть, Артем даже повысил голос, в котором зазвучали обида и оскорбленное самолюбие. Ну, еще бы, кому приятно, когда тебе постоянно дают понять, что ты написал полную чушь, требующую коренной переделки! Семен Борисович Дудник немедленно кинулся защищать автора пьесы, уверяя его, что именно в этом отрывке текст совершенно безупречен, а Никита Михайлович просто устал, поэтому не разобрался как следует.

Когда все закончилось, Настя попросила Антона побеседовать с похожей на Бабу-ягу художницей по костюмам, а сама в сопровождении Артема Лесогорова отправилась вверх по служебной лестнице в его временное жилище.

Настя отпила глоток горячего кофе, на ее вкус — излишне крепкого, и поставила чашку на каминную полку рядом с керамической вазочкой, из которой сиротливо торчала засушенная ветка какого-то кустарника. Лесогоров предложил ей сесть в кресло, но она предпочла постоять: за три часа, проведенные в репетиционном зале, она насиделась досыта, стулья оказались очень неудобными, и теперь у Насти противно ныла спина. А стоять возле камина ей нравилось, камин был старинным, очень уютным, снабженным всеми необходимыми атрибутами, включая решетку и набор каминных щипцов и прочих принадлежностей, сделанных из покрытого патиной металла.

— Почему вы все это терпите, Артем? — спросила она. — Они делают вам столько замечаний, и вы, я заметила, сидели в страшном напряжении и нервничали. Я вас понимаю, вы создали произведение, считали его хорошим и законченным, а теперь какие-то люди пытаются вам объяснить, что вы написали плохую пьесу. Вы уж простите меня за прямолинейность, наверное, я говорю грубо, но со стороны все это выглядит именно так. Это же больно, наверное.

Лесогоров прошелся по просторной комнате, зачем-то откинул, потом снова задернул штору на широком эркерном окне.

— Да, это больно, — согласился он, но как-то неохотно. — Но ничего, я привычный, я потерплю. А что касается напряжения и нервозности, тут вы ошибаетесь, Анастасия Павловна. То есть я, конечно, напрягался, но вовсе не оттого, что меня ругали и говорили гадости про мою пьесу, а исключительно оттого, что я включен в рабочий процесс, и мне нужна максимальная сосредоточенность, чтобы быстро реагировать на происходящее и придумывать варианты изменений. Или наоборот, искать аргументы в пользу того, что ничего менять не нужно.

Отсюда и напряжение. Ну, — он обезоруживающе улыбнулся, — и нервозность, конечно, тоже, потому что я отношусь к театру и его служителям с огромным пиететом и невольно нервничаю в их присутствии, ведь не забывайте, они репетируют мою пьесу, и для меня это огромная честь. Что же касается переделок, то знаете, как на театре говорят: «Пока автор жив, пьеса гибка». Это обычное дело, когда готовую пьесу коренным образом переделывают с согласия автора и при его непосредственном участии. Так что ничего особенно обидного для меня в этом нет. Не забывайте, я же журналист, мне часто приходилось выслушивать от редакторов, что я написал плохой материал, так что я тренированный.

— А зачем вам терпеть? — задала Настя очередной вопрос. — У вас, насколько мне известно, есть спонсор с деньгами, так что от благосклонности руководства «Новой Москвы» вы не зависите. Заберите пьесу из этого театра и отнесите в другой, где к вашему тексту, к вашей работе проявят больше уважения. Что вас удерживает?

— Анастасия Павловна, — умоляюще произнес Лесогоров, — ну присядьте, прошу вас. Мне самому очень хочется сесть и вытянуть ноги, но я не могу себе этого позволить, когда дама стоит. Особенно такая элегантная, красивая дама, как вы.

Настя про себя усмехнулась, но с места не сдвинулась.

— Я постою, мне так удобнее. А вы можете не только присесть, но и прилечь, я же видела, как вы три часа просидели на неудобном стуле в скрюченном положении с тетрадкой на коленях. Мы с вами не на светском мероприятии, так что расслабьтесь.

— Анастасия Павловна, вы меня убиваете! — Он

картинно взмахнул руками. — Вы из тех редких женщин, рядом с которыми хочется чувствовать себя настоящим джентльменом, а вы мне на лету крылья подрезаете. Хотите еще кофе?

— Нет, спасибо, — отказалась она.

— А я хочу. — Его слова прозвучали немного резко, что изрядно удивило Настю.

Обидела она его, что ли? Интересно, чем?

Он отправился на кухню варить кофе, а Настя, опираясь на каминную полку, стояла и разглядывала комнату. Чисто. Удобно. Безлико, как и должно быть в «ничейном» жилище, как в гостиничном номере. Неплохо было бы сделать ремонт, кое-где осыпалась штукатурка, в нескольких местах обои повреждены, да и вообще... Но директору-распорядителю Бережному, наверное, не до этого, в здании театра есть и другие проблемы, требующие неотложного решения и финансовых затрат.

Артем вернулся с чашкой дымящегося кофе и встал возле камина совсем рядом с Настей. Она уловила смешанный запах мужской туалетной воды и пота и с трудом удержалась, чтобы не поморщиться. Такая степень физической близости вызвала у нее раздражение, и она инстинктивно посторонилась, чуть увеличив дистанцию. На лице журналиста при этом проступила досада. Проступила — и тут же исчезла.

— Вы мне не ответили, — мягко напомнила Настя. — Почему вы держитесь за театр, в котором вас унижают и, уж простите меня, ни в грош не ставят?

Артем посмотрел на нее с вызовом и каким-то непонятным ей отчаянием.

— Мне нравится, как ставит Лев Алексеевич, — признался он почти смущенно. — Я пару лет назад видел поставленный им спектакль, «Двенадцатую ночь»... Вы не видели?

— Нет.

— Он произвел на меня огромное впечатление, просто огромное! И когда я написал пьесу, для меня даже вопрос не стоял, какому режиссеру ее предложить. Для меня в театральном мире существует только Лев Алексеевич Богомолов.

— Но Богомолов-то уже не ставит вашу пьесу, — напомнила Настя. — Ее ставит Семен Борисович, а это совсем другое дело. У Семена Борисовича свой подход, своя индивидуальность. И спектакль может получиться совсем не таким, как вы ожидаете.

Она прекрасно помнила слова, сказанные Дудником во время репетиции, о том, что его задача — воплотить в спектакле замысел и концепцию Богомолова, но все-таки... Главное — вывести Лесогорова на разговор о том, что Дудник мечтает избавиться от диктата Богомолова.

Однако разговора не получилось.

— И еще мне очень нравится Арбенина, — признался Артем с совершенно детским смущением. — Когда я договаривался с Львом Алексеевичем, я специально оговорил, чтобы Евгению Федоровну заняли в спектакле, для нее там есть большая интересная роль адвоката. Она такая красавица! — в его голосе зазвучало восхищение. — Я ее с самого детства люблю, особенно она мне нравилась в «Восхождении к вершине», помните, был такой фильм? Я его раз пять, наверное, смотрел, если не больше.

Фильм Настя помнила, и Евгению Федоровну Арбенину в нем тоже помнила очень хорошо. Она действительно была в этой картине невозможной красавицей. Надо же! Трудно представить себе, чтобы современный молодой журналист страдал такой сентиментальностью. Она-то думала, что мальчишеская влюбленность в артистку — это такая вещь, которая осталась далеко в прошлом, в поколении ее родителей. Ан нет, выходит, где-то еще этот раритет сохранился.

Или не сохранился и все эти смущенные признания — не более чем спектакль? К тому же не очень хорошо сыгранный. Уж больно настойчиво старается Артем Лесогоров втереться к ней в доверие, а комплиментам его грош цена в базарный день. Просто он считает ее, Настю Каменскую, милицейским сухарем с неудавшейся личной жизнью, и пытается изобразить из себя милого сентиментального мальчика, которого не нужно бояться, а нужно опекать и любить. Зачем? Да ясно же зачем. Совершено преступление, и Лесогоров, как настоящий журналист, хочет собрать горячий материал, а для этого нужно добиться, чтобы люди, ведущие расследование, были болтливы и откровенны. Вот и все. Даже странно, что Артем пока ни о чем ее не спросил, а только старательно отвечал на ее собственные вопросы. Выжидает? Или она все-таки ошибается и никакого особенного расчета за всеми этими комплиментами нет?

Настя даже не успела мысленно сформулировать последнее соображение полностью, как Артем Лесогоров начал разведку боем.

— Анастасия Павловна, а зачем вы приходили на репетицию? Вы что, подозреваете кого-то из участников? Кого?

— Да с чего вы взяли, Артем! Просто любопытно было посмотреть, как проходит репетиция, вот и все.

— Нет, вы говорите неправду, — он лукаво подмигнул ей, — вы явно кого-то подозреваете. Ну скажите, кого? Семена Борисовича, что ли?

— А почему нет? — увернулась Настя. — Семен Борисович — молодой сильный мужчина, который вполне в состоянии нанести удар битой по голове. Его нельзя исключать из числа подозреваемых, равно как и любого другого физически полноценного мужчину.

— Да бросьте вы! — Артем вытаращил на нее глаза. — Вы что, серьезно? Вы именно так подходите к делу? Кто мог ударить, а кто не мог?

— А как вы предлагаете рассуждать? — Настя расслабилась и с удовольствием принялась прикидываться дурой. Очень она это занятие полюбила, особенно в последний год, когда стала работать у Стасова. — Ясно же, что женщина маленького роста ударить не могла, потому что Лев Алексеевич — мужчина достаточно рослый. Вот из этого и исходим.

— Вас послушать, так и меня можно подозревать.

— А как же, — радостно согласилась она. — И вас, и Михаила Львовича Арцеулова, он тоже мужичок в теле и роста немалого, и Никиту Михайловича Колодного, и даже вашего помрежа Александра Олеговича Федотова. А также директора Бережного, главного администратора Семакова и далее везде, список можете продолжить сами.

— Подождите, — Артем оторопело посмотрел на нее, не понимая, шутит Каменская или говорит серьезно. — А как же мотивы? А алиби? Вы хотя бы алиби проверяли у тех, кого назвали? Я вам про себя могу сразу сказать, где был и что делал, когда с Богомоловым случилось... сказать?

Настя рассмеялась, залпом допила остывший и от этого казавшийся менее крепким кофе, снова поставила чашку на каминную полку и наконец-таки уселась в кресло, вытянув ноги. Пришлось немного поерзать, чтобы найти такое положение, при котором спина ныла не так сильно и боль не отдавала в ногу. Артем немедленно уселся напротив нее на диван.

— Ну расскажите же, Анастасия Павловна, как вы ищете преступника? По каким принципам? Мне же интересно!

— Всем интересно, — беспечно отозвалась она. — Но если я начну направо и налево рассказывать, как мы это делаем, у нас не останется времени заниматься собственно расследованием. Артем, какие у вас лично отношения с... — Она умышленно сделала паузу, сделав вид, будто снова ищет удобное положение.

— Я его очень уважаю, я же вам сказал, — быстро ответил Лесогоров.

«Интересно, кого ты так сильно уважаешь, дружочек? Я ведь имя-то не назвала».

— По-моему, о нем речи пока не было, — Настя изобразила легкое недоумение. — И вы ничего мне о нем не говорили.

— О ком? — растерялся Артем. — Вы же о Богомолове спрашивали, разве нет?

— Нет, — насмешливо ответила она. — Я спрашивала о Михаиле Львовиче Арцеулове.

— О ком?!

Она повторила, негромко и спокойно. Этот мальчик моложе ее почти в два раза, неужели он надеется обвести ее вокруг пальца? Да у нее приемов против таких пройдох — вагон и маленькая тележка.

Сейчас он совершенно растеряется, начнет судорожно пытаться проникнуть в ход ее рассуждений, забросает ее вопросами про Арцеулова, которого Настя сегодня увидела в первый раз в жизни и даже и не думала ни в чем подозревать, во всяком случае пока, и окончательно утратит контроль над беседой.

— Вы что, подозреваете Михаила Львовича?

— А почему нет? — пожала она плечами. — Ровно так же, как и любого другого мужчину на этой земле. Кто-то же ударил Богомолова по голове, так почему не Арцеулов? Или не вы, Артем?

— Но мне-то это зачем?

— А кто вас знает, — беззаботно махнула она рукой. — Я в театре всего третий день и еще очень многого не знаю про вашу внутреннюю кухню. Мало ли какие у вас тут конфликты бывают. Вот вы мне лучше про эти конфликты и расскажите. Кто, с кем, из-за чего, когда, чем дело кончилось.

— Да я сам тут человек новый, — неуверенно ответил Лесогоров. — И не очень-то в театральной кухне разбираюсь. Моя задача — пьесу довести до ума.

— С кем вы тут общаетесь больше всего?

— Ну... — Артем задумчиво помолчал, возведя глаза к потолку. — С Семеном Борисовичем, конечно, с Никитой Колодным, у нас с ним сразу как-то отношения сложились. Да со всеми понемножку общаюсь, мне же все здесь интересно. Может, когда-нибудь книгу напишу, такой роман про театр, покруче Булгакова.

— То есть материал собираете, — уточнила Настя.

И, похоже, попала в цель, потому что глаза Лесогорова судорожно заметались в попытках скрыться от ее внимательного взгляда.

— Нет, так нельзя сказать, — промямлил он. — Просто... ну... это уже как привычка: где бы ты ни появился, надо собрать как можно больше информации, авось когда-нибудь пригодится. Моя главная задача — довести пьесу, — повторил он твердо, будто обретя наконец почву под ногами.

— А с Богомоловым вы много общались?

— Ну что вы! Кто Лев Алексеевич — и кто я? Мы с ним только на репетициях встречались, никаких приватных бесед.

— То есть вы ничем мне помочь не можете, — злорадно констатировала Настя.

— В каком смысле?

— В том, что раз не было приватных бесед, то Лев Алексеевич и не делился с вами своими проблемами, не рассказывал ничего о том, что, может быть, ему угрожали, или у него были долги, или ему кто-то был должен большую сумму и не отдавал, или неприятности какие-то были... Нет? Не рассказывал?

— Нет, — твердо ответил Артем.

— А другие работники театра, те, с кем вы общались более тесно, тоже ничего такого вам не рассказывали? Ну, актер Колодный не в счет, я понимаю, что о проблемах художественного руководителя он наверняка не в курсе, но вот Семен Борисович вполне может быть осведомлен. Он ничего вам не говорил?

И снова последовало твердое и произнесенное без колебаний «нет».

— А сам Семен Борисович как относится к Богомолову?

— Нормально относится. Во всяком случае, никаких гадостей про Богомолова Семен мне не говорил. Да и общаемся мы совсем недавно, с тех пор как он стал ежедневно вести репетиции вместо Льва Алексеевича. До этого мы были знакомы только шапочно.

— Так, — протянула Настя. — Все понятно. Вы для меня человек совершенно бесполезный.

— Почему? — с обидой и какой-то непонятной злостью спросил Артем.

— Вы здесь недавно, ни с кем особо близко не общаетесь, ничего интересного для следствия рассказать не можете. Или вы так искусно притворяетесь несведущим, а, Артем?

— Как вы можете так думать, Анастасия Павловна! Я вам как на духу... А вы...

— А вы, а я, — передразнила она с мягкой насмешкой. — Артем, давайте не будем дурака валять, ладно? Вы журналист, вы хотите собрать материал, хоть какой-нибудь, хоть про внутритеатральные распри, хоть про то, как тупые сыщики с Петровки ведут расследование. Вы пытаетесь задавать мне вопросы и надеетесь получить на них ответы. Не тратьте время напрасно, ответов вы не получите. Спасибо за кофе, я у вас перевела дух, пойду работать дальше.

— А с кем вы пойдете сейчас разговаривать? — немедленно последовал вопрос.

— Артем, вы меня слышите? — рассмеялась в ответ Настя. — Вы хотя бы понимаете то, что я вам говорю?

На журналиста было жалко смотреть, он выглядел совершенно растерянным, не понимая, что она хочет сказать, и Насте стало понятно, что ее последнюю тираду он не слышал, витая мыслями где-то очень далеко.

— Я собираюсь поговорить с актрисой Наймушиной, — сказала она. — Еще вопросы будут?

— А зачем она вам? Она же женщина, а вы сказали, что ищете мужчину.

Тут Насте стало совсем невмоготу. Или этот Лесогоров действительно тупой, или он ее считает полной дебилкой. Скорее, конечно, второе, чем первое. Какой-то пустой вышел разговор, треп ни о чем, ни одной крупицы полезной информации, зря потерянное время. Зачем она тут сидит? Чего хочет добиться? Она прислушалась к себе и поняла, что где-то что-то скребет. Что-то не так. Что-то удерживает ее здесь, в этом кресле, какое-то непонятного происхождения напряжение, какая-то нелогичность в поведении Артема Лесогорова и в его реакциях на ее слова. Ах, Антона Сташиса бы сюда! Она, Настя Каменская, привыкла оперировать фактами и обстоятельствами, но это ее умение сейчас пользы не приносит, потому что дело тут не в фактах и обстоятельствах, а в реакциях Артема, в его мыслях и чувствах, в которых мог бы разобраться именно Сташис. Где-то тут, в этой чудесной безликой комнате с камином, притаилась какая-то ложь, какая-то неправда, которую Настя чувствует, но не может уловить и понять. Эта неправда висит в воздухе между нею и Артемом Лесогоровым, как бесцветная невидимая линза, и искажает все слова, не дает их правильно прочесть.

Она все-таки предприняла еще ряд попыток добиться от Лесогорова хоть какой-то информации, задавала вопросы о том, что говорят в театре по поводу покушения, какие предположения строят, какие сплетни гуляют среди сотрудников, но он ничего интересного не рассказал. То ли скрывал информацию, то ли и в самом деле ничего не знал, зато постоянно пытался сам задавать вопросы о ходе расследования и о том, кого и в чем подозревают Анастасия Павловна и ее коллега Антон.

А линза непонятной, ускользающей, но такой ощутимой неправды продолжала висеть между ними...

Красавица Людмила Наймушина с удовольствием согласилась поговорить с сыщиками, но, лукаво улыбаясь, поставила условие:

— Я жутко проголодалась, а в нашем буфете все уже страшно надоело, из года в год одна и та же еда. Конечно, вкусная, но одинаковая. Обрыдло все, — картинно вздохнула она. — А вечером у меня спектакль, кстати, вы не видели? «Наполеон», сам Риминас ставил, его Лев Алексеевич приглашал. Замечательный спектакль, очень советую вам посмотреть, получите удовольствие.

О спектакле, поставленном знаменитым прибалтийским режиссером, Настя слышала, но посмотреть не довелось. Может, остаться вечером в театре, раз уж она все равно здесь? Нет, это будет нечестно по отношению к мужу, Лешка наверняка тоже хотел бы увидеть нашумевшего «Наполеона», а к семи часам он никак не сможет приехать сюда, он сегодня в своем институте, в Жуковском, заседает допоздна, несмотря на выходной день, потому что во вторник у него отчет на ученом совете. Придется отказаться от театрального вечера.

— Так что мне нет резона уезжать куда-то из театра, — продолжала Люся, — а пообедать надо обязательно, а то играть вечером не смогу.

— Мы готовы выслушать ваши пожелания, — галантно откликнулся Антон Сташис. — Вы же знаете местность лучше нас, вот и скажите нам, где вы хотите пообедать, а мы вас пригласим.

Настя с недоверием покосилась на него. Экий он неосмотрительный! А вдруг актриса заявит о желании питаться в таком ресторане, где цены моментально опустошат его кошелек? Они ведь и в самом деле не знают, какие заведения есть в округе, а вполне может случиться, что заведения эти очень и очень...

Но, похоже, опасения ее оказались напрасными, Наймушина назвала маленький ресторанчик через три дома от театра, весьма уютный, с небольшим меню и вполне демократичными ценами. Видно, она бывала здесь часто, потому что официантки ее знали, а в меню Людмила даже не посмотрела, сделала заказ по памяти. Настя и Антон тоже решили поесть.

— Ну, — весело произнесла Людмила, — спрашивайте, я готова.

Антон тут же положил посреди стола включенный диктофон и вопросительно посмотрел на актрису. Та благосклонно кивнула.

— Были ли у Богомолова романы в театре? — начала Настя с места в карьер.

Брови Наймушиной поползли вверх, потом она вернула их на место и расхохоталась.

— У Льва Алексеевича? Да что вы, бог с вами! Он совершенно не по этой части. То есть он, конечно, нормальный мужчина, и до женитьбы на Леночке какие-то любовные истории у него, естественно, были, но потом мы уже ничего не слышали. Во всяком случае, в нашем театре у него ни с кем романтических отношений не было, это я вам говорю совершенно ответственно.

— А вы про всех все знаете? — уточнила Настя без тени иронии, очень по-деловому.

— Конечно! — уверенно ответила красавица Люся. — Если я чего-то не знаю, то это на сто процентов означает, что этого и нет, можете не сомневаться.

Хорошо бы. Еще неплохо бы быть уверенной, что она не лжет и ничего не скрывает.

— Но, может быть, кто-то из актрис был влюблен в Богомолова? — продолжала Настя. — Знаете, как бывает: женщина не встречает взаимности и из мелкой мести начинает рассказывать всякие гадости про объект своего безответного интереса, а кто-то может ведь и поверить, и выводы соответствующие сделать.

Людмила снова рассмеялась и кивнула.

— Да-да, знакомая ситуация, я понимаю, о чем вы говорите. Но только это не про Льва Алексеевича. Он, знаете ли, не из тех мужчин, в которых влюбляются просто так.

— Просто так — это как? — не поняла Настя.

— Ну, просто так, в такого, какой он есть, на расстоянии. Это трудно объяснить... Понимаете, в Богомолове нет обаяния, нет харизмы. Вот в мужчину с харизмой можно влюбиться просто так, на расстоянии, даже если ты с ним не знакома, просто смотреть на него со стороны и умирать от восторга. А есть мужчины, к которым ничего не испытываешь, пока он не начинает за тобой активно ухаживать. Вот в процессе этого ухаживания он и раскрывается, и тогда можно влюбиться. Вы понимаете, о чем я?

Настя молча кивнула.

— Если бы Лев Алексеевич начал ухаживать, — продолжала Наймушина, — да ухаживать красиво, вряд ли кто-то устоял бы, у него ведь внешность очень интересная, а просто так влюбиться и страдать по нему нельзя, вы уж мне поверьте.

— Значит, на любовном фронте у Богомолова никаких конфликтных отношений ни с кем быть не могло?

Людмила на мгновение задумалась, потом тряхнула головой, отчего каштановая челка взлетела вверх и открыла гладкий высокий лоб.

— Ну разве что с Михаилом Львовичем, с Арцеуловым, у него Лев Алексеевич все-таки жену увел.

Настя в изумлении воззрилась на Людмилу. Ничего себе! Они третий день в театре, без конца у всех подряд спрашивают про Богомолова, и никто ни единым словом не обмолвился о том, что Богомолов увел жену у актера театра. Или это было много лет назад? Может быть, речь идет о первой жене Богомолова? Нет, оказалось, что имелась в виду жена нынешняя, Елена.

— Леночка раньше была женой Михаила Львовича, — с удовольствием рассказывала актриса, поедая хорошо прожаренный бифштекс с зеленым салатом, — а Лев Алексеевич женат на ней всего год. Михаил Львович как-то привел ее на наш капустник, и Лев Алексеевич сразу голову потерял, начал ухаживать, у них был роман, потом Леночка окончательно ушла от Арцеулова к Льву Алексеевичу, и они поженились.

Настя мысленно представила себе Михаила Львовича Арцеулова, которого впервые увидела сегодня на репетиции. Рослый, мощного сложения, с простоватым, но необыкновенно привлекательным лицом, невозмутимый, даже какой-то безмятежный, с красивым глубоким звучным голосом. Он — убийца? По физическим данным — вполне подходит.

А вот по состоянию души всего через восемь дней после совершения преступления — никак не годится. Хотя, с другой стороны, это же артисты, а Гриша Гриневич не зря предупреждал: они кого угодно вокруг пальца обведут.

— Значит, у Арцеулова есть основания ненавидеть Льва Алексеевича?

— Еще какие! — Людмила отправила в рот последний кусочек сочного мяса и отодвинула тарелку. — Оснований навалом, да толку-то что?

— В каком смысле? — нахмурилась Настя.

— Наш Михаил Львович — добрейшей души человек, невозможно себе представить, чтобы он мог на кого-то поднять руку.

Ну, таких или очень похожих слов Настя Каменская за свою жизнь наслушалась выше крыши. Никто ничего себе представить не может, а потом тихие, незлобивые, добрейшей души люди оказываются жестокими убийцами. Арцеулова надо иметь в виду и проверить, пусть Зарубин займется.

— А мне вот рассказывали, — приступила она к следующему блоку вопросов, — будто Лев Алексеевич любил, чтобы его боялись, и частенько сам ходил и все проверял, чтобы поймать с поличным. Это правда?

— Да, конечно, это правда. — Наймушина снова рассмеялась, и на этот раз Настя не поняла, что ее так развеселило. Или Людмила просто по характеру такая веселая и смешливая?

— И многих он поймал за руку?

— О, не перечесть.

— Может быть, кто-то затаил обиду?

— Ну, это вряд ли, Лев Алексеевич ловил-то всегда по делу, чего ж обижаться, если ты пьянствуешь на рабочем месте, а тебя поймали? Ясно же, что это нарушение, досадно, конечно, но все справедливо, ничего не попишешь.

— И все-таки, — настойчиво спросила Настя, — мог кто-нибудь затаить смертельную обиду? Ведь не все же рассуждают так, как вы, мол, если нарушил правила, то наказание справедливо. Многим это справедливым не кажется.

— Ну что вы! — Снова взмах головой и красивый полет тщательно выстриженной опытной рукой парикмахера челки. — Хотя случаи, конечно, бывали из ряда вон.

— Например? — насторожилась Настя.

— Например, с Ванечкой Звягиным. Вам не рассказывали?

— Пока нет. А что там случилось?

— Да глупость страшная! У нас, видите ли, есть правила внутреннего распорядка, вы, наверное, их видели. — Настя согласно кивнула, эти правила были напечатаны в той самой репертуарной книжке, которую дал им главный администратор Семаков. — Там написано, что после двадцати трех ноль-ноль находиться в гримерках артистам запрещается, все должны освободить помещение. И Лев Алексеевич регулярно около половины двенадцатого ночи обходит гримерки и проверяет, кто нарушает правила. Однажды он застукал Ванечку Звягина с девушкой из числа зрительниц, она была поклонницей, цветы ему преподнесла на поклонах, так он успел ей шепнуть, чтобы ждала его в коридоре возле двери в служебные помещения, и сразу после поклонов он ее и выдернул. Ой, Ванечка — он вообще такой у нас!

— Какой?

— Красавчик, молодой, звезда, одним словом. Он очень много снимается, да вы наверняка его по телевизору видели. Девушки его обожают, всегда цветы, всегда подарки, и он с удовольствием пользуется их обожанием во всех смыслах. А что ему? Он холостой, имеет право. Мы к этому спокойно относимся, а вот Лев Алексеевич их в гримерке и застукал. Ой, что было! Как он кричал!

— Кто? — не понял Антон. — Звягин?

— Да Богомолов же! Я, конечно, сама не слышала, меня в театре не было, но вахтерша и охранник рассказывали, что слышно было на все здание. Лев Алексеевич эту девушку через все коридоры гнал, даже одеться толком ей не дал, так она и бежала с одежками в руках. А на другой день вызвал Ванечку к себе в кабинет и сказал, что отзывает свое разрешение сниматься в многосерийном фильме. У Вани тогда очень хорошее предложение было от крупной продюсерской компании, но там очень плотный график съемок, да не в Москве, а в Киеве, и он приходил к Богомолову и просил разрешения, чтобы при составлении репертуара это учли и не ставили его спектакли в определенные дни. Богомолов сначала охотно согласился, для него же выгодно, чтобы наши актеры снимались, он на этом всю политику привлечения зрителя строит, а после случая с девушкой он свое разрешение аннулировал и сказал Ванечке, что никаких съемок ему не будет и что репертуар составят так, чтобы у него все съемочные дни оказались перекрыты спектаклями, и пусть только попробует хоть один спектакль сорвать! Ваня театром дорожит, а в кино он еще не настолько востребован, чтобы обеспечить себе постоянную занятость и постоянный доход, поэтому ему пришлось контракт с кинопроизводителями разорвать, а те ему выкатили огромную неустойку, Ваня попал на бабки, в долги залез. Конечно, он Богомолову этого не простил, все-таки одно дело — девочку выгнать с позором, и совсем другое — на деньги подставить. Но не Ваня же Льва Алексеевича битой по голове стукнул!

— А почему не Ваня? — скучно спросила Настя. — Почему вы так уверены?

— Так время ведь прошло, — убежденно ответила Людмила. — Если бы Ваня был на это способен, он бы сразу и сделал. А теперь что?

— И много времени прошло?

— Ну, где-то с полгода.

Так, значит, молодой красивый Иван Звягин. Надо будет к нему присмотреться. И Зарубину сказать. Интересно, что Сережка ответит? Наверное, что-нибудь изысканное и затейливое, он в таких делах мастер. Она ведь собирается ему еще и Арцеулова подбросить.

В целом прогноз Насти Каменской касательно реакции Сергея Зарубина оправдался. Услышав два новых имени, подполковник буквально взвыл.

— Слушай, Пална, может, ты сама Коле Блинову позвонишь и отчитаешься? — предложил он. — А то я получаюсь каким-то передаточным звеном, Колька спрашивает, насколько серьезны основания для проверки, а мне ему и ответить нечего, я только на тебя ссылаюсь, а он сердится. Позвони ему, а?

— Позвоню, — пообещала Настя. — Только завтра. Не в воскресенье же ему отчитываться, такое рвение ему вряд ли понравится. А у тебя какие новости?

— О, — оживился Зарубин, — у меня новости отличные! Кирилл Малащенко пропал.

— Куда?

— Хороший вопрос, — усмехнулся Сергей. — Ответ ты знаешь сама. Во всяком случае, со вчерашнего дня этого пацана никто не видел. Ночь с пятницы на субботу он гудел в компании приятелей, расстались на рассвете, он якобы уехал домой, но достоверно этого никто подтвердить не может. А начиная со второй половины вчерашнего дня ни домашний, ни мобильный телефоны его не отвечают. Вернее, мобильный вообще выключен. Так что, возможно, твои новые фигуранты нам и не пригодятся, все сойдется на внуке завлита Малащенко.

— Дал бы бог, — вздохнула Настя, не очень, впрочем, надеясь на удачу. — А остальные?

— Всех нашел, и Скирду, и Гункину с ее братом, и дочку Богомолова с хахалем, проверяем. Кстати, ты знаешь, почему его называют Бобом?

— Наверное, он Борис, — предположила Настя, — или, может, Роберт.

— Ни фига подобного! — захохотал Зарубин. — Его фамилия — Горохов. Сечешь?

— Остроумно. А что насчет денег, которые могли быть у Богомолова с собой в вечер нападения?

— С этим хуже, — признался Сергей. — Ребята трясут всех, кто присутствовал на юбилее вместе с Богомоловым, но пока никакие деньги не выплыли. То есть совершенно непонятно, во-первых, была ли у Богомолова с собой крупная сумма, ради которой имело смысл на него нападать, и, во-вторых, если была, то кто мог об этом знать. Тишина полная. Но мы еще будем стараться. Так ты позвонишь Блинову?

— Я же обещала, — с неохотой отозвалась Настя.

— Нет, ты обещала позвонить завтра, а я хочу, чтобы ты позвонила сегодня, прямо сейчас.

— Ты смерти моей хочешь? — простонала она. — Он меня и так не больно-то жалует, а если я еще в воскресенье его дерну, то...

— И все-таки позвони, — очень серьезно произнес Зарубин. — Это будет правильно, пусть и в воскресенье. Ты же знаешь, у нас у всех выходной день — понятие относительное, когда работа позволяет сделать передышку — тогда и выходной.

— Ладно.

У нее и в самом деле не было ни малейшего желания звонить следователю, но она понимала, что не позвонить нельзя. Он и так пошел навстречу ей и Стасову, и портить отношения не годится.

Николай Николаевич Блинов будто ждал ее звонка, во всяком случае, узнал сразу. И, судя по тишине, на фоне которой звучал его голос, он находился, скорее всего, в своем рабочем кабинете, а вовсе не на улице, не в общественном месте, где мог бы проводить время с семьей, и не дома перед телевизором.

— Ты что там за самодеятельность развела, а, Каменская? — сразу принялся выговаривать следователь. — Мне Зарубин что ни день, то нового фигуранта подбрасывает, на тебя ссылается, а ты сама молчишь, как неродная. Я тебе что велел? Чтобы всю информацию ты лично мне докладывала, а не Зарубину твоему. Так что на первый раз я тебя прощаю, но чтобы с завтрашнего дня ты мне отчитывалась ежедневно, поняла, сыночка?

Настя фыркнула, прикрыв рукой телефон.

— Поняла, Николай Николаевич. — Она послушно сделала ударение на первом слоге. — Буду отчитываться лично вам. Я сегодня Зарубину дала два новых имени, могу вам сказать сейчас.

— Говори, — строго потребовал следователь.

Настя продиктовала ему имена актеров Арцеулова и Звягина, прекрасно понимая, что в реальности ничего не изменится. Все равно собирать информацию о них будут оперативники, а не следователь. Но следователь должен быть в курсе, это обязательно.

Настя так и не утратила любви к супермаркетам, уж очень сильна оказалась память о тех временах, когда магазины сияли девственно пустыми прилавками, а продукты приходилось выискивать, ориентируясь на сумки идущих навстречу женщин. «Извините, где вы сосиски брали?» — это был обычный вопрос, как и обычным и потому не стыдным бывал взгляд, бросаемый в чужую авоську. Эти нестыдные взгляды обнаруживали пачки чая «со слоном», колбасу, баночки майонеза, хвосты замороженной рыбы или венгерскую курицу. И хотя с тех пор прошло почти двадцать лет, Настя Каменская все помнила отлично и не могла отказать себе в радости прийти в магазин и все-все-все купить без очередей. Лешка сегодня заседает, приедет попозже, так что ей сам бог велел сделать покупки и, если повезет, даже приготовить ужин. Ну, не ресторан, конечно, получится, но как сумеет.

Она медленно катила тележку вдоль стеллажей с продуктами и пыталась привести в порядок собранную за три дня информацию. Итак, Лев Алексеевич Богомолов, человек неоднозначный, грубоватый, хамоватый, людей не уважает, выражений в разговорах не выбирает, любит власть показать, за руку поймать и уволить с грохотом. Просто-таки самодур. Да, именно самодур. Могли его попытаться убить из-за этих качеств? Теоретически — да, могли, ибо в теории возможно все. А практически — вряд ли, потому что этой стороной своего характера он повернут к творческой публике, актерской или околотеатральной, которая по своему менталитету и особенностям личности к убийству не приспособлена. О, вот как раз Лешкины любимые маслины, надо взять, он предпочитает именно эту фирму, а они не всегда бывают. Наверное, имеет смысл взять побольше, баночки три-четыре, чтобы хватило надолго.

Идем дальше. Какие другие особенности личности есть у Льва Алексеевича и к кому он поворачивается другой стороной? Он — заботливый отец, без памяти любящий свою дочь. Из чего это следует? Из того, что дочь явно из «протестного» слоя, она этого и не скрывает, а папенька послушно выдает ей денежки по первому требованию. Кроме того, папенька всего год назад женился на молодой женщине, следовательно, оставил первую жену, маму этой самой дочки Ксюши. И можно заранее предположить, что к новой семье отца девушка отнеслась вряд ли положительно, скорее всего, ей такие фортели не понравились, но она тем не менее продолжает с отцом общаться. А это означает что? Правильно, это означает, что Лев Алексеевич вложил изрядно душевных сил и терпения в то, чтобы наладить и сохранить отношения с дочерью. Не поленился, не махнул рукой, мол, черт с ней, уже большая, сама пусть как хочет, а не хочет — и не надо. Именно так довольно часто рассуждают отцы подросших дочерей, когда вдруг обнаруживают отсутствие взаимопонимания. У него, что удивительно, хватило и мудрости, и любви на то, чтобы не отпустить дочь на вольные хлеба молодежной субкультуры. И именно этой стороной своей личности, стороной, совершенно не похожей на обращенное к театру лицо, он повернулся к Ксюше и ее приятелю Горохову по кличке Боб. Видел Богомолов этого Боба? Надо полагать, видел, потому что если бы Ксюша прятала от папы своего приятеля, то уж наверняка в театр не приводила бы, а она его приводила. Видел папа то, что увидела глупенькая, но глазастенькая секретарша Ева? Заметил он, что парень смахивает на наркомана? Надо полагать, заметил. Как должен был отреагировать? По логике вещей, по логике своего отношения к дочери, Лев Алексеевич должен был попытаться поговорить с ней, предостеречь, может быть, запретить встречаться с Гороховым, может быть, чем-то пригрозить. А как могла отреагировать Ксюша? Учитывая ее «протестность», она должна была сказать что-то вроде: «Хочу и буду, а если вам не нравится — это ваше личное горе». Удовлетворило ли это Льва Алексеевича? Вряд ли, слишком много душевных сил он вкладывал в дочь, чтобы молча утереться после такого ответа. Кроме того, Лев Алексеевич как человек здравый (будем надеяться, что это так, мысленно уточнила Настя) должен был понимать всю опасность отношений молоденькой девушки и наркомана. Если сегодня он просто тянет из нее деньги, то завтра и ее подсадит на иглу, это происходит сплошь и рядом. Она тоже станет наркоманкой и начнет вытягивать деньги из родителей с куда большим энтузиазмом, а вскоре и до краж из собственного дома дело дойдет. В общем, путь хорошо известный и, к сожалению, быстрый. С одной стороны, самоуверенный Лев Алексеевич мог попытаться поговорить с Бобом-Гороховым, припугнуть его и заставить прекратить отношения с Ксюшей. С другой же — влюбленная и не особенно умная Ксюша, попавшая в психологическую зависимость от Боба, наверняка поведала своему приятелю о том, что папе этот приятель очень не нравится. Так или иначе, но Горохов о негативном отношении к себе Ксюшиного отца наверняка знает. А плохое отношение — это перспектива остаться без денег. Могла такая перспектива оказаться привлекательной для наркомана Горохова? Ответ очевиден. Мог Горохов попытаться запугать «злого дядьку» Богомолова, чтобы тот не совался в личную жизнь дочери? Вполне. А заодно и поживиться денежками, если повезет. Так что эту версию придется оставить как рабочую. Может, бумажных салфеток прихватить, вот этих, голубеньких, с розочками? Наверное, надо. Пусть на столе будет красиво.

Каков еще Лев Алексеевич Богомолов? Не обаятельный, не харизматичный, но может, если захочет, влюбить в себя понравившуюся ему женщину. Что он и осуществил вполне успешно с женой актера Арцеулова. Но Арцеулов, если и испытывал ревность, то точно не сейчас, это чувство должно было проявиться давно, еще три года назад, вот тогда можно было бы рассматривать Михаила Львовича как потенциального подозреваемого. Нет, пожалуй, Арцеулов совсем не годится. Хотя проверять надо все, ибо глубины человеческой души поистине необозримы. Ой, а вот одноразовые тарелочки точно такой же расцветки, как и салфетки. Взять, что ли? Лешка, конечно, поднимет ее на смех, ну кто в здравом рассудке будет покупать картонные тарелки в семейный дом! С другой стороны, это будет прикольно: тарелочки, салфеточки, потом — р-раз! — и выбросил, и посуду мыть не надо. Настя поколебалась несколько секунд, потом решительно выхватила с полки упаковку голубых с розочками одноразовых тарелок. Ну и пусть Лешка смеется, и даже пусть ругается, а она все равно приготовит сегодня ужин и накроет стол с этими тарелками и салфетками, все-таки разнообразие.

Завпост Скирда Леонид Павлович со своими сомнительными кастингами... Нет, с этим фигурантом, пожалуй, ничего не склеится, уж очень много времени прошло. Даже если за ним стоит какая-то организованная группа, то расправа над Богомоловым должна была последовать немедленно, эти люди ждать не любят. Сам Скирда? Смотри пункт первый рассуждений о том, что театральные люди к убийству не приспособлены.

Брат костюмерши Нины Гункиной? Это еще вопрос. Мотивация свежая, недавняя, прошло всего полгода с того момента, как Богомолов уволил Гункину, так что все может быть... Какой кусок мяса взять, этот или вон тот? Для мяса «по-французски» нужны морковь, лук, сыр и майонез, ну, и само мясо, разумеется. Это блюдо — одно из немногих, которое Насте удалось освоить достаточно прилично, во всяком случае, оно всегда у нее получалось, хотя Лешка над ней посмеивается и утверждает, что при такой рецептуре мясо просто невозможно испортить, и даже если допустить, что блюдо подгорит, то пострадает всего лишь нижний слой из моркови, само же мясо останется сочным и вкусным.

Настя бросила в тележку упаковку мяса и направилась к прилавку с сырами, все остальное она уже выбрала. Кто из подозреваемых еще остался? Внук завлита Малащенко, с которым пока не все понятно, и некий актер Звягин по имени Иван, пострадавший от характера Богомолова, вынудившего его разорвать контракт на съемки и заплатить солидную неустойку. Что из себя представляет этот Звягин, кроме того, что он — молодой красавчик? Но опять же: смотри пункт первый рассуждений. С другой стороны, человек, не способный к физическому насилию, вполне может оказаться способным к тому, чтобы нанять исполнителя. И тут придется снова возвращаться к завпосту Скирде, а заодно подумать и о Звягине. Звягин «попал на деньги». То есть, вероятнее всего, влез в долги, во всяком случае, именно так утверждает Люся Наймушина. Будет он при такой ситуации нанимать исполнителя и влезать в еще большие долги? Вряд ли. Это уж надо совсем головы на плечах не иметь. А Скирда? Если у него есть деньги на исполнителя, стало быть, у него в финансовом плане все в порядке, так зачем ему надрываться и мстить Богомолову, если жизнь у бывшего завпоста и без того вполне устроена? Тоже как-то нелогично. Правда, есть вариант, при котором Скирда все это время отсутствовал, может быть, срок отбывал, а теперь вышел и пользуется укрытыми от конфискации средствами. Ну, пусть Серега Зарубин проверяет, это его хлеб.

Она выбрала сыр и направилась к кассе с ощущением, что в голове по-прежнему царит полная неразбериха. Давненько такого не бывало, чтобы за три дня на Настю обрушивалась поистине неуправляемая лавина информации, в которой так трудно разобраться.

Она сперва радостно удивилась, когда поняла, что уже почти доехала до самого дома, не простояв ни в одной пробке, и только потом вспомнила, что сегодня воскресенье. По дороге Настя думала о режиссере Дуднике, но ни до чего конкретного не додумалась. Дома она быстро переоделась и кинулась на кухню готовить ужин. Когда приехал муж, мясу оставалось простоять в духовке еще десять минут.

— А чего ты так рано? — удивился Чистяков. — Я думал, ты опять до глубокого вечера в своем театре проторчишь.

— Леш, я устала, — честно призналась Настя.

— Ты — что сделала? — Он ушам своим не поверил. — Или я ослышался?

— Устала, — повторила она. — В том смысле, что в голове полный хаос, который надо попытаться каким-то образом привести в порядок. Поговори со мной, а?

— Так я всегда готов, — откликнулся Алексей. — Только давай сперва поедим.

— Конечно, конечно, — заторопилась Настя. — Сейчас все будет готово. Леш, смотри, что я придумала для сегодняшнего ужина.

Она торжественно подвела мужа к накрытому столу с голубыми в розочках салфетками и тарелками.

— Ага, это чтобы посуду не мыть, — догадался Леша.

— Это чтобы было красиво, — обиделась Настя. — И оригинально. Это же не навсегда, а только на сегодня. Зато ни на что не похоже.

— Что верно — то верно, — согласился он.

Мясо и на этот раз удалось, Леша попросил добавки, похвалил жену, выбросил тарелки в ведро и принял позу, которая в их семье называлась «я готов тебя выслушать, дорогая»: повернулся боком к столу, откинулся на спинку стула, закинул ногу на ногу, одна рука свободно лежит на бедре, другая, согнутая в локте, стоит на столе и подпирает чуть склоненную голову.

— Леш, я уже старая, — начала Настя.

Чистяков мгновенно подобрался и демонстративно зажмурился.

— Ася, мы эту тему давно закрыли, не начинай опять, а? — попросил он сердито. — Сколько можно, ей-богу! Надоело уже.

— И все-таки, — упрямо сказала она.

— Хорошо, — обреченно вздохнул Алексей. — Что на этот раз?

— Театр и Антон Сташис.

— А попроще? И желательно по пунктам. Что с театром?

— Да я не пойму в нем ничего! — воскликнула она с отчаянием. — Я не могу в нем разобраться! Информации море, но она вся бессистемная, кучей навалена, а у меня не хватает мозгов эту кучу разобрать и систематизировать. Вот я и говорю, что я старая. Мозги — они ведь тоже в негодность приходят со временем.

— Так, этот пункт я понял. Теперь Сташис. Что с ним не так?

— Понимаешь, Лешик, в том-то и беда, что с ним все нормально. Он очень толковый парень. И очень своеобразный. Во всяком случае, он спокойно терпит мое первенство и не пытается тянуть одеяло на себя, сидит молча и слушает. А потом делает довольно меткие и точные обобщения и выводы. В этом смысле я могу только порадоваться, что появляются еще ребята в розыске, которые со временем научатся по-настоящему делать дело. Но Антон... понимаешь, Леш, я всегда гордилась своей памятью, она была моим верным помощником и никогда не подводила.

— А сейчас подвела?

— Да нет, пока не успела, — усмехнулась Настя. — Но я впервые столкнулась с оперативником, у которого память лучше, чем у меня. Ты только представь, что этот парень вытворяет: он засекает время начала разговора и постоянно посматривает на часы, а потом, спустя довольно длительное время, абсолютно точно указывает, на какой минуте разговора человек выдал ту или иную реакцию. И ведь он ничего не записывает, все только по памяти. Ты можешь себе такое представить?

— Не могу, — признался Чистяков. — А он не врет, не разыгрывает тебя?

— В том-то и дело, что я проверяла по диктофонной записи. Не врет и не разыгрывает, он действительно держит все цифры в голове. И вот смотрю я на него и понимаю, что пришло новое поколение, которое куда лучше приспособлено для сыскного дела, чем я. А я уже устарела.

— С этим пунктом все? — осведомился Алексей.

Настя молча кивнула.

— Тогда слушай, что я тебе скажу. Ты читала Булгакова и прекрасно должна помнить его слова о том, что нет на свете ничего сложнее театра. Ты в театре провела всего три дня, а уже впадаешь в отчаяние оттого, что не все понимаешь. Тебе не стыдно? Да люди жизни свои кладут на то, чтобы в нем разобраться! Так что умри-ка ты, матушка, свою гордыню. Теперь по поводу Антона: у него, судя по твоим рассказам, очень хорошие задатки, и если он будет стараться, то со временем, — он сделал выразительную паузу, интонационно подчеркнув последние слова, — может быть, — еще одна пауза и еще одна выразительная интонация, — он станет таким же хорошим сыщиком, как ты. Но пока об этом говорить рано, твоему Антону до тебя, как до Луны. Пока еще никто лучше тебя не умеет анализировать информацию и сопоставлять факты. Так что на свалку вам, Анастасия Павловна, дорога до поры до времени закрыта.

— Ты в самом деле так думаешь? — с сомнением спросила она. — Или пытаешься меня утешить, чтобы я не ныла?

— Конечно, я тебя утешаю, — рассмеялся Алексей, — потому что не хочу, чтобы ты ныла. Но при этом говорю тебе чистую правду. И выброси из своей дурной головы все глупости, которые мешают тебе радоваться жизни. Расскажи лучше про театр. Просто вываливай на меня всю информационную кучу, глядишь — пока будешь рассказывать, она как-то сама и разложится по полочкам. И тебе польза, и мне интересно.

Настя немедленно и с удовольствием принялась за подробный и последовательный рассказ про директора-распорядителя Бережного, который из любви к театру как таковому согласился на унизительное понижение в должности, про очередного режиссера Дудника, которому уход Богомолова дает шанс на развитие карьеры под крылом у своего бывшего педагога, про активного и энергичного помрежа Федотова, про завлита Илью Фадеевича Малащенко и его неуравновешенного внука — одним словом, про всех и про все. Ну и, разумеется, про Льва Алексеевича Богомолова.

— А вот этот, как его, Федотов, да? Он кто-то типа твоего друга Гриневича? — уточнил Алексей.

— Ну да, — кивнула Настя, — точно такой же помощник режиссера. Один в один.

— Никогда не понимал, что это за профессия такая — помощник режиссера. Чем он хоть занимается-то?

— Леш, ну я тебе сто раз рассказывала про Гришу Гриневича, ты что, все забыл?

— Да толку с твоих рассказов, — проворчал Чистяков. — Лучше один раз увидеть, чем сто раз услышать. Ты мне говорила, что помреж ведет спектакль. А что это такое — вести спектакль? Как это? Ты небось у своего Гриневича за спиной стояла, когда он работал?

— Было пару раз. И ты тоже хочешь?

— Да уж не отказался бы.

— А чего раньше молчал? — удивилась Настя. — Я бы тебя к Грише отвела. Я думала, раз ты молчишь, то тебе не интересно.

Чистяков выразительно посмотрел на нее и усмехнулся:

— Я много о чем молчу, Асенька. В том числе и о том, что твой друг Гриневич до сих пор в тебя влюблен. Как втюрился в раннем детстве, так и носит свое светлое чувство через всю жизнь. Зачем я буду его смущать и нервировать?

Настя в изумлении воззрилась на мужа. Неужели Лешка заметил? Она ведь никогда об этом не говорила. Или все-таки говорила когда-то давно, в юности? Сейчас уже и не вспомнить. Но о том, что Гриша до сих пор... Нет, этого она совершенно точно сказать не могла, хотя и знала. Интересно, сам-то Лешка давно в курсе? Если он что-то заметил, то когда? Они с Гришей не так уж часто встречаются, примерно раз в два года, когда у Насти хватает запала и энергии отмечать свой день рождения. А вдруг Леша ревнует? Господи, этого еще не хватало!

— Леш...

— Да не волнуйся ты, — рассмеялся Алексей, — не бери в голову, я не ревную. Ну, случилась с человеком беда, полюбил он такую дурынду, как ты, так что ж ему теперь, не жить? Я вот тоже вляпался со своей многолетней любовью к тебе — и ничего, живу, как видишь, и неплохо живу, даже, можно сказать, отлично себя чувствую. Так вернемся к нашему помрежу Федотову, который так смущает твое сыщицкое воображение. Ты сказала, что с ним какие-то проблемы?

— Не то чтобы проблемы, нет, — она поискала подходящие слова. — Просто он... не знаю даже, как объяснить. Вроде бы доброжелательный, готов помогать, проявляет инициативу и приносит вполне ощутимую пользу, но у меня все время такое чувство, что это не просто так. Ему что-то нужно. А что именно — понять не могу. Что-то его корежит изнутри.

— Может, его просто так корежит, в том смысле, что у него сложилась какая-то жизненная ситуация, которая его ломает, а к вашему Богомолову это никакого отношения не имеет, — предположил Чистяков.

— Все может быть, — согласилась Настя. — Кстати, завтра в «Новой Москве» идет «Мастер и Маргарита». Если хочешь, я поговорю с Федотовым, он завтра ведет спектакль, и попрошу у него разрешения для нас с тобой постоять в кулисах и понаблюдать, как он работает. Хочешь?

— Хочу, — радостно оживился Леша. — Мы с нашими соисполнителями из Новосибирска сегодня все закончили к ученому совету, и они ночью улетают домой, им завтра на работу, а мы до совета можем расслабляться. А еще хочу чаю с мелиссой. Давай заварим.

— Давай, я как раз сегодня купила.

Настя поискала глазами коробочку с чаем среди сваленных в кучу покупок, не нашла, поискала более внимательно и снова не нашла. Где же она? Неужели потеряла? Или увидела на полке в супермаркете, решила взять и на что-то отвлеклась?

Она вышла в прихожую и на всякий случай поискала в своей большой сумке, но искать на весу было неудобно, и она притащила сумку в кухню и стала методично выкладывать из нее все подряд. Конечно же, коробочка с чаем нашлась, но как она там оказалась, Настя так и не поняла. Вероятно, в магазине она находилась в не особенно адекватном состоянии. Внезапно ее охватил ужас, такой, что по ногам забегали мурашки. А вдруг она машинально сунула чай в сумку еще там, возле стеллажей, и не оплатила покупку? Получается, что она украла? Она, Настя Каменская — воровка?

Не говоря ни слова, она метнулась к пакетам.

— Ася, а чай? — недоуменно спросил Чистяков. — Чайник-то включи.

— Погоди! — отмахнулась она, судорожно перерывая содержимое пакетов.

Все, что нужно было для приготовления ужина, она уже давно вынула, чем они набиты до сих пор, эти пакеты, будь они неладны? Неужели она накупила кучу всего ненужного? Вот маслины, сахар, сливочное масло, две упаковки сока, зубная паста, пачка сухарей с изюмом, творог, сметана, баночка меда...

Все не то, не то! Да где же он? Слава богу, нашелся! Чек!!!

Она внимательно пробежала глазами каждую строчку и вздохнула с облегчением: вот он, чай с мелиссой, оплачен.

— Да что с тобой? — встревоженно спросил Чистяков. — Что случилось-то?

— К счастью, ничего, — счастливо улыбнулась она. — А то я уж перепугалась, что стала магазинной воровкой. Нет, обошлось. Просто было временное помутнение сознания.

Она включила чайник и стала собирать в сумку все, что выложила на стол.

— А что это у тебя такое синенькое? — с любопытством спросил Чистяков. — Можно посмотреть?

— Ради бога. Это репертуарная книжка театра «Новая Москва».

Алексей взял книжечку и принялся с интересом изучать.

— Слушай, какая прелесть! Ты читала, что здесь написано?

— Не все, — призналась Настя. — Только то, что нужно для дела. Названия должностей, телефоны. А что?

— Да ты только послушай! — Он потянул жену за руку и почти насильно усадил за стол. — Брось ты свою сумку, потом соберешь. Вот, смотри: «Артисты, занятые в данном спектакле или генеральной репетиции, не имеют права появляться в помещениях, где находится публика». Это что означает? Что им в зрительный зал нельзя выходить?

— Нет, насколько я понимаю, тут речь не о зрительном зале, а о фойе, — пояснила Настя. — Там свободный и никем не охраняемый проход, ну, дверь просто, открыл ее — и ты уже в служебной части. Вот актерам нельзя через эту дверь выходить в фойе, когда там зрители.

— А почему такой запрет?

— Понятия не имею, — пожала она плечами. — Наверное, чтобы тайна сохранялась. Чтобы чудесный актер, который в костюме на сцене творит иллюзию, не оказался простым и доступным, обыкновенным, таким, которого можно руками потрогать. В общем, не знаю. А что там еще интересного?

— «Запрещается прием посетителей в артистических уборных», — продекламировал Алексей. — Ты смотри, а нам все время в кино показывают, как поклонники и друзья сидят в гримуборных у актеров. Значит, врут?

— И этого не знаю, — призналась Настя. — Наверное, правило есть, но его все нарушают. Хотя у Богомолова не очень-то понарушаешь, он без конца все проверяет. Нет, в театре я никогда не разберусь.

— Но не все же такие, как Богомолов, — возразил Леша. — Слушай дальше, тут еще интереснее: «В случае ухода из дома артисты обязаны оставить сведения о часе возвращения и номер телефона для экстренного вызова».

— Ух ты! — Настя чуть не подпрыгнула на стуле. — Вот это да! Я-то считала всю жизнь, что у меня график работы жесткий, а тут смотри-ка, прямо крепостное право. Из дома не уйди, не поставив в известность, когда вернешься и как тебя разыскать. А как же личная жизнь? Вот так запланируешь себе свидание, а тебя — р-раз! — и на спектакль вызывают, потому что кто-то заболел. Каторга!

— А вот еще пассаж, достойный внимания, — продолжал Леша. — «Репетиции начинаются только в назначенное время. Артисты обязаны являться за пятнадцать минут до начала в помещение, назначенное для репетиции. Ссылка на ожидание в каком-либо другом помещении театра не может служить оправданием неявки или опоздания на репетицию».

— Сурово! — заметила Настя. — То есть права на ошибку никто не имеет. Прямо как у нас в розыске.

Сказала — и осеклась. Не имеет она теперь права говорить «у нас в розыске». Потому что в уголовном розыске она больше не работает. Она на пенсии. Она уже старая... И снова мысль совершила витиеватый оборот и привела ее к Артему Лесогорову.

— И все-таки, Лешик, я уже старая, — завела она свою любимую песню. — Ты знаешь, мне сегодня молодой парень глазки строил, а я смотрела на него и думала о том, какая я старая. У меня даже сомнений никаких не возникло насчет того, что он может быть искренним. То есть я все время помнила о своем возрасте и все прикидывала, что ему от меня нужно. Если бы я не была такой старой, я могла бы поверить его комплиментам.

— Да? — недоверчиво посмотрел на нее Алексей. — Что-то я не припомню, чтобы ты когда-нибудь верила хоть каким-нибудь комплиментам, это не в твоем характере. А что за парень? Почему он тебя обхаживал? Мне уже начинать ревновать или пока притормозить?

— Да драматург, Артем Лесогоров, я же тебе о нем рассказывала.

— Но про постройку глазок утаила, — упрекнул ее муж.

— А потому, что и говорить об этом нечего. В качестве подозреваемого мы его никак не рассматриваем, так как он больше всех заинтересован в здравии и благополучии Богомолова. Он и еще Никита Колодный, актер. Эти двое на Богомолова должны молиться и дышать на него бояться, потому что без Льва Алексеевича ничего не будет, ни пьесы, ни роли.

— Как это не будет? — не понял Алексей. — Ты же сказала, что вместо Богомолова теперь какой-то... как его?

— Дудник, — подсказала Настя. — Да, он ведет репетиции, но если автору пьесы не понравится, как он работает, Артем может в любой момент забрать пьесу из этого театра и отнести в другой. А вместе с пьесой и денежки утекут. Артем хочет, вернее, хотел, чтобы ставил именно Богомолов, поэтому и принес свое творение именно в «Новую Москву».

Они так увлеклись изучением правил внутреннего распорядка театра, что закипевший чайник успел остыть, и пришлось греть его снова. Настя заварила чай в красивом фарфоровом чайнике, разлила в чашки и, делая маленькие глоточки, продолжала думать об Артеме Лесогорове. Она спросила его: «Почему вы это терпите?» И он сделал паузу. Почему? Потому что у него не было ответа, к вопросу Артем оказался не готов. Что это может означать? И действительно, почему он все это терпит? Его резоны насчет Богомолова и Арбениной выглядят сомнительными. Что же там на самом деле? И это его любопытство к следствию, его бесконечные вопросы... Скорее всего, он откуда-то узнал о каком-то конфликте в театре, о какой-то скандальной ситуации, специально — тяп-ляп — соорудил пьеску и нашел спонсора, чтобы пролезть в театр и понаблюдать за ситуацией изнутри, собрать материал для сенсационной публикации. Да, пожалуй, именно так все и выстроилось, тогда все получается логично и объяснимо, даже тот факт, что пьеса оказалась такой сырой. Разумеется, он готов терпеть любые нападки на собственный текст, лишь бы удержаться в театре, потому что у него нет амбиций автора-драматурга, зато есть амбиции автора-журналиста. И вот пришел Артем в театр, осел в нем, начал вынюхивать и высматривать, а тут покушение на Богомолова... Связано оно с той ситуацией, которая привела Лесогорова в театр, или нет? И что это за ситуация? Артем явно что-то знает, но ведь он ни за что не расскажет, будет делать невинные глазки и все отрицать, а информацию придержит для себя, любимого, чтобы потом выстрелить сенсацией. Дескать, милиция бессильна, а он, молодец-удалец, неподкупный и беспристрастный журналист, все раскопал. Плавали, знаем.

И все-таки, все-таки... Если следовать этой логике, то в театре что-то происходит, что-то такое, о чем знает Лесогоров. И это неведомое «что-то» пока никак не проявилось за первые три дня сбора информации. Или проявилось, но ни Настя, ни Антон Сташис этого не заметили, просто проскочили мимо, не обратив внимания? Или все-таки не проявилось, потому что разговоры были не с теми людьми? А с какими надо разговаривать? С теми, кто знает? Или с теми, кто готов рассказывать?

От охватившего ее отчаяния Настя забыла, что чай еще очень горячий, сделала большой глоток и едва не взвыла. Нет, не справиться ей с таким загадочным явлением, как театр. Никогда не справиться.

Она вымыла посуду и отправилась в душ. Стоя под горячими струями и пытаясь смыть с себя противную неуверенность в собственных силах, она вдруг подумала: «С театром я, конечно, вряд ли совладаю. А вот с мальчиком Артемом Лесогоровым вполне могу справиться. Молод он еще со мной тягаться».

В течение всего следующего дня Настя и Антон Сташис ходили по театру и встречались со всеми подряд — артистами, которых удалось застать на месте, инженерами, энергетиками, электриками, слесарями, рабочими сцены, машинистами, работниками электроосветительской и радиозвукотехнической служб, бутафорами, реквизиторами, бухгалтерами, кадровиками... К вечеру у Насти опухла голова, в которой, казалось, не поместится больше ни одного грана новой информации. Зато она стала намного лучше представлять себе, что такое театр как производство, как живой организм. Но ни одного слова, которое проливало бы свет на покушение на художественного руководителя, она и на этот раз не услышала.

Совершенно обессиленная, Настя рухнула на пухлый кожаный диван в кабинете Богомолова и вытянула ноги. Ей хотелось помолчать и при этом, желательно, не думать. Но не думать не получалось.

— Анастасия Павловна, вы еще что-то планируете на вечер? — осторожно спросил Антон. — Или на сегодня всё?

— Для вас — всё, — выдохнула она сквозь зубы. — Вы можете быть свободны, если хотите.

— А вы?

— А я останусь. Скоро приедет мой муж, мы постоим в кулисах, пообщаемся с Федотовым.

— Так, может быть, я... — начал Антон, но Настя его прервала:

— Не нужно. Идите, Антон, у вас дети. А мы все равно хотим спектакль посмотреть, из-за кулис это гораздо интереснее.

Сташис еще какое-то время помялся возле двери, потом решительно накинул куртку и вышел. Настя закрыла глаза и постаралась избавиться от неприятного ощущения, словно голова у нее набита роем жужжащих мух. Сейчас приедет Лешка, она встретит его у служебного входа, приведет сюда, в этот обставленный дорогой мебелью кабинет, потом позвонит Федотову и...

Она не успела додумать, что именно будет после звонка Федотову, потому что затренькал мобильный. Настя нехотя открыла глаза и потянулась за телефоном.

— Асенька, я паркуюсь. Правда, далековато от театра, все забито. Куда мне идти? — послышался голос мужа.

— Обогни здание театра и стой у служебного входа, я сейчас за тобой спущусь.

Настя бросила взгляд на свое пальто, висящее около двери, — теперь они с Антоном раздевались не в служебном гардеробе, а прямо здесь, в кабинете Богомолова, и решила не одеваться. Вряд ли ей придется долго стоять на крыльце, не замерзнет.

Она быстро прошла по коридорам, мысленно отметив, что сегодня уже не путается в переходах и не ошибается дверьми. Надо же, а всего три дня назад ей казалось, что без провожатого она в этом здании непременно потеряется. Может, не так все и страшно с этим театром? Разберется как-нибудь, не боги горшки обжигают.

Стоя на крыльце, она смотрела на приближающегося Чистякова. Господи, какой же он красивый! Седой, широкоплечий, длинноногий, такой легкий и одновременно уверенный.

— Ты с ума сошла! — накинулся на нее Алексей. — Почему ты стоишь на холоде раздетая?

— Все нормально, Леш, — улыбнулась Настя и повела его в кабинет Богомолова.

Кабинет произвел впечатление на Чистякова. Он долго осматривался, не снимая куртки, и даже проверил кожаный диван на мягкость.

— Ничего себе живут главные режиссеры московских театров, — заметил он.

— Смотря у кого какой директор, — ответила Настя. — Обстановка — это деньги, а деньги — это директор. Хотя в данном случае ты почти прав, ибо здесь худрук и директор слились в одном лице.

— А как же второй, ты же мне еще про какого-то директора говорила, Бережной, что ли?

— Бережной. А они разделили директорские полномочия пополам, одна половина у Богомолова, другая — у Бережного. В общем, Леша, это сложно, ты не морочься. Лучше вот на эту афишу посмотри. — Она показала на висящую на стене яркую афишу спектакля «Двенадцатая ночь», поставленного Львом Алексеевичем Богомоловым два года назад. Плакат был таким красочным, что не заметить его было просто невозможно.

— Ух ты! — воскликнул Алексей.

— Вот именно, — многозначительно кивнула Настя. — Об этом я тебе и говорила. Раздевайся, и пойдем пить кофе в артистический буфет, я же обещала показать тебе это волшебное место, о котором ты небось только в книжках читал.

— И еще в кино смотрел, — с усмешкой добавил он.

До начала спектакля оставалось полтора часа, и народу в буфете было немного. Настя уже успела понять, что основной наплыв здесь бывает с часу до трех и около шести, когда начинают появляться занятые в вечернем спектакле артисты, которые хотят перехватить что-нибудь легкое. Значит, минут через двадцать-тридцать народу здесь заметно прибавится. А пока есть возможность занять столик где-нибудь в углу.

Они взяли по порции блинчиков с творогом и кофе и только принялись за еду, как рядом с ними возник Артем Лесогоров. Ну, значит, так тому и быть.

— Добрый вечер, Анастасия Павловна. Вы сегодня с другим коллегой? А где ваш юный помощник?

Настя изобразила полнейшую безмятежность и даже радость от неожиданной встречи.

— Это не коллега, это мой муж, знакомьтесь.

Она очень старалась не расхохотаться при виде обескураженного лица Лесогорова. Ну, еще бы, он, видно, никак не ожидал, что у нее может быть муж, да еще такой! Мужчины пожали друг другу руки, и Настя пригласила Артема присесть за их столик.

— Я только кофе себе возьму, — пробормотал Артем и отошел к стойке.

— Что я тебе говорила? — прошептала Настя, когда Лесогоров удалился на безопасное расстояние.

— Согласен, — кивнул Алексей. — Парнишка явно растерялся. Думаешь, не зря мы с тобой полночи в Интернете сидели? А то спать очень хочется, жаль будет, если жертва окажется напрасной.

— Надеюсь, что не зря.

Лесогоров вернулся с чашкой кофе и двумя бутербродами. Беседа завязалась вполне непринужденная, Настя начала выспрашивать у Артема подробности вчерашнего спектакля «Наполеон», который поставил в «Новой Москве» знаменитый Риминас.

— А что ж вы сами не посмотрели? — удивился Антон. — Вы же вчера были в театре.

— Муж был занят, — пояснила Настя, пряча улыбку. — В нашей семье не принято ходить в театр поодиночке, поэтому мы ходим только тогда, когда оба свободны.

— Ну да, — пробормотал Антон, — конечно, я понимаю.

Он принялся описывать режиссерскую концепцию «Наполеона» и даже пытался анализировать актерские работы, но делал это не очень уверенно и совсем неумело. Однако Настя и Алексей внимательно слушали его, задавали вопросы, что-то уточняли и то и дело вспоминали разные спектакли в других театрах. Постепенно Артем увлекся, речь стала более гладкой и спокойной.

— И вот в этом месте зал замирает, даже шороха не слышно, — увлеченно говорил он. — За то время, что я нахожусь в театре, я два раза смотрел «Наполеона», но так и не понял, в чем тут фишка и почему зал в это время замирает. Вроде ничего особенного не происходит — а страшно, просто до спазма.

— Ну да, — кивнула Настя, — это и есть режиссерское мастерство. Казалось бы, все смотрят на лиловые подвязки и называют их на полном серьезе желтыми. Глупость глупостью — а хохот стоит гомерический. Тоже ведь необъяснимо.

Она перехватила быстрый взгляд Чистякова и поднесла к губам чашку, искоса посматривая на Артема, у которого ни один мускул на лице не дрогнул. Значит, снаряд пролетел мимо. «Один — ноль в мою пользу», — мысленно отметила Настя.

Лесогоров продолжал рассказывать о «Наполеоне».

— Тут Риминас, конечно, сильно рисковал, все-таки тема гомосексуализма достаточно если не спорная, то скользкая, во всяком случае, для российской публики. Но он рискнул и, как мне кажется, не прогадал, потому что на поклонах артист, играющий роль виконта, неизменно срывает оглушительные аплодисменты. А я, честно говоря, всегда был уверен, что для нашего менталитета гомосексуалист не может быть положительным героем.

— Ну, Риминас не первый, кто пробует ступить на эту почву, — заметил Чистяков. — Достаточно вспомнить, что роль Себастьяна играет актриса, а роль его сестры — актер. И, по-моему, получилось очень неплохо, с одной стороны — веселая путаница, а с другой — совершенно четко заявлена мысль о том, что душевная привязанность не различает половых признаков.

И снова удар не достиг цели. «Два — ноль, — подумала Настя. — Осталось забить в ворота противника третий гол, и можно с уверенностью делать выводы. Два промаха могут оказаться простым совпадением, но три — это уже система».

В пьесе «Наполеон» роль матери императора играла Евгения Федоровна Арбенина, и Настя все ждала, когда же Артем начнет расписывать великолепную игру своей любимой актрисы. Но Лесогоров что-то не торопился с этим, и пришлось его слегка подтолкнуть. Разумеется, тут же посыпались дифирамбы в адрес народной артистки, и разговор естественным образом ушел от спектакля и переключился на Арбенину.

— Да, мастерство не пропьешь, — с восхищением заметила Настя. — Даже в такой маленькой роли, как мать императора. Сколько времени она находится на сцене? Минут десять?

— Десять, от силы — пятнадцать. Но за эти пятнадцать минут она успевает рассказать нам всю свою жизнь. Даже если бы в «Наполеоне» больше не было ни одного достоинства, его имело бы смысл смотреть только ради Евгении Федоровны, — убежденно проговорил Артем.

— А что уж говорить о больших ролях! — тут же подхватила Настя. — Это же просто праздник актерского мастерства. В «Восхождении к вершине» на ней вообще весь фильм держится.

Артем молча откусил очередной бутерброд.

— А как ее гениально состарили, — вступил Чистяков. — В начале фильма она совсем молоденькая, а к концу уже и седина, и морщины, и здесь не только грим сыграл свою роль, но и Арбенина как будто старела с каждым кадром, плечи опускались, походка тяжелела, улыбка гасла. И при этом она оставалась красавицей на протяжении всего фильма.

Лесогоров продолжал жевать, лицо его ничего не выражало. Хотя нет, поправила себя Настя, это неверно. Лицо журналиста выражало все, что угодно, только не готовность обсудить фильм, который он, по его собственному признанию, очень любил и смотрел пять или даже шесть раз. Почему же это? Потому что ему в данный момент гораздо интереснее поговорить совсем о других вещах? Например, о ходе расследования. Или потому, что Настя оказалась права в своих подозрениях?

Мимо их столика энергичной походкой промчался Александр Олегович Федотов и, увидев Настю, притормозил.

— А это ваш муж, да? — громко спросил он.

За соседними столиками кое-кто начал оборачиваться и открыто рассматривать Чистякова. Настю в театре уже, пожалуй, видел каждый, и интересно было посмотреть, какие мужья бывают у женщин-сыщиц среднего возраста.

— Значит, не передумали спектакль смотреть? — продолжал Федотов. — Так я вас жду к началу. Сами дорогу найдете?

— Найдем, — засмеялась Настя. — Теперь я уже не потеряюсь, все закоулки изучила.

Федотов умчался.

— А вы что, хотите сегодня спектакль из кулис смотреть? — удивленно поинтересовался Лесогоров.

— Да, — кивнул Чистяков, — мне всегда интересно было узнать, как работает помощник режиссера. Вот и случай представился.

— А вы? — Лесогоров перевел настороженный взгляд на Настю. — Вы же с Федотовым целыми днями общаетесь, вы, наверное, и без того хорошо представляете себе его работу. Вам-то зачем рядом с ним стоять? Попросите Бережного, он вас в ложу дирекции посадит, на хорошие места.

— Нет, я тоже рядом постою.

— Вам для работы нужно? — предположил Артем. — А что вы хотите узнать, наблюдая за помрежем? Думаете, это прольет свет на покушение на Богомолова? Вы кого-то конкретного подозреваете, да? Кого-то из актеров, занятых в сегодняшнем спектакле? Ну скажите! Что вам, жалко?

Настя изобразила на лице строгий упрек.

— Артем, мы с вами не в детском садике, чтобы оперировать понятиями «жалко — не жалко». Вы же не мячик у меня просите поиграть. Я на работе, и эта работа не подразумевает болтливости и разглашения информации. Уж кто, как не вы, должны меня понять. Вы же тоже за информацию когтями и зубами держитесь, чтобы она никому, кроме вас, не досталась, разве нет?

Лесогоров медленно заливался краской, которая, как у большинства блондинов, особенно бросалась в глаза по контрасту со светлыми волосами и бровями.

— Извините, — он начал неловко выбираться из-за стола, — я, кажется, переборщил со своим любопытством. Но и вы меня поймите, Анастасия Павловна, мне ведь интересно, как идет расследование.

— Я понимаю, — примирительно кивнула Настя. — Будем считать, что мы расстались взаимно удовлетворенными.

Лесогоров ушел, прихватив с собой пустую посуду, которую составил на специальную тележку, стоящую возле стойки. В этом буфете принято было убирать за собой. Настя дождалась, пока Артем выйдет в коридор, и с облегчением схватилась за сигарету.

— Ну, как тебе этот фрукт? — спросила она мужа.

— Кажется, наши с тобой ночные бдения принесли результат, — констатировал Алексей. — Он прокололся все три раза.

— Это точно. Он ни «Двенадцатую ночь» не смотрел, ни «Восхождение к вершине». А мы с тобой молодцы, времени не пожалели.

Они действительно провели полночи за компьютером, выискивая в Интернете фильм «Восхождение к вершине» и запись поставленного Богомоловым спектакля «Двенадцатая ночь». Вместе посмотрели и то, и другое, искренне хохотали над лиловыми подвязками Мальволио, которые по тексту именовались желтыми, долго удивлялись тому, что режиссер роль Виолы поручил актеру, а роль ее брата Себастьяна — актрисе, и решили именно на этом построить парочку незамысловатых ловушек. В самом деле, человек, видевший спектакль, ни за что не забудет такое. Только ловушки должны быть хоть и простенькими, но незаметными. Например, говоря о подвязках, надо было не упомянуть имя Мальволио, потому что имя-то на слуху, и по нему легко опознать саму пьесу. А вот если имя не упоминать, то человек, не видевший спектакль, ни за что не сообразит, о каких таких лиловых подвязках идет речь. То же самое касалось и ролей Виолы и ее брата Себастьяна. Виола — главная героиня, и даже если ты именно этот спектакль не видел, но видел какой-то другой или просто читал пьесу, то сообразишь, что речь идет о «Двенадцатой ночи» Шекспира, а вот имя Себастьяна, который появляется на сцене совсем ненадолго, мало кто помнит. Поэтому решено было упомянуть не Виолу и ее брата, а Себастьяна и его сестру. И снова ловушка сработала. А уж что касается роли Арбениной в любимом фильме Лесогорова, то там у актрисы вообще всего один эпизод. Да, яркий, да, большой, минуты на три, с крупными планами, с выразительным текстом, но все равно это всего лишь эпизод, и никак нельзя сказать, что на Арбениной держится весь фильм. А уж то, как она старела на всем протяжении картины, вообще было плодом импровизации Чистякова. В этой картине вообще никто не старел, в ней все действие происходило на протяжении одного месяца. И теперь совершенно очевидно, что ни «Двенадцатую ночь», ни

«Восхождение к вершине» Артем Лесогоров не смотрел никогда.

Иными словами, на вопрос Насти Каменской: «Зачем вы все это терпите?» — Артем ответил неправду. Причем неправду, не заготовленную заранее, а придуманную на ходу, на кухне, во время заваривания кофе. Как вовремя Настя вчера вспомнила яркий плакат, висевший на стене кабинета Богомолова! Вот и Артем его вспомнил. И назвал «Двенадцатую ночь», поставленную Богомоловым. А что касается роли Арбениной в фильме, то он, вероятно, просто посмотрел фильмографию актрисы и запомнил, что она снималась в этой картине. А уж какая там у нее была роль, главная, второго плана или эпизод, в фильмографии не указывается.

Так какие же резоны были у Артема Лесогорова, когда он нес свою пьесу именно в этот театр? А ведь они были, резоны эти, но он почему-то не захотел говорить о них.

— Ася, а почему ты его за руку не поймала и по носу не щелкнула? — спросил Чистяков. — Я все ждал этого сладостного момента, когда ты ткнешь его мордой в его вранье. А ты его так спокойно отпустила.

— Сейчас не время, Лешенька. Обстановка не располагает. Мы сидим в буфете, кругом народ. Он в любую секунду, как только ему что-то не понравится, может встать и уйти, сославшись на неотложные дела, и что я буду делать? Бежать за ним через весь буфет и коридоры, хватать за рукав и уговариваться вернуться и еще немножко с нами поговорить? Он может послать меня куда подальше и будет прав, потому что я — никто, и полномочий у меня никаких нет, я теперь не представитель государства, а частное лицо. Артем, конечно, об этом пока не знает, но я-то знаю и нарываться не имею права. А вдруг он решит пожаловаться на меня следователю? Коля Блинов меня с потрохами съест. Если бы сейчас здесь с нами был Антон, тогда другое дело. А теперь представь себе, что мы с тобой его уличим во лжи, а разговора не получится. Лесогоров уйдет отсюда с точным пониманием, что мы под него копаем, стало быть, ему нужно вооружаться против нас. Вот он и пойдет вооружаться, а я буду тупо ждать, пока он придумает для себя всю систему защиты и будет готов поговорить со мной. Ты этого хочешь?

Народу в артистическом буфете становилось все больше, гул голосов смешивался с клубами табачного дыма и запахами горячей еды, и Насте пришлось наклонять голову поближе к Алексею, чтобы они могли слышать друг друга и в то же время чтобы их самих не слышал никто.

— А так наш юный друг покинул нас в полной уверенности, что мы ни о чем не догадываемся, и будет спокойно продолжать жить своей жизнью, а вот мы как раз в это время будем вооружаться против него, — продолжала она.

— Это как же?

— Позвоню Зарубину, — усмехнулась Настя, — выслушаю очередную серию стенаний и выбью из него обещание собрать информацию на Лесогорова. К разговору с ним надо как следует подготовиться, чтобы бить прицельно, точно и сильно. Я не могу позволить себе неудачный заход, понимаешь?

Леша недоверчиво посмотрел на жену.

— Так ты думаешь, это он Богомолова...?

— Да господь с тобой, — засмеялась она. — Ни в коем случае. Зачем Артему Богомолов? Если бы у него были какие-то личные счеты с Львом Алексеевичем, он бы просто сделал то, что считал нужным, и все. Для чего тогда вся эта канитель с пьесой и спонсором? Нет, Лешик, у Лесогорова никаких мотивов для покушения на Богомолова нет, наоборот, он заинтересован в том, чтобы Лев Алексеевич был жив и здоров и поставил за денежки его хилую пьеску. Без Богомолова наш Артем остался в одиночестве в стане врага, ведь смотри, что получается: завлит Малащенко категорически против этой пьесы, а завлита любят и уважают и директор Бережной, и очередной режиссер Дудник, и даже главный администратор Семаков. Следовательно, вся часть театра, от которой хоть что-то зависит, считает пьесу плохой и убиваться над ней не станет. Скажу больше: я тут случайно узнала, что дата премьеры еще не назначена, то есть постановка спектакля не включена в план. А знаешь почему?

— Почему? Кстати, я в первый раз слышу, что в театре есть план. Это же творчество, какой тут может быть план? — удивился Чистяков.

— Леш, творчество может существовать только тогда, когда оно подкреплено деньгами. Людям нужно платить зарплату, надо шить костюмы, изготавливать декорации, покупать реквизит и все такое, а это, между прочим, денег стоит. Там, где деньги, обязательно должен быть план, по-другому не бывает. И если бы пьесу ставили на средства театра, то даты прогона и премьеры давно уже были бы определены. А тут речь идет о спонсорских деньгах, которые поступают траншами. Причем договор между спонсором и театром составлен очень и очень лояльно, по нему автор в любой момент может отказаться от сотрудничества, если ему не понравится, как идет работа над его пьесой, но и театр, в свою очередь, может в любой момент отказаться от работы над пьесой и всю подготовку свернуть. При этом уже потраченные деньги спонсору не возвращаются и никак не компенсируются. Понимаешь, что это означает?

— Это означает, по-видимому, что спонсор пошел на такие немыслимые условия, потому что был в чем-то сильно заинтересован, — предположил Алексей. — А в чем, не знаешь?

Настя пожала плечами.

— Два варианта: либо у спонсора есть личный интерес, о котором никто не знает и даже не догадывается, и он просто использует Лесогорова и его пьесу как собственное орудие, либо, наоборот, личный интерес есть у Лесогорова, а спонсор — его инструмент. В любом случае эта парочка сумела убедить Богомолова, и теперь Артем изо всех сил старается, чтобы театр не воспользовался своими правами по договору и не отказался от пьесы. Вот поэтому он и идет на все уступки, вносит множество поправок и ни с кем не спорит. И, разумеется, своими правами на расторжение контракта он пользоваться не собирается, его главная задача — удержать театр от аналогичного шага. В общем, Лешенька, тут какая-то сложная конструкция, и, чтобы в ней разобраться, надо как следует подготовиться. Кстати, совершенно не факт, что это имеет хоть малейшее отношение к покушению на Богомолова. Вероятнее всего, это две абсолютно разные истории, которые просто совпали в пространстве и во времени. — Она посмотрела на часы. — Пойдем, Лешик, уже без четверти семь, сейчас первый звонок дадут.

Они поставили грязную посуду на тележку, и

Настя повела мужа к двери, ведущей на сцену. К моменту, когда они подошли к столику помрежа, первого звонка все еще не было. Федотов, напряженный и сердитый, что-то выговаривал женщине-реквизитору.

— Не могу дать звонок, костюмер куда-то подевалась, — злым голосом объяснил он. — Меня уже Семаков задергал, три раза звонил, почему я первый звонок не даю, зрители в фойе толпятся, а в зал их не пускают. А как я могу дать звонок, если у меня костюмер не готов?

— Может, в пробке застряла? — предположила Настя. — Вы же знаете, какой в Москве трафик.

— Да какие пробки? — буквально взвыл Федотов. — Здесь она, уже в пять часов была здесь. Костюмы все заряжены, видите?

Он показал на висящие здесь же пиджаки, сюртуки, дамскую накидку, мужские и женские шляпы, а также непонятного предназначения элементы чего-то, сделанного из черного искусственного меха.

— Звоню ей на мобильный — занято. И где ее черти носят?

В этот момент за кулисы ворвалась немолодая женщина с крашеными рыжими волосами, в джинсах и ярко-красной футболке.

— Я здесь, Саша. Извини.

— Где ты шатаешься? — зашипел на нее Федотов.

Он включил тумблер на своем столе, наклонился к микрофону и произнес:

— Внимание, первый звонок.

И тут же разлилась трель долгожданного звонка. Прошло несколько мгновений, и из зала стали доноситься обрывки разговоров — начали заходить зрители.

— У меня внучка заболела, — торопливо оправдывалась костюмер. — Зять в командировке, а дочка совсем растерялась, не знает, что и как делать, звонит каждые пять минут, приходится ей все на пальцах объяснять, ничего сама не может, ничего не умеет, только плачет и паникует.

Настя и Алексей стояли в сторонке и молча наблюдали за тем, как в кулисах собирались и одевались актеры, занятые в начале спектакля. Вот подошел вальяжный рослый Арцеулов, весь в черном, костюмер помогла ему надеть берет с пером и пристегнуть шпагу. Воланд, стало быть. Еще один актер, с которым Настя беседовала днем раньше и помнила, что его зовут Константином, играл, по всей вероятности, Мастера. Вероятно, по режиссерской версии, Воланд и Мастер встречаются в самом начале.

Она заглянула в лежащую на столе открытую партитуру спектакля и пробежала глазами первую страницу. Да, так и есть, в пьесе наличествует пролог.

— Где моя сигара? — послышался недовольный баритон Арцеулова. — Она должна лежать вот на этом месте, с краю. Майя!

Молоденькая девушка-реквизитор виновато засуетилась.

— Вот сигара, Михаил Львович.

— Я же просил... — недовольно заворчал Воланд.

— Майя, я сколько раз тебе говорил: смотри в тетрадку! — шепотом закричал на девушку Федотов. — Там же схема раскладки есть! Черт знает что! Наберут новеньких, толком не обучат, спектакль не сдадут, вот как в таких условиях можно нормально работать!

Наконец все успокоилось, актеры оделись, вооружились полагающимся им реквизитом, заняли свои места на сцене, помреж Федотов глубоко вздохнул и дал команду «Занавес». Спектакль начался.

Чистяков занял такую позицию, с которой ему хорошо была видна сцена, и с удовольствием наблюдал за действом, а Настя встала за спиной у Федотова и через его плечо смотрела в партитуру. Михаил Львович Арцеулов с помощью костюмера Наташи быстро переодевался, меняя черное облачение из пролога на элегантный костюм интуриста. Уже минут через десять после начала она заметила, что актеры много импровизируют, проще говоря — гонят чистую отсебятину, произнося реплики, которых нет в тексте пьесы, и совершая действия, в партитуре не отмеченные. Гриша Гриневич когда-то объяснял ей, что такое часто бывает: если пьеса идет давно, у актеров возникает непреодолимое желание чем-то ее расцветить и как-то разнообразить.

— Саша, скажите, эта пьеса давно у вас идет? — шепотом поинтересовалась она у помрежа.

— Да уж лет двадцать. Ее еще Юрий Сергеевич ставил, наш худрук, который до Богомолова был. Сейчас уже третий состав ее играет. Вы только подумайте: двадцать лет спектаклю — а успех как в первый год. До сих пор аншлаги. Вот так настоящие мастера ставили. Теперь так ставить никто не умеет.

Ну что ж, вот и подходящий момент, чтобы снова завести разговор о Дуднике. Видно, Федотов знал спектакль наизусть, ему даже не нужно было смотреть в партитуру, поэтому в разговор он вовлекся быстро и охотно.

— Семен Борисович? Ну, может быть, со временем он тоже научится так ставить. Семен Борисович талантливый режиссер, у него есть все задатки, чтобы стать мастером, — рассуждал Александр. — Особенно при условии, что он будет заниматься только творчеством и не отвлекаться на всякую ерунду.

Настя поняла, что под «ерундой» помреж подразумевает функции директора.

— А вы думаете, Дудник не будет отвлекаться? — спросила она.

— Совершенно точно не будет, — уверенно ответил Федотов. — Семен Борисович в хороших отношениях с Бережным, так что, если он станет нашим худруком, Бережному на сто процентов светит кресло директора.

— А если худруком станет не Дудник, а кто-нибудь другой?

— Тогда как фишка ляжет. Но все говорят, что вместо Богомолова придет Черновалов, а он уж точно Владимира Игоревича на место вернет. Вот Бережной порадуется! Будет на его улице праздник! — В голосе Федотова отчетливо слышалась неприкрытая злость. Что это? Помреж не любит директора? Или он не любит режиссера Дудника?

— Наверное, нынешнее положение Бережного совсем не устраивает, — бросила Настя пробный шар.

— Помилуйте, — живо откликнулся Федотов, — а кого оно может устроить? Представьте себе: был человек директором, решал все проблемы, все вопросы, был тут царем и богом и воинским начальником, и вдруг его потеснили и сделали директором-распорядителем. Это же унизительно такое терпеть!

Надо же, как интересно! Помреж Федотов почти слово в слово повторил то, о чем Настя и сама думала, и с Антоном разговаривала.

— Ни один уважающий себя мужчина такого бы

не снес, не позволил бы с собой так обращаться, — продолжал Александр Олегович. — А он стерпел.

— Ну, и почему же он стерпел? — поинтересовалась Настя.

Федотов не ответил, он давал в микрофон какието команды, и по рельсам, нависшим над сценой, со звоном и грохотом промчался трамвай... Настя подождала, пока голова Берлиоза катилась по сцене.

— Где Наташа? — раздался за ее спиной чей-то голос.

Она обернулась и увидела актера, который был наполовину человеком — наполовину черным котом. Кошачья половина была нижней. Что касается верхней, человеческой половины, то она венчалась головой с загримированным черным тоном лицом.

Федотов вскочил из-за стола, огляделся и в ужасе замахал руками.

— Опять она куда-то пропала! Ну что за люди! Никаких нервов не хватает. Давай, я тебя одену.

Он схватил те самые, не опознанные Настей ранее элементы из черного меха и помог облачиться в них актеру, играющему Кота Бегемота.

— Подай мне хвост, — попросил Бегемот. — Ага, спасибо. И вот тут подвяжи, а то все время отваливается. Где Наташка-то? У меня такой сложный костюм, а ее опять на месте нет. Как внучка у нее родилась, так начались сплошные проблемы.

Настя бросила взгляд в партитуру. Сейчас закончится паника на бульваре, поэт Бездомный отговорит свои реплики, и появится Кот Бегемот, который вместе с Воландом и Азазелло будет медленно удаляться в глубину сцены. После этого, судя по тексту, начнется относительно спокойная часть, и можно будет продолжить разговор.

— Наверное, вы все-таки неправильно оцениваете ситуацию, Саша, — начала Настя, когда ей показалось, что помреж вполне может отвлечься.

Федотов повернулся к ней, посмотрел недоуменно.

— Вы о чем?

— Я о Бережном. Видимо, с вашей точки зрения, его положение унизительно, но сам Владимир Игоревич так не считает. Может быть, он любит театр до самозабвения, предан ему и готов служить на любой должности. Нет?

Помреж фыркнул и недобро рассмеялся.

— Ну прямо-таки, театр он любит до самозабвения! Вот выдумали!

— А что же тогда? — насторожилась Настя. — Должны ведь быть причины.

— Да Люсю он любит до самозабвения, а вовсе не театр!

— Люсю? Какую Люсю?

— Ну как же, нашу Люсеньку Наймушину, нашу первую красавицу. — Голос помрежа вдруг стал мягким и теплым. — Да вы с ней вчера разговаривали. У них роман, уже давно, много лет. Весь театр в курсе. Неужели вам до сих пор никто не доложил? Уму непостижимо! Чтобы у нас — и никто не проболтался?

— Вот вы и проболтались, — заметила Настя.

Федотов смешался.

— Ну, я... что — я? Я был уверен, что вы в курсе. Так, не пугайтесь, я сейчас буду греметь ведром.

Он схватил стоящее рядом со столом пустое ведро и начал колотить по нему металлической палкой. Настя вздрогнула и зажмурилась, грохот оказался звонким и гулким, и у нее моментально заложило уши.

Значит, у Бережного роман с актрисой Наймушиной. Важно это для дела? Скорее всего нет. А вот голос у Федотова выразительный. Хороший такой голос... Только справляться с ним помреж не умеет. Эх, Антона бы сюда! Но и без Антона понятно, что Александр Олегович сам без памяти влюблен в Людмилу Наймушину. И бешено ревнует. И ненавидит Бережного. И злорадствует, потому что Бережного унизили. Теперь стало понятно его отношение к Богомолову: Льва Алексеевича Федотов не любит, но Бережного он не любит еще больше и поэтому готов испытывать к художественному руководителю нечто вроде благодарности за то, что тот унизил счастливого соперника.

Но что, однако, за удивительное создание — театр! Все в курсе романа Бережного и Наймушиной и впервые об этом открыто сказали только в конце четвертого дня беспрерывных вопросов и разговоров. Такую ерунду — и ту скрывали. Что уж говорить о вещах более серьезных, имеющих отношение к покушению на Богомолова! Если сначала у Насти было ощущение, что никто ничего не знает, то теперь у нее возникло опасение, что все обо всем знают, но молчат, как партизаны на допросе. Стало быть, надо менять тактику бесед и опросов, переходя от доброжелательного копания в мелочах в поисках зернышка нужной информации к жесткому и порой коварному давлению.

Костюмер Наташа снова появилась, выслушала очередную выволочку от помрежа и принялась ловко и быстро одевать актеров, количество которых заметно увеличилось. Со сцены ушел Кот Бегемот, перекинулся парой слов с готовящейся к выходу актрисой, играющей Маргариту, снял при помощи Наташи верхнюю часть костюма и подошел к Насте.

— А со мной вы не хотите поговорить? Мне сказали, вы со всеми тут беседуете, вопросы задаете.

Она внимательно всмотрелась в его лицо, но из-за сложного грима так и не смогла понять, кто это.

— А мы с вами не разговаривали? Простите, но в гриме я вас не могу узнать.

— Звягин, Иван Звягин. Меня все эти дни в театре не было, у меня ни спектаклей, ни репетиций. Так что мы с вами не встречались.

Звягин! Тот самый Ванечка Звягин, о котором рассказывала Люся Наймушина. Тот самый Звягин, который привел в гримерку девушку-поклонницу и нарвался на Богомолова, из-за чего вышел конфликт и возникли финансовые трудности... Что ж, можно поговорить, только, конечно, не о том, о чем поведала Наймушина. Если сам расскажет — хорошо, а если промолчит — показательно.

— У меня следующий выход только во втором акте, так что минут тридцать у нас есть. Пойдемте?

Он, казалось, ни секунды не сомневался в том, что Насте захочется с ним беседовать. Видно, актер так привык к обожанию поклонниц, что уверен: они душу продадут за счастье лицезреть его и разговаривать с ним хотя бы две минуты. Настя посмотрела туда, где стоял Чистяков, — муж был целиком поглощен происходящим на сцене. Пожалуй, он и не заметит ее отсутствия. А во время антракта Лешка найдет, чем себя занять, будет наблюдать за закулисной жизнью.

Она наклонилась к Федотову.

— Саша, я пойду поговорю со Звягиным, оставляю мужа на ваше попечение, ладно?

— Конечно, — кивнул Федотов, переключая какие-то рычажки на встроенном в стол пульте, — не беспокойтесь, я за ним присмотрю.

— Где мы можем поговорить? — спросила Настя, идя рядом с Бегемотом по коридору.

— Давайте поднимемся ко мне в гримуборную, там спокойно, никто не помешает.

— А как же правила внутреннего распорядка? — с улыбкой напомнила она. — Вам ведь запрещается принимать посетителей в гримерках.

— Да ну! — весело махнул рукой Звягин. — Все равно все нарушают. Тем более Льва Алексеевича нет, так что все вразнос пошли. Как говорится, кот из дому — мыши в пляс.

Они поднялись на тот этаж, где располагались гримуборные, и повернули в «мужскую» сторону. Гримерка Звягина была захламленной и тесной, в нее, кроме диванчика для отдыха, шкафа для одежды и умывальника, были втиснуты три гримировальных стола.

— Как же вы тут втроем помещаетесь? — изумилась Настя.

— А нас никогда не бывает трое, иногда — двое, а чаще получается так, что актер один. Обитатели одной гримерки, как правило, не пересекаются в одном спектакле. Ну, — он картинно уселся на диванчик, — я готов, спрашивайте. Если вас интересует, знаю ли я, кто ударил Льва Алексеевича по голове, то отвечаю сразу: не знаю. И даже не предполагаю.

Он отвечал на вопросы с видимым удовольствием и очень артистично, при этом приклеенные на черное лицо длинные кошачьи усы угрожающе топорщились, а подведенные фосфоресцирующей краской глаза бешено сверкали.

— Может ли артист убить в принципе? А почему

нет? Нет, из наших, конечно, никто не может, это точно, но, вообще-то, почему нет? Актер — такой же человек, как и все остальные, в нем тоже кипят страсти, обиды, ревность, а уж зависть-то — и говорить нечего. Зависти в актерской среде — хоть лопатой греби. А в отношении режиссера какая может быть ненависть? История еще не знает случаев, чтобы актер убил режиссера, у которого он снимается или играет. Потому что с нами, с актерами, мирно работать невозможно, мы же как дети, мы безответственные, лживые, злые, жестокие, хулиганистые. То кто-то пришел не в форме, чтобы не сказать пьяным, то актриса ноет, что она плохо выглядит и сегодня сниматься не может, кто-то не выучил роль, кто-то опоздал, кто-то валяет дурака, потому что у него такое настроение. И вообще, с нами, с актерами, очень трудно, вы это поймите, с нами по-хорошему нельзя, мы хорошего обращения не понимаем, с нами можно только криком, руганью, матом, тогда можно еще как-то справиться. Поэтому обстановка скандала на съемочной площадке или во время репетиции — это совершенно нормально, не надо на это обращать внимание и думать, что это какой-то конфликт, из-за которого и убить могут. Не могут, зарубите это себе на носу. Актер-убийца — это нонсенс. Они даже из ревности или мести не убивают, они по-другому устроены и по-другому решают свои внутренние проблемы. Они и страдать-то по-человечески не умеют, потому что преданы своей профессии и как чуть страдание — так в копилку, в копилочку, и холят его, лелеют, рассматривают со всех сторон, запоминают, для работы все пригодится. Ведь нормальный человек для чего убивает? Для того чтобы избавиться от какой-то эмоции, которая мешает ему жить, не дает дышать. Ненависть, например, или там ревность, или обида, или еще что. А актер со своей такой эмоцией ни за что не расстанется, она не мешает ему жить, наоборот, она дает ему новые краски для ролей, новые нюансы, новый взгляд. Настоящий артист всегда вцепится в эту эмоцию, как нищий в прохожего.

Звягин говорил, жестикулировал, словно произносил длинный монолог на сцене, но Настя видела, что краешком сознания он прислушивается к радиотрансляции спектакля. Вот закончился антракт, прозвенел звонок, и актер встал с диванчика.

— К сожалению, вынужден закончить, — улыбнулся он, и его улыбка, которая при нормальных обстоятельствах была бы, наверное, обаятельной и милой, в гриме показалась Насте устрашающим оскалом. — Скоро мой выход.

Они вернулись в кулисы, Звягин оделся и вышел на сцену, а Настя продолжала, стоя рядом с Федотовым, смотреть спектакль и одновременно думать о только что состоявшемся разговоре. Черт знает что, она совершенно подпала под актерское обаяние Звягина и поверила ему, отнеслась к его словам без должной критики, а теперь, перебирая в уме все, что он говорил, поняла, что вся его пламенная речь была не более чем набором красивых слов. Иван был совершенно непоследователен: то актер может убить, потому что он такой же человек, как и все, то не может, потому что он не такой, как все. В голове у молодого актера полная каша. А ведь Гриневич ее предупреждал! Видимо, как раз сейчас Настя и присутствовала при мини-моноспектакле, который разыграли для одного доверчивого зрителя. Звягину нужно было покрасоваться, он хотел внимания, и пусть это внимание не со стороны юной поклонницы, а тетки в годах, выполняющей свою работу, все равно это внимание, в центре которого он, молодая звезда телеэкрана Иван Звягин. Ну, конечно, что это за роль: Кот Бегемот! Не Воланд, не Мастер, даже не Понтий Пилат и уж тем более не Иешуа Га-Ноцри, а всего лишь большой черный кот. С такой ролью вечер, почитай, зря прошел. А вот с мини-спектаклем вечер прошел уже не напрасно.

Надо будет обязательно поговорить с Евгенией Федоровной Арбениной. Вообще-то аргументы Звягина в пользу того, что актер не может быть убийцей, показались Насте любопытными, но она ведь полный дилетант в деле артистического творчества и не может отделить зерна от плевел, а простую болтовню от дельных соображений. Может быть, Арбенина что-то подскажет.

Роль Кота Бегемота актер Звягин не любил еще и за то, что после спектакля приходилось долго снимать грим салфетками, смоченными специальным составом. В урне, стоящей рядом с гримировальным столом, лежала уже целая куча использованных салфеток, а остатки черного грима все еще виднелись на лице.

Дверь гримерки распахнулась, и на пороге появился помреж Федотов.

— Ну, как ты? — спросил Александр Олегович.

— Да нормально, — чуть удивленно протянул Иван. — А что?

Он встал из-за стола, стянул через голову футболку, открыл кран и начал с удовольствием умываться.

— Я про эту, с Петровки. Навешал ей лапши на уши?

Звягин в последний раз плеснул в лицо прохладной водой и потянулся за полотенцем.

— Уф, хорошо! Навешал, навешал, старался изо всех сил. Соловьем разливался.

— И что? Она поверила?

— Вроде поверила. А чего ей не поверить-то? Впрочем, кто его знает... А у тебя какие успехи? Накапал ей на Бережного?

— Ага, — кивнул Федотов, устраиваясь за пустым гримировальным столом. — И на Сеню Дудника заодно. Скушала, даже не поперхнулась. Она вообще доверчивая, эта дамочка, всех слушает, всем верит, ничего не перепроверяет. Как они там работают — не понимаю! Даже удивительно, что они какие-то преступления раскрывают.

Звягин закончил вытираться и достал из шкафа чистую футболку, а ту, которая была надета под сценическим костюмом, сунул в пакет и тут же спрятал в сумку.

— Ты говорил, что их двое. Второй — это тот, который из-за кулис спектакль смотрел, такой седой красавчик?

— Нет, это ее муж. Второго сегодня вечером не было, он пораньше ушел.

— Да ты что?! — изумился Звягин. — Муж? Что, у престарелых дамочек с Петровки еще и мужья бывают? Ну надо же! А второй-то что из себя представляет? А то у меня послезавтра репетиция, наконец-то и до меня очередь дошла, и я тут подумал: а если сегодняшним разговором дело не закончится и на меня второй сыщик нападет?

— Второго не бойся, он молодой мальчик, все время молчит, видно, что Анастасия Павловна у них главная, а он так, на подпевках, подай-принеси. Он вообще странный какой-то, диктофон включит и вопросы задает, а сам смотрит на тебя и как будто о своем думает. Вань, а про ту историю со съемками она не спрашивала?

— Нет. А разве ей говорили?

— Так непонятно! Может, она знает, а может, и нет. Но раз не спросила, значит, никто не проболтался, — сделал вывод Федотов. — Это хорошо. А то заметут тебя, Ванятко, в три секунды.

— Тьфу! — рассердился Звягин, натягивая куртку и доставая из кармана перчатки. — Типун тебе на язык.

По вторникам в театре «Новая Москва» был выходной, и Настя с самого утра отправилась на Петровку к Сергею Зарубину. Она не один раз бывала здесь после выхода в отставку, но до сих пор так и не привыкла к тому, что должна проходить в здание по заказанному пропуску, а не по удостоверению, которое у нее и без того никто не проверял, потому что все дежурные знали ее в лицо. «Я теперь для них чужая», — в который уже раз с грустью подумала Настя. Она шла привычными длинными коридорами, машинально кивая, когда навстречу попадались знакомые лица, и чувствовала себя воровкой, незаконно пробравшейся в дом. Она теперь здесь не служит, и эти люди, еще совсем недавно считавшиеся ее коллегами, теперь смотрят на нее как на постороннюю. Здесь их дом, их царство, их рабочее пространство, их мир, закрытый для взгляда извне, а она, полковник в отставке Каменская, пролезла сюда обманом и пытается выведать их профессиональные секреты... Вот в этом месте деревянная планка давно уже отвалилась, надо же, так и не прибили...

Настя расправила плечи и подняла голову. Никакая она не воровка и не шпионка. Она — обыкновенный свидетель по делу, который идет к сотруднику уголовного розыска рассказать все, что ей известно. Новая роль, непривычная, но это ничего. Все законно. Она свернула вправо и уверенно толкнула знакомую дверь.

Сергей показался ей осунувшимся и каким-то посеревшим. На девственно чистом столе перед ним стояла высокая офисная чашка с логотипом какой-то торговой фирмы, в чашке тосковал наполовину выпитый чай, уже давно холодный, если судить по тому, что пар от него не поднимался. Как же Сереге скрутило, подумала Настя, если он даже чай не допил, хотя обычно Зарубин свой любимый напиток выпивал почти залпом в очень горячем виде, чем вызывал неизменное восхищение коллег и друзей.

— Устал? — сочувственно спросила она. — Вид у тебя совершенно замученный, а ведь еще только утро. Что же к вечеру-то будет?

— К вечеру будет полный кошмар, — усмехнулся Зарубин. — Если я до него доживу. Полночи со своей собачился, остальные полночи думал, то ли уйти на работу и больше не возвращаться, то ли после работы все-таки вернуться и снова мириться. Не спал, короче. Ладно, не обращай внимания, невыспавшийся сыщик — это норма жизни. Кто начнет? Ты или я?

— Давай ты начинай, про мои успехи я тебе и так каждый день докладываю.

— У меня, как в домино: «пусто — пусто», — констатировал Сергей. — Нигде ничего, ни у кого мотива нет. Нашего терпилу Богомолова просто не любили за дешевое понтярство, но это же не повод для убийства, правда?

— Не повод, — согласилась Настя. — А в чем выражается это, как ты говоришь, дешевое понтярство?

Зарубин еще раз повторил то, что она уже знала: материальное положение Льва Алексеевича Богомолова было весьма скромным, то есть денег хватало на хорошую одежду и аксессуары, однако жилье у него бедное и убогое, «двушка» в панельной многоэтажке. Надо же, а Настя почему-то думала, что главный режиссер театра обязательно должен быть человеком более чем обеспеченным. Выходит, она ошибалась.

— Он поэтому никого к себе никогда не приглашал, — рассказывал Зарубин. — И никто из театра у него дома не был, кроме секретарши, которая однажды, когда он болел, привозила срочные документы на подпись и потом всем растрепала, в каком убожестве живет их такой изысканный худрук. Причем заметь, Настя Пална, он довольно часто пользовался услугами кого-нибудь, чтобы довезли до дома, в нетрезвом состоянии за руль никогда не садился, а на такси тратиться — жаба душила, поэтому после всяческих «собирушек» всегда искал, кто бы его подвез. Так вот, никто, как выяснилось, не знал точно его адреса, потому что там, рядом с его панелькой, стоит элитный дом, роскошный такой, Богомолов всегда просил остановиться возле него, вот все и думали, что он там живет. Представляешь?

— Наверное, поэтому он и в ночь покушения до дома на машине не доехал, — предположила Настя.

— Вот именно, — кивнул Сергей. — По деньгам, которые могли быть у Богомолова с собой, тоже ничего не проклюнулось. Теперь по твоим фигурантам: Кирилла Малащенко пока не нашли, но ребята работают. Хахаля Богомоловской дочки тоже пока пасут, пытаются выяснить, не появлялись ли у него в последнее время неожиданные денежки. Кто там у тебя еще был?

— Костюмерша Гункина с братом.

— Пока ничего не могу сказать, я ребят озадачил, но они молчат. Будем надеяться, что какое-то движение все-таки есть.

— Но ты бы спросил, а? — умоляюще проговорила Настя. — Может, они уже все сделали, просто у них руки не доходят тебе отчитаться.

— Спрошу, — пообещал Сергей, не очень, впрочем, уверенно, — только не сейчас. И так мозги набекрень.

— А завпост Скирда с его кастингами?

— Вот его как раз нашли и проверили, там тоже пусто. Живет себе в Архангельской области, руководит постановочным цехом в каком-то заштатном театре, в общем, мужик при деле. И алиби у него железное.

— А его связи по московским делам отработали?

— Ну, это ты зарываешься, Настя Пална, — укоризненно покачал головой Зарубин. — У нас тут не конвейер, у нас работа тонкая. И что самое главное — ее много. А людей мало. Так что придется подождать.

— Да что ты передо мной-то оправдываешься! — Настя примирительно погладила Сергея по руке. — Я тебе не начальник. И вообще, дело Богомолова — это твое дело, а не мое. По мне, так хоть три года с ним ковыряйся. Ты, по-моему, так и не научился руководить людьми и организовывать их на работу.

— Можно подумать, ты научилась, — огрызнулся Зарубин.

— Я — нет, не научилась, — призналась она. —

Поэтому и пришлось уйти в отставку, иначе я бы совсем другую карьеру сделала. Но я — женщина, мне простительно. А ты — мужик, тебе надо учиться, а то попрут тебя не сегодня завтра, чтобы ты место молодым уступил. Ладно, извини, я лезу не в свое дело. Кстати, о молодых: что ты мне можешь рассказать об Антоне?

— Об Антоне? — удивился Сергей. — А что тебя интересует? Его личная жизнь? Сексуальные пристрастия? Или кулинарные вкусы? Парень как парень. Я его мало знаю, он недавно совсем пришел.

— Ну, ты мне-то не рассказывай, — рассмеялась Настя. — Никогда не поверю, чтобы ты сведения о новом сотруднике не собрал по его прежнему месту работы. Ведь собрал?

— Ну, — неохотно кивнул Зарубин.

— Вот и поделись со старшим товарищем. Давай-давай, не жмись, мне же с Антоном работать, должна я понимать, с кем дело имею. А то я в нем никак не разберусь, крученый он какой-то.

— Это есть, — согласился оперативник.

Как поведал Сергей, по его сведениям, на территории, где Антон работал до прихода на Петровку, ребята его уважали, потому что он умел правильно строить отношения с людьми. Как профессионал Антон Сташис ничем особенно не выделялся, никаких феерических талантов и успехов не демонстрировал, но его любили, с одной стороны, за отсутствие панибратства, а с другой — за уважение к людям без оглядки на должности и звания. Начальству на это, конечно, было наплевать, а вот те, кто по должности и званию стоял ниже Сташиса, очень это его качество ценили. При раскрытии преступлений Антон часто обращался к тем сотрудникам, которые больше всего контактируют с населением, то есть к участковым и патрульно-постовой службе, давал им задания и всегда внимательно выслушивал их сообщения, а потом, когда подбивали бабки и заполняли карточки на раскрытие, всегда обязательно указывал, что преступление раскрыто с помощью этих сотрудников. Ни разу Антон Сташис не был замечен в попытках присвоить себе чужие лавры, более того, иногда и свои отдавал и при любой возможности, порой даже с натяжкой, отмечал значительную роль тех или иных сотрудников в раскрытии преступления. А участковым и ребятам из ППС импонировало то, что Антон, давая им задания и получая потом от них информацию, всегда подчеркивал, что делает это не для галочки и отчетности, дескать, привлекал «другие службы», а потому, что ему совершенно необходимы их глаза и уши, их знание территории и людей, их коммуникабельность и наблюдательность, внимание и терпение. Он давал им ощущение реальной причастности к раскрытию преступлений, а это ох как немаловажно! И еще Антон Сташис активно использовал в своей работе ветеранов розыска, их опыт, их источники информации, их готовность помочь. Его считали чудаковатым, потому что, во-первых, на столе у него нет-нет да и появлялась какая-нибудь специальная литература, обзоры судебной практики, учебники, а иногда и вовсе совершенно посторонние книги, а во-вторых, у него были принципы.

— Принципы? — Настя ушам своим не верила. — Неужели в сегодняшней милиции у кого-то еще есть принципы? Не верю!

— И тем не менее. Но для ребят Антон при всех

своих особенностях все равно был своим, потому что — что, Настя Пална?

— Потому что пил вместе со всеми. Угадала?

— Совершенно верно. Пил вместе со всеми и не уклонялся. Но! — Сергей назидательно поднял указательный палец. — У нашего мальчика жесткие правила, они же принципы, которые он за все годы службы на территории ни разу не нарушил, и в этом сказывается его принципиальность.

— И какие же это принципы?

— Никогда не пить в форме, — Сергей загнул большой палец на правой руке, — никогда не пить, не положив предварительно оружие в сейф, — за большим пальцем последовал указательный, — никогда не пить, если предстоит сесть за руль, пить только вне рабочего времени, никогда не пить абы что, то есть всякую дрянь.

Теперь перед Настиным носом красовался некрупный, но жилистый, крепко сжатый кулак Зарубина.

— Откровенно пьяным его никто никогда не видел, Антон свою норму знает четко и не превышает, хоть ты ему кол на голове теши. Кстати, ребята над ним посмеивались за то, что он костюмы носит. И речь у него больно правильная. Обратила внимание?

— Еще бы! — откликнулась Настя. — Я тоже страшно удивилась. Как-то это нетипично для современного опера. Никаких тебе «терпил» и «следаков», все сплошь потерпевшие и следователи.

— Еще как нетипично, — тут же подхватил Сергей. — Но ты не думай, Пална, у него в кабинете в шкафу вполне приличный оперативный гардеробчик висит, я сам видел, так что при необходимости он в кого хошь переоденется в пять секунд. А так, чтоб с людьми пообщаться, это ему в костюмчике ловчее. Уж не знаю почему, ну да не мое это дело. Может, он и за речью следит, слова выбирает, чтобы людей нашим жаргоном не отпугивать. Он вообще особенный, наш Антоха, к нему общие мерки не применимы.

— Почему? — удивилась Настя. — Ты же мне только что сказал, что Антон — парень как парень. Темнишь?

— Да ну тебя, Пална, — расстроился Сергей, — вот знал же, что не надо с тобой в беседы втягиваться, ты как клещ впиявливаешься и все наизнанку выворачиваешь. Тебе только слово неосторожное брось — ты всю руку по локоть оттяпаешь.

— А ты не бросай неосторожных слов, когда имеешь дело с женщиной, — улыбнулась Настя. — Ну, выкладывай, что ты там пытаешься от меня скрыть?

— Не то чтобы скрыть... — замялся Зарубин. — Это даже не тайна, это все в секретной части личного дела есть, да и Антон об этом сам рассказывает, если его спросить. Просто он не любит об этом говорить, но если задать вопрос — он уклоняться и врать не станет. Короче, слушай. На нашего Антоху потери начали сваливаться с детства. Ты не смотри, что ему всего двадцать восемь, он горестей навидался, как будто сто лет прожил. У него были мама с папой и старшие брат с сестрой. Сначала умер отец, причем внезапно, дома, от сердечного приступа, практически на глазах у Антона. Парень с ним один в квартире был в тот момент.

— Ничего себе... — покачала головой Настя. — Сколько же ему было тогда лет?

— Лет четырнадцать-пятнадцать. Мать, конечно,

страшно переживала, они с отцом любили друг друга всю жизнь, а тут так внезапно все случилось, в общем, она долго от шока отходила. Только-только мать начала более или менее в себя приходить, как погибает сестра Антона.

— Господи! Что с ней случилось? — ахнула Настя.

— Мыла окна, стояла на подоконнике, мыльная вода пролилась, нога соскользнула, а квартира на одиннадцатом этаже. В общем, сама понимаешь. Сестру похоронили, а через неделю приходит сообщение, что старший брат погиб на Кавказе, он в спецназе служил, они каких-то боевиков окружили, ну, и вот...

— Бедный мальчик, — пробормотала Настя. — Досталось ему!

— Погоди, Пална, это еще не все. Мать после двух похорон подряд так и не оправилась и, когда Антону только-только восемнадцать исполнилось, повесилась. Антон ее и нашел дома в петле. Он тогда на втором курсе Университета МВД учился.

Настя в ужасе закрыла глаза. В услышанное трудно был поверить.

— Ты не зажмуривайся, Настя Пална, это тоже еще не все, — строго проговорил Зарубин.

— Как — не все? Что же может быть страшнее, чем то, что ты рассказал?

— А вот послушай. Антоха рано женился, видно, совсем тяжко ему одному было, привык ведь, что семья большая, а тут один как перст остался. В общем, женился на хорошей девчонке, молоденькой, было ему девятнадцать лет, она чуть постарше, не то двадцать один, не то двадцать два года, где-то так. Через год первый ребенок родился, потом второй, жизнь вроде бы начала налаживаться, снова у него семья, снова он не один. И тут, понимаешь ли, пьяный мудак с большими деньгами и маленькими мозгами решил повеселиться и устроил на улице пальбу из пистолета. А жена Антохина в это время по этой самой улице шла.

Зарубин сделал паузу, чтобы отпить из чашки глоток остывшего чаю.

— И что? — в нетерпении спросила Настя.

— И ничего. Пришлось Антохе еще раз хоронить.

— О господи!..

— Остался он с двумя маленькими детками. Вот такая у него история.

Настя помолчала, собираясь с мыслями. Много смертей она повидала на своем служебном веку, но чтобы у одного человека судьба так сложилась... Нет, с таким она не сталкивалась.

— А та женщина на фотографии? — спросила она. — Антон сказал, что это няня его детей. Но что-то она больно хорошо выглядит для няни, работающей в семье простого русского опера.

— Нянька и есть, — подтвердил Зарубин. — Он что, и про няньку тебе не рассказывал? Хотя, конечно, — спохватился Сергей, — если он ничего не рассказал, то и про нее ты тоже не знаешь. Это жена того самого мудака, который Антохину жену застрелил.

— Как?! — не поверила Настя.

— А вот так. Хорошая оказалась баба, добрая, жалостливая, а главное — совестливая, ей очень стыдно было за то, что ее муженек натворил, она сама к Антохе пришла и предложила помощь. Финансовую, конечно.

— А он что?

— Он денег не взял и сказал, что если бы она могла помочь с детьми, он был бы признателен. Ведь с кем детей-то оставлять? При его работе он сам не справится, даже если старшая в школу ходит, а младший — в садик, их ведь надо туда водить и оттуда забирать, и вечерами и по выходным с ними сидеть, а как он может это организовать при нашей-то сумасшедшей жизни, когда не знаешь, где ты через полчаса окажешься и сможешь ли вообще сегодня домой прийти? Вот она и стала у его детей нянькой, бесплатно. Это уже два года тянется, и ничего, сосуществуют душа в душу.

Настя представила себе красавицу с фотографии и хмыкнула.

— Душа в душу, говоришь?

— Да перестань, Пална, — поморщился Зарубин, — вечно тебе черт-те что мерещится. Ничего у них нет.

— А ты откуда знаешь? Свечку держал?

— Ну, я все-таки не первый день на свете живу, — улыбнулся Сергей. — Я же слышу, как Антон с ней по телефону разговаривает, меня не проведешь. Нет там ничего, зуб даю. Я удовлетворил твое женское любопытство?

— Вполне, — кивнула Настя.

— А сыщицкое рвение?

— А вот сыщицкое рвение — не вполне. Я еще вчера тебя просила собрать информацию на Артема Лесогорова, журналиста.

— Ну, мать, это ты совсем обнаглела! — искренне возмутился Сергей. — Меня что, десять? Или, может, двадцать? Я один, если ты заметила. И людей у меня на этом деле — раз-два и обчелся. А дел в производстве знаешь сколько?

— Ты меня не лечи, — весело попросила Настя, —

у меня память пока еще не отшибло, я помню, как сама работала. Но ты же меня спросил, удовлетворена ли я, и я тебе честно ответила. Сереженька, любовь моя, просвети мне этого Лесогорова, а то я дальше двигаться не могу.

— Что, в театре уже всех-всех опросила? — недоверчиво прищурился Сергей. — Все двести человек?

— Нет, конечно, но чует мое сердце, что гнаться за количеством опрошенных нет смысла. Лесогоров определенно что-то знает, но я должна быть готова к разговору с ним, должна быть во всеоружии, чтобы расколоть его с первого раза.

— То есть ты уверена...

— Ни в чем я не уверена, — с досадой перебила его Настя. — Я просто чувствую, что он что-то знает и скрывает. Он врет практически на каждом шагу. А почему? Зачем врет? С какой целью? Другой вопрос, что это может быть никак не связано с покушением на Богомолова. Но может быть и связано. Короче, Сержик, дружочек, в интересах раскрытия преступления, которое висит, между прочим, на тебе, ты уж постарайся насчет Лесогорова, ладно? Ну хотя бы не затягивай. Пожалуйста.

— Не обещаю, — буркнул Сергей. — А Коле Блинову ты сказала?

— А как же. Прямо с утра сегодня и доложила.

— А он что? — Зарубин с надеждой посмотрел на нее.

— Сказал, что тебе поручит. Не поручил еще?

— Не успел, — процедил он сквозь зубы. — Видимо, не считает это направление важным и перспективным. И тут я с ним полностью солидарен.

Настя поднялась и начала укладывать в сумку сигареты, зажигалку, блокнот и мобильный телефон.

— Я помчалась, Сержик, у меня свидание с актрисой Арбениной. А что касается Лесогорова, напоминаю тебе, любимый, что дело о покушении на Богомолова — не мое, а твое. Мне за него всего лишь деньги платят, причем независимо от результата, а вот тебе голову снесут, ежели что не так.

— К сожалению, ты права, — тяжело вздохнул Зарубин ей вслед.

О встрече с Евгенией Федоровной Арбениной Настя договорилась еще накануне. Жила Арбенина на Тверской, и Настя предусмотрительно припарковала машину у комплекса «Известий», рядом с памятником Пушкину, и прогулялась до здания ГУВД на Петровке пешком. Зато теперь ей было удобно выезжать на Тверскую. Дорога заняла совсем мало времени, и Настя не успела сосредоточиться и подготовиться к разговору с актрисой, она пыталась вспомнить дословно все, что говорил ей минувшим вечером Иван Звягин, а вместо этого мысли крутились вокруг того, что рассказал Зарубин об Антоне Сташисе. Теперь понятно, почему он так спокойно терпит ее, Настино, первенство, почему его не бесит и не раздражает, что какая-то неизвестная тетка взяла на себя главную роль в их тандеме и словно бы оттирает молодого оперативника на задворки. Потому и терпит, что ему и терпеть-то не приходится. Он понимает, что это не важно. Это не принципиально. Он слишком рано узнал смерть, и было этой смерти так много в его недолгой жизни, что присущие обычно молодым людям ценности просто отошли на второй, а то и на пятый план. Антон Сташис очень хорошо понимает, что главное в этой жизни, а что — так, фантики, мишура. Удивительно, как при таком обилии трагических событий ему удалось не сломаться и сохранить психическое здоровье. Вот его матери это, по-видимому, не удалось...

Настя тряхнула головой и поняла, что ее машина стоит во дворе дома Арбениной. Ну, и сколько времени она так стоит? Совсем беда с головой... Она бросила взгляд на часы и с облегчением перевела дух: к назначенному времени она не опоздала, в самый раз.

Евгения Федоровна встретила Настю в солнечно-желтом домашнем брючном костюме из плотного шелка, губы накрашены, глаза подведены, волосы уложены в прическу. Квартира состояла, насколько Насте удалось понять, всего из двух комнат, но из каждой можно было понаделать по однокомнатной квартирке. Странная планировка... Или, может быть, это результат перепланировки и раньше здесь было комнат пять? Но спрашивать неловко.

— Хотите коньячку? — весело предложила Евгения Федоровна. — Или вам на службе не положено?

— Не положено, — улыбнулась Настя. — Но вообще-то я не пью.

— Что, совсем-совсем не пьете?

— Совсем-совсем.

— А почему, позвольте спросить? Принципы? Или здоровье не позволяет?

— Не принципы и не здоровье. Просто мне невкусно, — призналась Настя. — Раньше я хотя бы мартини пила с удовольствием, а теперь и от него отказалась, голова начала болеть даже от трех глотков.

— Но вас не будет шокировать, если я позволю себе пятьдесят граммов? — Евгения Федоровна лукаво подмигнула. — Я привыкла с гостями пить кофе, а хороший кофе без коньяка и без сигареты — это деньги на ветер.

— Вот насчет сигареты я с вами полностью соглашусь.

Они расположились в огромной комнате, со вкусом обставленной дорогой современной мебелью, и Настя сразу же утонула в недрах мягкого удобного дивана. Арбенина устроилась напротив на точно таком же диване, между ними стоял стол со стеклянной столешницей на витой тяжелой ножке. Белоснежная пушистая Эсмеральда немедленно запрыгнула на диван, где сидела ее хозяйка, и расположилась на спинке, прямо возле головы актрисы. Помощница Арбениной, молодая женщина с толстой косой и угрюмым лицом, принесла кофе, коньяк и вазочку с орехами. Кофе действительно оказался на редкость вкусным. Интересно, это хорошие зерна или искусство приготовления?

Настя как можно старательнее пересказала содержание вчерашнего разговора с Иваном Звягиным.

— Как вы считаете, Евгения Федоровна, то, что сказал Иван, это правда?

Арбенина задумалась, запрокинула красивую голову, выпустила в потолок струю сигаретного дыма.

— Частично — да, правда, частично — нет. Насчет того, что артисты вцепляются в любые эмоции, даже в негативные, и не хотят их отпускать, я бы поспорила. Если бы это действительно было так, мы, актеры, не пили бы так много. А мы ведь пьем, и пьем именно потому, что не можем справиться с собой. Значит, нам негативные эмоции все-таки мешают жить, они нас душат, они подавляют в нас творческое начало, и мы пытаемся хотя бы так от них избавиться.

— А в чем вы согласны со Звягиным?

— В том, что актер действительно не может

убить. Я в этом абсолютно убеждена. Во всяком случае, я о таких примерах не слыхала.

— Ну как же, — удивилась Настя. — А Малявина?

— Ну, там тоже ничего точно не известно, — красиво махнула изящной рукой с безупречным маникюром Арбенина. — То ли было, то ли не было... Очень сомнительное дело.

— А Юматов?

— Деточка, это же был пьяный аффект, это не в счет. А других примеров ни вы, ни я привести не можем. Вы поймите, творческие люди не склонны к убийству в принципе, потому что убийство — это разрушение, а они потому и творческие, что они созидают, у них все нутро под это заточено. Так что ни актеры, ни режиссеры, ни художники — никто из них не может быть убийцей. Да, по морде надавать могут и вообще могут руки распускать, это у них случается, как и у всех людей, могут и буйствовать, и дебоширить, и драку затеять, и в конце концов могут убить, если под горячую руку им попадешься. Но я вам повторяю: это будет случайное убийство, пьяное или аффективное. А убить так, как чуть не убили нашего Льва Алексеевича, — это же совсем другое дело. Человек должен был задумать преступление, готовиться к нему, стоять, караулить, выжидать, что-то планировать, подыскивать орудие, потом улучить момент и хладнокровно тюкнуть по голове... Нет, это не наше. Для того чтобы это сделать, нужны совсем особенные душевные и нравственные силы, которые мы, творческие люди, привыкли направлять совершенно в другое русло.

Евгения Федоровна чуть повернулась, протянула руку, погладила Эсмеральду. В ответ кошка довольно заурчала.

— А насчет того, что весь душевный и эмоциональный опыт складывают в копилку? — с любопытством спросила Настя. — Это правда?

— У кого как, — тонко улыбнулась Арбенина. — Кто фанатично следует системе Станиславского, тот именно так и поступает. Но таких актеров нынче немного.

— Почему? Станиславский теперь не в моде?

— Не в этом дело. Вы читали его книги?

Настя кивнула. Нельзя сказать, что она очень хорошо помнила эти книги, прочитанные в далекой юности, но какое-то понимание у нее все-таки осталось.

— Тогда вы должны помнить, как Константин Сергеевич работал над ролью. Фанатично, самозабвенно, двадцать четыре часа в сутки. Он все свое существование посвящал вживанию в одну-единственную роль. Но это хорошо для антрепризного театра: ставится один спектакль, ты играешь в нем одну роль, которую готовишь именно так, как учит Станиславский, потом дается определенное количество спектаклей — и все. И начинается работа над новой ролью. Для репертуарного театра это уже меньше подходит, а уж для современной жизни не годится совсем. Ну, вы только представьте: вы служите в театре, где у вас, к примеру, пять спектаклей, то есть пять разных ролей, но вам же нужно что-то есть, пить, вам надо одеваться, платить за квартиру, покупать бензин, лечиться, растить детей, помогать родителям, а как это возможно на театральную зарплату? Никак невозможно, — сама себе ответила Арбенина. — Значит, начинается участие в антрепризах, в том числе и с гастрольными поездками, съемки в кино и сериалах, участие в телепередачах, халтурка на корпоративах и прочие способы заработать и заодно поработать по специальности.

И как можно в таких условиях готовить одну-единственную роль и жить ею каждый день на протяжении длительного времени? Все стало проще, примитивнее, быстрее. Я бы сказала — экономичнее.

— Вы считаете, что это плохо?

— Ну почему же, деточка? Это так, как оно есть, и больше никак. — Арбенина улыбнулась и снова погладила кошку. — Меняется время, меняется стиль жизни, темп. Одним словом, меняются условия игры, и глупо стремиться играть в новых условиях по старым правилам. Хотите еще кофе?

— Хочу, — призналась Настя. — Если вашу помощницу это не затруднит.

Кот Гамлет спал в колыбельке, образованной плотными кольцами свернувшегося Змея, и сон его был болезненным и беспокойным. Он вздрагивал, вытягивал и втягивал больную лапу, хрипло стонал и то и дело отрывисто мяукал. Выздоровление шло совсем не так быстро, как на то рассчитывали Ворон и Камень, более того, многочисленные болезни Кота периодически давали новый всплеск, ему становилось хуже, и тогда казалось, что лечение никакой пользы не приносит и несчастный вот-вот испустит дух.

Камень искренне переживал и волновался, Ворон же ревновал и столь же искренне не понимал волнения старого друга.

— Да что с ним сделается! — возмущенно каркал он. — Поболеет-поболеет — и поправится, никуда не денется, ну, лапа будет кривая, ну, ухо рваное, и что? Ему же не на выставку. А вы вокруг него вьетесь, припарки-примочки, отвары-настойки, в глаза ему заглядываете, нос щупаете, температуру проверяете.

Вы еще под хвост ему загляните! Совсем ополоумели со своим Гамлетом.

— Тише, — останавливал его Камень, — он же спит. Сон — лучшее лекарство. Как ты не понимаешь, Гамлет серьезно болен, он может умереть.

Ворон опешил и озадаченно посмотрел сперва на Камня, потом на спящего в объятиях Змея Кота.

— То есть как это — умереть? — неуверенным шепотом прохрипел он. — Тьфу, у меня от неожиданности даже голос пропал. Что ты такое говоришь? Что значит — умереть?

— Да вот то и значит, — грустно ответил Камень. — Наступит печальный день, и окажется, что Кот только что был живой — и уже его нет, он мертвый.

Ворон потряс блестящей черной головой.

— Как это — мертвый? И что, я не смогу с ним разговаривать?

— Не сможешь.

— То есть я буду его спрашивать, а он мне не ответит?

— Его вообще здесь не будет. Сначала он не ответит, а потом мы его похороним, и ты его больше не увидишь.

— Как же так? — растерялся Ворон. — Я буду, ты будешь, даже эта кишка поганая, Змей, и тот будет, а Кота не будет? Я не понимаю.

Змей приподнял овальную голову, из-за чего одно кольцо колыбели, самое верхнее, распрямилось, и Кот беспокойно зашевелился.

— Ты привык иметь дело с нами, — негромко прошипел он, — а мы все в этом лесу — Вечные. Ты никогда не терял близких, потому что твои близкие — это мы, а мы не умираем. Тебе придется смириться с тем, что Кот может умереть, потому что он смертный, он из обычного мира. Не понимаю, что тебя так взволновало. Ты же всю свою вечную жизнь наблюдаешь за существами из обычного мира, и за людьми, и за животными, ты постоянно видишь, как они умирают. Должен был бы привыкнуть.

Ворон призадумался. В самом деле, чего это он распсиховался? Смерти, что ли, не видел? Видел. Так что же? А то, что он лично никогда не имел дела со смертными, не было у Ворона с ними близких отношений, и мысль о том, что эти отношения могут прерваться в любой момент, казалась чудовищной и невероятной. Ну как же так! О том, что люди и животные из обычного мира умирают, он прекрасно знал, но к себе эту ситуацию никогда не примерял, потому что это не про его жизнь. Вечный Ворон никогда не задумывался над тем, что ему придется потерять кого-то, к кому он привязан. Как-то свыкся он с мыслью, что привязан только к Камню, чуть меньше — к Ветру и немножко к Белочке, а их-то он никогда не потеряет. А теперь внезапно выяснилось, что угроза потери Кота Гамлета причиняет душевную боль... Это что же получается? Что он и к Коту этому нелепому привязался? Вот еще не хватало!

Ворон задрал голову и стал смотреть в небо, повторяя про себя, как мантру, что Гамлет — просто приблудный кот, пришел и ушел, и никто не заплачет, если его не станет. Когда ему показалось, что удалось себя убедить, он осторожно опустил голову и посмотрел на спящего Кота. В клюве защипало, глазам стало горячо и мокро. Вот еще, не хватало только перед этой вонючей кишкой Змеем расплакаться! Перед Камнем-то реветь не стыдно, они порой и вдвоем могут так сладко поплакать над чьей-нибудь горькой судьбинушкой, но перед своим давним врагом Змеем негоже распускаться и выказывать душевную слабость и мягкосердечие.

Он помахал крыльями, чтобы струями воздуха высушить непрошеные и такие неуместные сейчас слезы, и откашлялся.

— А что... ну, это... если он и вправду... то когда? Скоро?

Камень только вздохнул, а Змей покачал головой.

— Это зависит от того, сколько лет Гамлету, старый он или молодой. Если молодой, можно рассчитывать на то, что организм у него еще сильный и иммунитет хороший. А вот если старый, тогда надежды совсем нет, при таком букете болезней он не выкарабкается, как бы мы ни старались.

И тут Ворон не справился с собой. Из его горла вырвался громкий протяжный стон.

— Я не хочу об этом слышать! — завопил он. — Я этого не переживу!

— Тише! — попытался остановить его Камень, но было поздно: Гамлет проснулся.

Он вздрогнул, медленно приоткрыл глаза и повел ушами.

— Что вы кричите так? Что у вас случилось?

— Простите, — виновато откликнулся Камень, — мы нечаянно вас разбудили. Мы не хотели.

— Да ладно, — Кот был само великодушие. — А что вы так горячо обсуждали?

Камень, Змей и Ворон переглянулись и промолчали. Не рассказывать же Гамлету, что они обсуждали перспективы его смерти!

— Скажите, уважаемый Гамлет, сколько вам лет? — вежливо поинтересовался Камень.

— Сколько лет? — призадумался Кот. — Это трудно сказать. Я точно не уверен...

— А... — начал было Камень, но Ворон решительно перебил товарища:

— Ты телик смотрел, когда дома жил?

— Разумеется, — горделиво ответил Гамлет. — Мой папенька всегда смотрел телевизор, и я вместе с ним.

— Вот мы сейчас и выясним, чего ты там насмотрел. Ельцина помнишь?

— Кого? — недоуменно переспросил Кот. — Ельцина? Это кто?

— Понятно, — констатировал Ворон, — значит, тебе меньше десяти лет, потому что если бы ты был старше, ты бы Ельцина хорошо помнил, его каждый день по телику показывали, пока он был президентом. Идем дальше. Кто вообще в твоей стране президент, знаешь?

— Разумеется. — В голосе Гамлета послышалось недоумение, смешанное с неудовольствием. — Сначала был Путин, теперь Медведев.

— Ага, Путина в президентах, значит, помнишь, — Ворон почему-то расстроился. — Значит, тебе точно больше трех лет. А художественного руководителя, который был в вашем театре до Богомолова, ты знал?

— Юрия Сергеевича? Разумеется. Почему вы задаете такие странные вопросы? Что вы хотите выяснить?

— Мы хотим выяснить, сколько тебе лет, дурья твоя башка, — пояснил Ворон. — Если ты бывал в театре до Богомолова, значит, тебе больше пяти лет. Но меньше десяти. Можно полагать, что тебе лет семь.

— Ну, допустим. — Кот дернул облезлым хвостом. — И что из этого следует?

Ворон запнулся. Но на выручку, как всегда, пришел верный друг Камень.

— Из этого следует, что вы, уважаемый Гамлет, еще достаточно молоды и организм у вас сильный, он наверняка справится с вашими болезнями. Но в то же время вы уже не юноша, и вам необходимо тщательно соблюдать все предписания нашей Белочки, чтобы помочь своему организму. Это только у очень молодых особей все болезни проходят сами, а особи вашего и более зрелого возраста должны обязательно своему организму помогать. Вам непременно нужно поесть, Гамлет, иначе у вас не будет сил.

— Не хочу, — Кот капризно наморщил нос. — Аппетита нет. Даже думать не могу о еде.

— Но тогда хотя бы попейте, — настаивал Камень.

Кот нехотя выбрался из змеиных колец и поковылял, припадая на одну лапу, к заветной луже. Напившись, он вернулся на место и снова забрался внутрь колец, только на этот раз не улегся спать, а уселся, привалившись ободранным бочком к змеиной шкуре.

— Пока я спал, вы ничего дополнительно не рассказывали, уважаемый Ворон? — спросил он. — Мы остановились на том, что Каменская была у моей бабушки в гостях и видела матушку. Правильно?

— Правильно, — буркнул Ворон. — И нечего меня подозревать, я честно играю. Договорились вместе смотреть — значит, так и есть.

— Так вы мне про матушку подробнее расскажите, — попросил Кот. — И про бабушку. Как они? Как выглядят? Здоровы ли?

— Да все с ними в порядке, что им сделается! — отмахнулся Ворон. — Красивые обе, что есть — то есть, скрывать не стану. Мамка твоя пушистая, белая, как снег, глазки сверкают, а бабка — та вообще супер-пупер, костюмчик у ей — зашибись, глаз не оторвешь. Сидит себе, нога на ногу, кофе с коньячком попивает, длинную сигаретку покуривает через мундштук. Шик-блеск!

Змей размотал еще одно кольцо, покачался гибким столбиком над Котом и снова свернулся.

— А скажите-ка мне, любезный, чего это директор Бережной и режиссер Дудник так беспокоятся насчет внука Ильи Фадеевича Малащенко? Почему они так боятся, что он окажется причастным к покушению? Ведь они прямо покой потеряли, если верить нашему рассказчику Ворону.

— Это еще что за инсинуации?! — возмутился Ворон. — Ты на что намекаешь, червь-недоносок? Что я вру? Искажаю факты? Нет уж, ты не прячься за Камня, ты смотри мне в глаза и отвечай за базар!

— Я не имею в виду ничего плохого, — спокойно ответил Змей. — Я действительно не понимаю, чего они так переполошились. Ну, окажется этот мальчик виновным, ну, посадят его, и что? Им-то что с того?

— Тяжело с вами, — муркнул Кот. — Чего вы все время ссоритесь-то? Я лично давно заметил, что все страхи у людей в головах сидят и жить им мешают. Напридумывают себе кошмаров — и давай их бояться! Скажут сами себе: если это случится — то все. А что — всё? Чего — всё? Небо рухнет? Земля разверзнется? Набьют головы всякой мутью и носятся с ней как с писаной торбой. Вот и Бережной с Дудником такие же. Да, они душой болеют за завлита, да, им хотелось бы, чтобы у него в семье все было гладко. Но не более того. А вот придумали себе страх, что Илья Фадеевич расстроится, а его, может быть, и уволят после этого, и давай разводить тайны мадридского двора на ровном месте. Ну, расстроится. Ну, уволят. И что? Главное — никто не умрет. А они, глупцы, не понимают, что в жизни главное, а что — так, ерунда.

— А вдруг Малащенко от горя умрет? — строптиво заявил Ворон, который никак не мог смириться с тем, что Гамлет дает какие-то пояснения, да еще самому Змею. Больно много на себя берет этот заморыш.

— Да не умрет он! Поболеет, попереживает, но выживет, — авторитетно заявил Кот.

— Откуда ты знаешь? Ты что, доктор? Или, может, ясновидящий? — презрительно прищурился Ворон.

— Да я людей знаю. Глупые они. Обожают из мухи слона делать. Сперва сделают, а потом водят хороводы вокруг него и ломают головы, чем же его, такого громадного, кормить и где содержать. Лучше бы оставили муху, как она есть, всем бы хлопот меньше было.

— А я вот хотел у вас спросить, уважаемый Гамлет, — вступил Камень, которого мучил один вопрос. Ответить на этот вопрос мог только Кот, поэтому Камень терпеливо ждал с того самого момента, когда тот заснул, утомленный длинным рассказом Ворона. — Та женщина, которая называется «завтруппой», говорила поистине ужасные вещи о том, что актеры вынуждены выходить на сцену в любом состоянии и при любых обстоятельствах. Неужели это правда?

Гамлет оживился и даже будто бы выпрямился.

— А то! Вот возьмем, к примеру, мою бабушку. Пять раз была замужем, пятерых мужей похоронила, и что вы думаете? Кто-нибудь хоть один раз спектакль отменил, когда у нее мужья умирали? Да ни в одном глазу! Люди купили билеты, люди хотят получить радость, они заранее готовятся, наряжаются, собираются, идут в театр, как на праздник, а им этот праздник обламывают, потому что кто-то из актеров не в настроении? Так не бывает. Один раз, мне папенька рассказывал, бабушка на следующий день после похорон играла, один раз ей повезло, после смерти очередного мужа у нее целую неделю спектаклей не было, один раз прямо в день похорон на сцену вышла, потому что это была премьера и перенести ее уже было никак нельзя, а дублерши у бабушки не было, она все свои роли всегда одна играет, без второго состава. А один раз так вообще вышла на подмостки в тот день, когда муж умер в больнице. Ей позвонили, когда она уже гримировалась перед спектаклем. Так с этим известием и вышла на сцену. И отыграла весь спектакль. А вы говорите!

— А мы ничего и не говорим, — проворчал Ворон, который уже успел забыть о своем отчаянии при мысли о возможной смерти Кота и теперь снова предавался своему излюбленному чувству — ревности. Рассказывать и вообще вещать в этой компании Вечных имеет право только он, Ворон, а всяким самозванцам тут не место.

— Но это же бесчеловечно! — ахнул Камень. — Как же так можно! Артисты же живые люди, они переживают, страдают, а их заставляют...

— Никто их не заставляет, — фыркнул Кот. — Они сами профессию выбирают. Как говорят люди, бачилы очи, що купували. И вообще, у людей очень странное отношение к чужой смерти. Нам, котам, это особенно хорошо видно, потому что мы всегда в доме, всегда рядом с людьми и видим все своими глазами. Ведь у смерти два лица, а люди этого не хотят понять и все пытаются к ней приспособиться, как будто лицо только одно.

— Два лица? — удивленно переспросил Камень. — Это как же?

— Ну вот смотрите, — Кот поерзал, пытаясь сесть поудобнее. — Есть смерть как потеря, когда человек уже умер и надо с этим как-то жить. Это одно лицо. И про это лицо много слов сказано и много книжек написано. Но смерть — она же не всегда бывает сразу, в один момент, когда вот только что человек был живой — и через секунду уже надо оплакивать потерю. Часто же бывает так, что смерть видно издалека, о ней заранее знаешь или предполагаешь, что она может скоро наступить, и это совсем другое лицо, когда потери еще нет. А люди и к этому уже относятся как к потере.

Ворон перелетел на ветку пониже, чтобы лучше слышать слабый голос Кота. Конечно, не Котовье это дело — жизни учить, но вдруг он скажет что-нибудь интересное? Вдруг подаст какую-нибудь дельную мысль о том, как надо относиться к смерти? И вдруг эта мысль потом Ворону пригодится, если сам Кот...

— А как же надо относиться? — недоверчиво спросил он.

— Как к обстоятельству жизни, и никак иначе. Да что далеко за примерами ходить, возьмем хоть Леночку, жену Богомолова. Ну вот что она там высиживает, в реанимации этой? Чего дожидается?

— Наверное, известий о состоянии мужа, — предположил Камень. — Это же важно.

— Важно-то важно, но об этом ведь можно и по телефону узнать, а не сидеть под дверью ступой. И вообще, сидеть в данной ситуации — глупо и нерационально. Леночка должна что делать?

— Что? — с интересом спросил Змей.

— Она должна в первую очередь поговорить с

врачами, не спрашивать, как Лев Алексеевич, а тщательно подготовиться к разговору, придумать и записать все вопросы и последовательно их задать. И не бояться выслушать ответы. Она должна понимать не только, каково положение дел на сегодня, но и каким оно может быть завтра, то есть какие прогнозы. Выяснив точно, каково положение дел на сегодня, она должна бежать искать других врачей, платить деньги и собирать консилиум, потому что врачи тоже люди и часто ошибаются. Затем, выяснив, какие прогнозы, она должна думать, что делать дальше. Например, если прогнозы плохие и Лев Алексеевич выйдет из больницы глубоким инвалидом, ей нужно думать о том, как они будут жить.

— А как они будут жить? — непонимающе помотал головой Ворон.

— Да плохо они будут жить, если Лена так и просидит и прогорюет в коридоре перед реанимацией! — в раздражении воскликнул Кот Гамлет. Учитывая общую ослабленность организма животного, восклицание на деле оказалось жалким писком. — Неужели не понятно? Нужна будет сиделка, нужна будет специальная кровать, нужно будет платить медсестрам, чтобы приходили делать уколы и ставить капельницы.

— А если прогноз совсем плохой и Лев Алексеевич умрет? — осторожно поинтересовался Камень.

— Тогда нужно будет хоронить, покупать место на кладбище, венки там, гроб, отпевание и всякое такое, поминки опять же, то есть ресторан, автобусы, чтобы людей привезти и отправить. Да много всего. А это деньги, уважаемый Ворон, уважаемый Змей и уважаемый Камень, это деньги, причем большие, которых у Леночки нет. Значит — что?

— Что? — послушно повторил вслед за ним Камень.

— Деньги надо зарабатывать. Не сидеть ступой перед реанимацией, не ждать, когда Левочка придет в себя, эдак можно все жданки прождать, а ехать, куда ей там надо, везти антрепризу на гастроли, получать зарплату и не валять дурака.

Слова Кота показались Ворону вполне разумными, и он не мог взять в толк, почему жена Богомолова не поступает именно так, как говорит этот выскочка Гамлет.

— Что же ей мешает это делать? — спросил он. — Ведь это же лежит на поверхности, это совершенно очевидно. А она почему-то сидит и ничего не делает. Странно!

— В том-то все и дело, — Кот извернулся и осторожно почесал рваное ухо. — Люди не понимают, что у смерти два лица, они упорно думают, что только одно, и, как только смерть замаячит, они тут же начинают сидеть и горевать и ничего не делать. При этом самое ужасное, что у людей так принято, а если ты не сидишь и не горюешь, а продолжаешь работать и думаешь о том, как заработать денег, то ты, значит, жестокосердный, не жалеешь несчастного умирающего и в такой тяжелый момент думаешь о корыстном. Представляете, какая мешанина у них в головах? То есть сидеть и лить слезы — это нормально, а зарабатывать деньги на то, чтобы достойно похоронить человека, — это стыдно, это корысть. И все потому, что они не понимают: смерть, любая смерть, есть обстоятельство их жизни, просто такое тяжелое обстоятельство, но жизни оно не отменяет. А жизнь-то вокруг них не останавливается, и все, кто в эту жизнь включен, хотят жить, а это значит — они хотят есть, а это, в свою очередь, означает, что им надо зарабатывать деньги, то есть что бы с тобой ни случилось, рядом всегда будут те, кто зарабатывает. А это, как вы понимаете, означает, что ты должен платить. И рядом всегда будут те, кого твое трагическое обстоятельство не коснулось и кто продолжает жить спокойно и радостно, и эти люди совершенно не понимают, почему их работа и, соответственно, доход должны зависеть от твоего настроения и душевного состояния. Им-то тоже кушать надо и семьи кормить! За все надо платить, и для всего нужны деньги, хоть какой прогноз тебе врачи озвучат. Если Лев Алексеевич не возвращается немедленно к работе, вся тяжесть ложится на его жену, и она должна эту тяжесть нести, а не сидеть сиднем. Вот бабушка моя наверняка так же думает, я много раз слышал, как она с подружками своими про такое разговаривала, да и с папенькой моим тоже. Бабушка вообще умная женщина, не зря папенька с ней дружил, не зря ее ценил. Вот если бы Леночка пришла к бабушке за советом, та бы ей объяснила, что к чему.

Ворон не на шутку рассердился и даже слетел с ветки на землю и подскакал к змеиной колыбельке, чтобы взглянуть Коту прямо в глаза.

— По-моему, ты рассуждаешь цинично, — сурово произнес он. — Нельзя человеческое горе мерить деньгами.

— А по-моему, — вступился за Кота Змей, — Гамлет рассуждает вполне логично. Смерть — это беда, а любая беда — это враг, которому нужно не сдаваться на милость, а сопротивляться изо всех сил, занимать активную позицию. Беда всегда хочет только одного: сломать человека, ибо других целей у нее просто нет. Если занять эту самую активную позицию, то можно минимизировать печальные последствия, особенно если ты не можешь ни избежать их, ни изменить, а если сидеть и горевать, то точно сломаешься. И потом, всегда есть шанс, что еще можно помочь, а без активной позиции ты не помощник, ты становишься только обузой для окружающих.

— Вот-вот, — встрепенулся Кот, с благодарностью лизнув розовым язычком змеиную блестящую кожу, — всегда надо стремиться помочь, а не грузить окружающих своими переживаниями. Вот я, к примеру, всегда старался папеньке помочь, мы, коты, это умеем, только люди это редко используют, не ценят они нас, не верят в наши силы. А ведь мы всегда заранее чуем болезнь и пытаемся лечить, оттягиваем на себя все негативное, что из больного места исходит. У меня папенька сердцем страдал, так я лягу ему на грудь и давай вытягивать всякое такое плохое, он со мной поговорит, я полежу, пооттягиваю, помурлычу, глядишь — и легче становится. Эдак мы с ним не один приступ предотвратили. А если бы я впадал в панику каждый раз и начинал мяукать и горевать, вместо того чтобы помогать, так еще не известно, как дело бы обернулось. Вот и в больницу меня не пустили, а ведь я тоже, наверное, мог бы помочь. Вы, уважаемый Ворон, не помните, когда папенька скончался? Какое число на портрете стоит?

Ворон гордо выпятил грудь. Как это он не помнит? С чего это ему не помнить? Да, этот задохлик тут им целую лекцию прочел, и возразить Ворону, пожалуй что, нечего, но уж когда дело до фактов доходит, тут ему равных нет. И пусть все об этом знают!

— Восемнадцатое сентября десятого года, — четко возвестил он красивым голосом.

Гамлет горестно вздохнул и опустил голову.

— Значит, восемнадцатое... Выходит, он умер в тот же день, как его «Скорая» увезла, а я-то, дурень, целый месяц возле больницы отирался, ждал его.

Если б знал, сразу бы в театр побежал, глядишь, и на панихиду поспел бы, и на похороны. Жалко! — Он смахнул лапой слезы, покатившиеся по грязной шерсти. — Между прочим, если бы вы так активно мне не помогали, я бы точно уже в сырой земле лежал, а то и вовсе незакопанным валялся бы где-нибудь. Вы ведь тоже могли бы сесть вокруг меня в кружочек и давай меня жалеть и причитать, а вы по-другому поступили, вы Белочку позвали, вы Ветра за Змеем послали, вы старались, меры принимали, хотя, если нашими мерками мерить, делали вы что-то совершенно немыслимое. У нас, в Москве, котов так не лечат и так с ними не обращаются и вообще, в таких условиях нас не содержат. А вы наплевали на то, как принято, и делали, как умели, делали все, что могли, что придумали, на что идей хватило. И вот результат! Я пока еще жив. Да, я плох, с трудом произношу слова, почти не встаю и не ем ничего, только пью из лужи, но ведь я же разговариваю, я мыслю, следовательно, я существую. Когитум эрго сум. А это значит, что?

— Мыслю, следовательно, существую, — перевел с латыни образованный Камень.

— Это значит, — многозначительно произнес Кот Гамлет, — что никогда нельзя опускать руки и сидеть и лить слезы. Надо что-то делать. Надо двигаться вперед. Надо жить, в конце концов.

Конец книги первой

СМЕРТЬ
КАК ИСКУССТВО

ПРАВОСУДИЕ
(Отрывок)

— Пап, я мультики посмотрю, ладно? — Антон положил вилку и взглянул на часы.

— А спать тебе не пора, Василиса Прекрасная?

— Не пора, не пора! — Девочка запрыгала вокруг отца, исполняя замысловатый танец. — Ты у Эли спроси, она всегда в это время разрешает мне мультики смотреть.

Антон бросил взгляд на Эльвиру, стоящую у плиты к нему спиной. Да, няня любит его детей, но не слишком ли она их балует, не слишком ли много свободы дает?

— Васька, уже десятый час, «Спокойной ночи, малыши» закончились, какие тебе еще мультики нужны? — недовольно произнес он.

— На диске. Ну пап! Мы когда сегодня с Элей гуляли, она купила два новых диска с мультиками, но сказала, что, пока я все уроки не сделаю, мне смотреть нельзя. Вот я все сделала.

«Эля сказала». Ну что ж, подрывать авторитет няни негоже, все-таки она с детьми проводит больше времени, чем он, родной отец.

— Хорошо, — согласился Антон, — смотри. Но только до десяти часов. В десять — спать, и без разговоров.

— А Степке можно со мной?

Эльвира повернулась и строго посмотрела на девочку.

— Васенька, мы же с тобой договаривались: Степа должен ложиться в девять, он еще маленький. И, между прочим, ровно в девять ты должна была сама его уложить и почитать на ночь сказку.

Василиса понурилась.

— Я хотела, но... Он спать совсем не хочет еще. И я пообещала, что спрошу про мультики, вдруг вы разрешите...

— Мы с папой не разрешаем, — твердо проговорила Эльвира. — Ты идешь укладывать Степана, читаешь ему, пока он не заснет, а потом смотришь мультики ровно до десяти. Договорились?

— Тогда совсем мало времени останется, — расстроенно пробормотала Василиса.

— Вася, — вмешался Антон, — это не обсуждается. Есть режим, есть график, все расписано по минутам. Если ты не укладываешься в график, значит, надо что-то поменять, но не в графике, а в твоих поступках. Вот почему ты так поздно закончила уроки? Ты должна была их сделать уже давным-давно. Чем ты занималась?

Девочка помолчала, потом нехотя двинулась к двери.

— Ладно, пойду Степку укладывать.

Антон с улыбкой смотрел ей вслед. Потом взял вилку и доел свой ужин. Эльвира по-прежнему что-то готовила, стоя к нему спиной.

— Эля, вы сами-то поели? — спросил он.

— Не беспокойтесь, я ужинала вместе с детьми.

— Так это когда было! Сядьте, хотя бы чайку выпейте, что вы там все возитесь?

— Хочу вам на завтрак пшенную кашу с тыквой оставить, а тыква очень долго варится, я с утра не успею приготовить. Антон, вы не сердитесь на Васю, она вам подарок готовит, поэтому и с уроками задержалась.

— Подарок? — удивился Сташис. — Какой? По какому случаю?

— К Новому году.

— Так ведь еще не скоро...

— Ну, у нее сложный замысел. — Эльвира засмеялась и присела за стол напротив Антона. — Мы сегодня специально ходили в магазин, покупали расходные материалы, потом сидели и вместе придумывали эскизы. Только вы не спрашивайте, что это, а то сюрприза не получится. Это я посоветовала Васе начать готовить подарок заранее, потому что задумка у нее действительно непростая, и не исключено, что с первого раза ничего не получится и придется переделывать. Если хотите ругать, то ругайте меня, девочка не виновата, это я не уследила за временем.

— Ну что вы, Эля, — мягко улыбнулся Антон, — разве я могу вас ругать? Без вас я бы совсем пропал. Но основного графика ваши затеи не отменяют, договорились?

— Конечно, — кивнула няня.

Она снова встала к плите, а Антон допил чай и подошел к двери детской. Оттуда доносился приглушенный голос Василисы, читавшей четырехлетнему Степану «Храброго портняжку». Вообще-то, Степка уже умел читать сам, Эльвира очень серьезно относилась к своей работе и выполняла функции одновременно няни, домработницы и гувернантки, но Антон считал, что у Василисы должны быть определенные обязанности по воспитанию брата, и если у детей нет матери, то «сказку на ночь» должна обеспечивать сестра. Уже без двадцати десять, Степка еще не спит, это безобразие, и даже если он уснет немедленно, у Васьки останется только минут пятнадцать на просмотр мультфильмов. Может, напрасно он устроил такую казарму? Может, надо быть помягче с детьми, больше им позволять, больше баловать? Ответа Антон Сташис не знал, но одно знал точно: заранее составленное расписание, графики, режим, распорядок — это спасительная соломинка, ухватившись за которую можно выплыть из любой беды.

Он устроился в гостиной на диване и взял в руки книгу, но что-то не читалось... Снова вспомнилась пустота, которая не просто окружила — задушила его в тесных объятиях после похорон матери. Всего за четыре года он потерял всё, что составляло его семью и его жизнь, и он остался один в большой трехкомнатной квартире, которая еще совсем недавно всегда была полна голосов, смеха и любви. А теперь в ней никого и ничего не было, кроме него самого, казавшегося себе в тот момент одиноким, маленьким и никчемным, и тишины.

Антон пытался разомкнуть тиски пустоты и одиночества, стал постоянно приглашать к себе сокурсников и сокурсниц, собирал шумные многолюдные компании, в которых было много спиртного, много пьяного секса, тупого веселья и бессмысленных разговоров. Он боялся оставаться один в квартире, засыпал, оглушенный алкоголем, утром, не глядя по сторонам, умывался, одевался и убегал на учебу в Университет МВД, после занятий оставался в читальном зале и готовился к семинарам и практическим занятиям, а домой возвращался уже с друзьями и девушками. В таком угаре прошло около четырех месяцев, потом Антон опомнился. Сделал генеральную уборку, выбросил пустые бутылки, которые обнаруживал в самых неожиданных местах квартиры, отнес в химчистку то, что не мог постирать своими руками, и больше никого к себе не приглашал. Компаниями он пытался заполнить образовавшуюся пустоту, но внезапно понял, что это не та заполненность, которую он потерял и к которой стремился. Ему нужен теплый душевный контакт, ему нужна семья, ощущение сообщества, собратства, а не пьянки-гулянки.

Но оказалось, что без алкоголя он совсем не мог спать. В ночной тишине его стали преследовать звуки, которых он в реальной жизни не слышал: стон умирающего отца, жуткий крик падающей с высоты одиннадцатого этажа сестры, предсмертный хрип матери. Отец на самом деле не стонал, он просто упал, и Антон слышал только шум упавшего на пол тела. Отец был без сознания и больше не издал ни звука. А когда случились несчастья с сестрой и матерью, Антона даже дома не было. Но звуки преследовали его, они рождались где-то под потолком и настойчиво лезли в уши, в голову, пронзали все его тело.

Пришла бессонница. То есть это была не совсем бессонница, потому что спать он вроде бы и хотел, но уснуть не мог. И начались книги. Сначала те, что были дома, но домашняя библиотека, не такая уж обширная, давно была изучена Антоном вдоль и поперек, а на покупки в книжных магазинах слушательской стипендии, торжественно именовавшейся «окладом содержания», не хватало. На помощь пришли соседи, которые относились к юноше с сочувствием и добротой и не вмешивались, пока в его квартире шли беспрестанные гулянки, но, как только наступила тишина, сразу же протянувшие Антону руку. Соседи были семьей, близкой к искусству, он — театральный критик, она — журналист из отдела культуры в многотиражной газете. И библиотека у них была огромная. Антон брал сразу по нескольку книг и глотал их залпом, без разбора, все подряд, лишь бы чем-то себя занять по ночам и не слышать страшных звуков. Со временем он стал приходить в соседскую квартиру не только за книгами, но и просто так, заходил после занятий, садился в уголке, доставал учебники и конспекты и занимался: пребывание в пустых комнатах собственного дома все еще угнетало. Однажды ему в руки попала книга Михаила Чехова «Путь актера», которую Антон прочел с неожиданным любопытством. Особенно его привлекло учение об атмосфере, которая сама по себе порождает определенные поступки людей, и рассуждения Чехова о Куприне, которого молодой тогда еще актер случайно увидел в разнузданной пьяной компании. «Вся компания производила жуткое и тяжелое впечатление. В центральной фигуре я узнал А.И. Куприна. Но какая разница между ним и окружающей его компанией! Я не знаю, что переживал Куприн, что заставляло лицо его искажаться болью и злобой, но я знал, что это было что-то для него серьезное, глубокое и настоящее». Антона тогда поразила готовность молодого человека понять и разобраться, а не смешивать огульно всех присутствующих в одну безликую массу.

После этого Антон долго обдумывал мысль о том, что нельзя относиться к людям как к маскам, потому что живые, реальные люди многограннее и интереснее, чем плоская одноплановая маска. «Я не верил прямым и простым психологиям, — писал М. Чехов. — ...Быть человечным — это значит уметь примирять противоположности... Раздражение против людей, ненависть к ним и непримиримая с ними борьба являются, по большей части, результатом неверного представления о неизменности человеческого характера».

Он начал присматриваться к тем, с кем общался, все время помня то, о чем написал Михаил Чехов, в частности, обращая особое внимание не столько на произносимые людьми слова, сколько на выражение их лиц, интонации и жестикуляцию, чтобы, как советовал актер, постараться понять, что именно человек чувствует и что он хочет сказать, какую мысль донести. Ведь Чехов советовал: «Я... вычитаю мыслительное содержание говорящего человека и слушаю не то, ЧТО он говорит, но исключительно — КАК он говорит. Тут сразу выступает искренность или неискренность его речи. Больше того, становится ясным, для чего он говорит те или иные слова, какова цель его речи, истинная цель, которая зачастую не совпадает с содержанием высказываемых слов». Сначала получалось не очень хорошо, но в Антоне проснулся исследовательский интерес, и он не оставлял своих упражнений, пока, наконец, не почувствовал, что научился быстро и довольно точно улавливать внутреннюю мысль собеседника. Ему говорили: «Да он нормальный парень, с ним, в принципе, можно иметь дело», а он слышал: «С этим парнем что-то не так, и, если есть возможность, лучше дела с ним не иметь». Ему говорили: «Со мной все в порядке, не обращай внимания», а он знал, что ему хотят сказать: «У меня беда, мне нужна помощь, мне нужно внимание». Первой мыслью было недоумение: зачем же говорить одно, когда в голове совсем другое? Наверное, Чехов прав, и люди действительно сложны и многогранны.

В нем проснулся интерес к людям. К конкретному человеку. К его внутреннему миру, его судьбе, его переживаниям. Антон Сташис умел хорошо слушать, он был терпеливым и благодарным собеседником, и в этом своем даре нашел, наконец, лекарство от одиночества и ощущения, что ты никому не нужен. Свой страх одиночества и невостребованности он так и не преодолел и считал слабостью, которую и компенсировал общительностью, иногда неоправданной, иногда немного навязчивой, но зато оказавшейся отличным подспорьем в работе сыщика. Если позволяло время, Антон так разговаривал с людьми, что они, в конце концов, готовы были выложить ему свои самые сокровенные тайны, ибо чувствовали с его стороны не наигранный, не искусственный, а искренний и глубокий интерес. Но это пришло уже потом, после учебы...

И еще одну важную вещь объяснили ему соседи: нормально устроенный мозг не умеет работать над двумя мыслями одновременно, и если занять его одной мыслью, то никакая другая уже не прорвется.

— Ты оказался в полной пустоте, — говорила соседка-журналистка, — и тебе нужно чем-то ее заполнять, на что-то отвлекаться. Составь список дел, вплоть до самых мелких и незначительных, таких, как заварить чай или вымыть чашку, расставь все дела по времени в течение суток, прямо по минутам расставь, только ни в коем случае ничего не записывай, держи весь график в голове и постоянно повторяй про себя, чтобы ничего не забыть. Попробуй, это очень хорошее упражнение, мне в свое время оно здорово помогло.

Антон попробовал. И довольно быстро втянулся, потому что постоянное поглядывание на часы и мысленное повторение дел и отведенных на них часов и минут не давало возможности вспоминать и тосковать. И не давало пугающим непрошенным звукам ни малейшей возможности прорваться в голову. Он, наконец, начал спать по ночам.

Женился Антон Сташис рано и практически второпях. Вообще-то, им очень интересовались сокурсницы, потому что, кроме высокого роста, привлекательной внешности и неплохих мозгов, у него была большая хорошая квартира, но он каким-то чутьем угадывал, что того душевного тепла и чувства семьи, которое ему нужно, эти девушки не дадут. Совершенно случайно, в автобусе, он познакомился с Ритой, крошечной и худенькой, выглядящей лет на шестнадцать. Потом оказалось, что она старше Антона на два года, выросла в детдоме и тоже очень хочет иметь семью и много детей. Уже через два месяца они подали заявление в ЗАГС, а через четыре Антон Сташис женился, но не по страсти, а, скорее, по чувству того самого душевного уюта, которого ему так не хватало. Он был хорошим верным мужем, потом стал хорошим заботливым отцом и был уверен, что это и есть любовь. Во всяком случае, в том, что у него хорошая, счастливая семья, Антон ни минуты не сомневался.

После похорон Риты он снова остался один, но на сей раз на руках у него были двое детишек, двухлетний Степка и шестилетняя Вася. Никакой родни, к которой можно было бы обратиться за помощью, у Антона не оказалось, а о детдомовской Рите и говорить нечего. Первую неделю он пребывал в полной растерянности и совершенно не понимал, как ему жить дальше, а потом пришла Эля, Эльвира, жена того, кто по пьяной удали застрелил Риту. Антон даже не колебался, предложение Эльвиры оказать ему любую посильную помощь было для него поистине спасительным. Денег у того, кто убил Риту, оказалось немерено, и все они остались его жене, которая отныне имела полную возможность работать у Сташиса без зарплаты и даже тратить на его детей собственные средства. Поначалу Антона это коробило, он пытался вернуть Эльвире все, что она тратила на Степана и Василису, а также на продукты для самого Антона, но каждый раз сталкивался с решительным отказом.

— Я не для вас стараюсь, — твердо говорила Эльвира. — Я это делаю для себя. Это нужно мне, понимаете? Я пытаюсь хоть как-то искупить то, что натворил этот подонок.

Антон понимал. И очень скоро перестал обсуждать с няней финансовые вопросы. А с «этим подонком» Эльвира почти сразу же развелась, разделив общее имущество ровно пополам.

— Теперь вы можете быть уверены, что я трачу на

вас не его деньги, а свои. Я же понимаю, вас коробит при мысли о том, что я что-то купила для ваших детей на деньги убийцы их матери. С сегодняшнего дня этого больше не будет, — объявила Эльвира, кладя перед Антоном на стол копию судебного решения о расторжении брака и разделе имущества.

Он не стал бороться с любопытством и бумагу из суда прочел, просто чтобы представлять себе степень обеспеченности его няни, а то вдруг окажется, что денег-то у нее кот наплакал! Выяснилось, что если кот и наплакал, то это был очень крупный кот, просто-таки гигантский, даже не кот, а динозавр какой-то. И плакал он, по-видимому, очень долго и горько. Одним словом, разведенная красавица Эльвира, тридцати трех лет от роду, была обладательницей приличного состояния, включающего, помимо банковских счетов, дом в трех километрах от МКАД и два автомобиля — джип и седан, то есть являлась в качестве потенциальной невесты весьма и весьма выгодной партией. «У нее появятся поклонники, — с грустью подумал тогда Антон, — она захочет выйти замуж и родить, пока не стало поздно, собственных детей, Эля от нас уйдет, и что мы с ребятами будем делать? Оставлять их одних я не могу, и платить другой няне я не смогу тоже, моей зарплаты на это не хватит. Катастрофа!»

Он попытался поговорить об этом с Эльвирой, но в ответ получил только укоризненный взгляд и короткую фразу:

— Есть грехи, на искупление которых уходит вся жизнь, да и ее порой оказывается не достаточно.

Больше они к этой теме не возвращались. А один из двух автомобилей Эльвиры — седан — вскоре оказался у Антона, который пользовался им по доверенности...

На экране телевизора мультяшный персонаж с остервенением пилил толстое дерево, на котором висели яркие соблазнительные плоды. Василиса сидела рядом с Антоном, привалившись к отцу плечом, и легонько ерзала, будто помогая немыслимому существу с витыми рожками справиться со стволом. Антон в очередной раз посмотрел на часы: без двух минут десять. Еще две минуты — и Ваську придется гнать спать. Он прикрыл глаза и откинул голову на спинку дивана. Как хорошо вот так сидеть, ощущая рядышком теплое, такое родное тельце дочки и зная, что она довольна и весела, и Степка здоров и уже видит второй сон в своей постельке, и все у них в порядке, и завтра тоже все будет в порядке, они проснутся, выйдут на кухню, а там будет сидеть красивая и добрая фея Эля, которая приезжает каждый день к семи утра, чтобы накормить всех завтраком и отвести Степку в садик, а Ваську в школу. Как хорошо... Если бы еще...

Нет, не думать, не вспоминать, не сожалеть. Составлять расписание. Следить за временем. Заниматься работой. Двигаться дальше. Жить.

Настя Каменская с остервенением передвигала рычажок будильника, не понимая, почему он не перестает звенеть. Пришлось открыть глаза и с удивлением обнаружить, что до звонка еще целых десять минут. Что же это так назойливо мешает спать?

Оказалось, что спать мешает телефон. Из ванной доносился шум воды, и она поняла, что Алексей принимает душ и поэтому не снимает трубку. Пришлось откидывать одеяло и тянуться к лежащей на столе телефонной трубке.

— Пална, дрыхнешь? — послышался голос Сережи Зарубина.

— А ты как думаешь! — сердито отозвалась она. — Что еще я должна делать, по-твоему, без десяти семь утра?

— Ждать меня, — уверенно ответил Сергей. — Нет, Пална, я серьезно, можно у тебя помыться и позавтракать?

Настя села в постели и потрясла головой.

— Я что-то не совсем...

— Да у меня скандал продолжается. — Голос Сергея вдруг стал жалобным и унылым. — Вчера вроде начали мириться, а потом снова-здорово, слово за слово — и пришлось хлопнуть дверью. А куда деваться-то? Время полвторого ночи. Вот и спал в машине. Весь помятый, несвежий и голодный. Спасешь несчастного?

Сон, наконец, отступил окончательно, мысли прояснились.

— Конечно, Сержик, конечно, — торопливо произнесла Настя. — Ты далеко?

— Рядом. Я же знал, что ты не отвергнешь бездомного и не оставишь его без куска хлеба. Буду через пять минут.

Она накинула халат и постучала в дверь ванной.

— Леш, у нас гости. Что на завтрак приготовить?

Из ванной выглянул муж, половина лица уже выбрита, другая половина в белоснежной пене, в руках бритва.

— А кто это нас осчастливит в такую рань?

— Зарубин. У него дома столетняя война, он в машине спал.

— Сейчас я добреюсь и что-нибудь соображу, пока ты будешь мыться.

Сергей явился не через пять минут, как обещал, а через целых пятнадцать, за это время Настя успела принять душ и умыться, а Алексей приготовил вполне приличный завтрак на троих.

— Сперва поешь, — скомандовал Чистяков, — а то все остынет. Потом помоешься. Я там в ванной тебе новую бритву оставил, в упаковке.

За завтраком Сергей рассказал, что внука Малащенко накануне вечером удалось найти.

— Ты представляешь, — говорил он с набитым ртом, — этот идиот испугался, что на него могут повесить покушение на Богомолова, и спрятался в Ярославской области у какой-то дальней родни. Ну это же надо такие мозги иметь! В первую очередь именно родню и будут проверять, это же каждому дураку понятно.

— А почему он решил, что его подозревают? Рыльце в пуху, что ли? — спросила Настя.

— Да дед его нашарохал! Пришел к внучку и давай его терзать, дескать, не ты ли Богомолова убить собрался, и все в таком духе. Нет, парень действительно ни при чем, алиби мы проверили, он в ту ночь в районе дома Богомолова и близко не был, но напугался он сильно. Сначала деду, конечно, говорил, что ни сном ни духом, а потом поразмыслил и решил от греха подальше спрятаться. Короче, Пална, здесь у нас с тобой пусто. И с богомоловской дочкой мы обломались. Там тоже ничего.

— Совсем-совсем ничего?

— Абсолютно. То есть парень, Боб этот, действительно наркоша, и действительно тянет деньги из девчонки, тут ты все правильно просчитала. Но он к покушению не причастен. На сто процентов.

— Ладно, — вздохнула Настя, — двумя версиями меньше — больному легче. Но твой крендель Вавилов тоже тот еще фрукт. Никогда не поверю, что он не знал про дочку Богомолова и ее дружка. А ведь он, насколько я понимаю, тебе ни слова не сказал. Ведь не сказал?

— Сказал, — признался Зарубин. — Вчера, когда я его к стенке припер. И заодно рассказал о том, как Богомолов этого Боба с лестницы спустил, они там чуть не подрались. Я уже было стойку сделал, ну, все на Горохове сходится, копеечка в копеечку, а ребята как раз закончили проверку и твердо сказали: не он. Даже жалко было.

— Жалко ему было, — проворчала Настя. — А Вавилову своему ты морду не начистил за то, что он утаивал информацию? Я вообще не понимаю, чем человек думает: платит такие бабки за результат и при этом скрывает информацию, которая может быть важна. Или бизнесмены — это такой специальный ум?

— Да брось ты, — махнул рукой Сергей, — не трать нервные клетки. Идиотов всюду хватает.

— Кто там у нас остался? Костюмерша Гункина?

— Она, родимая, — кивнул Зарубин. — А что, гренки кончились? Больше нету, что ли?

Блюдо, на котором еще несколько минут назад лежали горячие бутерброды с сыром, колбасой и помидорами, почему-то стояло посреди стола совершенно пустое.

— Сделать еще? — предложил Чистяков. — Только придется подождать, пока они испекутся, надо, чтобы сыр расплавился.

— Ничего, — великодушно кивнул оперативник, — я подожду. Ты делай.

Алексей принялся нарезать белый хлеб, колбасу, сыр и помидоры, а Настя принесла из прихожей сумку, достала блокнот и вычеркнула из списка два имени. Кроме Гункиной, в этом списке оставался еще Артем Лесогоров.

— А насчет Лесогорова? — спросила она. — Ты не забыл?

Зарубин посмотрел на дольки помидоров и сглотнул.

— Руки не доходят, Пална, вот ей-крест, не доходят. Вчера два огнестрела на нас повесили, вот как ты от меня ушла — так потом целый день на выездах был. И ребята заняты под завязку. Да не парься ты, просветим мы твоего журналиста, не сегодня — так через неделю, никуда он не денется. Эй, профессор, скоро там у тебя?

— Скоро, — отозвался Алексей, — потерпи. Ладно, дети мои, вы тут следите за духовкой, а я пошел одеваться, мне на работу пора.

Через двадцать минут Чистяков уехал, горячие бутерброды к этому времени не только испеклись, но и оказались уничтожены проголодавшимся сыщиком, и Настя налила по второй чашке кофе.

— Знаешь, Пална, а вовремя ты ушла от нас, — неожиданно заявил Сергей. — Все равно скоро работать будет невозможно.

— Почему? — не поняла Настя. — Руководство мешает?

— Да руководство-то всегда мешает, — вздохнул он, — а тут еще реформа эта, будь она неладна.

— А, вот ты о чем...

— Ну да. Нет, я саму реформу с тобой обсуждать не собираюсь, хотя она и бредовая, по-моему, но не моего ума это дело. Я о другом: кто и как будет раскрывать преступления после реформирования? Ведь опять все поменяют, новые структуры придумают, им новые полномочия дадут, а полномочия — это...

— Информация, — подхватила Настя. — Ты прав, Сержик, вы замучаетесь выяснять, у кого какая информация и как ее получать.

— Вот и я о том же. Ведь последние десять лет только и делают, что нас реформируют, и информационные потоки уже разрушились окончательно. Нас ведь как учили? У каждого типа преступления есть свой алгоритм раскрытия, то есть, по существу, определенный алгоритм сбора информации, мы, как «Отче наш», знали, куда бежать и у кого чего спросить. А теперь что будет? Информационные потоки другие, стало быть, алгоритмы надо разрабатывать новые и заново всех учить. Кто этим будет заниматься?

— Никто, — грустно констатировала Настя. — Зато, в соответствии с реформой, с вас не будут требовать показатели раскрываемости.

— Ага, щас! Что-нибудь другое придумают, чтобы с нас головы снимать.

Зарубин был настроен пессимистически, и даже третья чашка кофе не улучшила его настроения.

— В общем, Пална, грядет время, когда мы все

прочувствуем толщину гвоздя, — уныло сказал он. — На работу, что ли, ехать?

Она посмотрела на часы и кивнула:

— Наверное, пора. И мне тоже пора собираться.

— Ну, конечно, — снова заныл Сергей, — кому-то на работу, а кому-то в театр. Умеют же некоторые устраиваться.

— Хочешь поменяться? — предложила Настя. — Поезжай вместо меня в театр, а я дома останусь. Это же твоя, между прочим, работа, которую ты очень ловко спихнул на меня.

— В театр? — не на шутку перепугался Зарубин. — Ну уж нет, уволь, подруга. Я их боюсь.

— Ясен пень, — засмеялась Настя. — Если мужчина кого-то боится, то туда лучше послать женщину. Ладно, пей кофе, я пошла одеваться.

Они вместе вышли из дома, сели каждый в свою машину и разъехались.

И снова была череда встреч и бесед. У Насти и Антона лежал список всех сотрудников театра «Новая Москва», из которого постепенно вычеркивались фамилии тех, с кем удалось встретиться и поговорить. Чем дальше, тем больше Настю охватывало ощущение бессмысленности и безнадежности работы, которую пытались проделать они с Антоном. Сплетни, рассказы о каких-то мелких конфликтах и обидах или уверения в том, что на Льва Алексеевича ни у кого рука не поднялась бы, — вот и весь результат их монотонной и однообразной деятельности.

Настя поймала себя на том, что после вчерашнего разговора с Сережей Зарубиным совсем перестала реагировать на телефон в руках Сташиса. Если он так много близких потерял, то совершенно объяснимы его страх за детей и желание постоянно быть в курсе того, где они и что с ними происходит. Ей в какой-то момент даже стало неловко оттого, что она вынуждает Антона торчать в театре до позднего вечера. Конечно, оперативная работа в розыске не предполагает нормированного рабочего дня, и если бы он занимался другими преступлениями, то вряд ли уходил бы домой в шесть вечера, такого не бывает. Но одно дело, когда причина где-то там, на стороне, и совсем другое — когда ты сам задерживаешь человека. Настя попыталась исправиться и в половине седьмого предложила Антону завершить работу.

— Вы поезжайте, — сказала она, — у вас ведь дети дома. А я тут сама поковыряюсь, мне спешить некуда.

Антон внимательно посмотрел на нее, и Насте показалось, что он собрался было улыбнуться, но в последний момент передумал.

— Вы вчера встречались с Сергеем Кузьмичем, — не то спросил, не то сделал вывод Сташис.

— И сегодня с утра тоже, — кивнула Настя. — Из этого что-то следует?

— Из этого следует, что вы, по-видимому, получили информацию о моей ситуации. Я прав?

— С чего вы взяли?

— Мне показалось, что вы начали меня жалеть. Разве нет?

Настя пожала плечами и отвернулась, но потом взяла себя в руки и посмотрела ему прямо в глаза.

— Да, Зарубин рассказал мне о вас. И что плохого в том, что вы пойдете домой и проведете время с детьми? У меня сложилось впечатление, что вы меня в чём-то упрекаете, Антон. Да, я спросила Сергея Кузьмича о вас, но это совершенно естественно, любой человек стремится побольше узнать о тех, с кем ему приходится ежедневно контактировать. Разве вы поступили бы иначе?

— Точно так же, — улыбнулся, наконец, Антон. — И хочу вам сказать, Анастасия Павловна, что я всегда с благодарностью отношусь к сочувствию и желанию мне помочь. Но жалеть и щадить меня не надо.

— Почему?

— Потому что так сложились обстоятельства моей жизни. И эту жизнь, вместе со всеми ее обстоятельствами, я должен прожить. У каждого человека свои обстоятельства, и невозможно жалеть и щадить всех. Обращайтесь со мной так же, как прежде, пожалуйста. И не беспокойтесь за моих детей. С ними няня. Кстати, про няню вам Сергей Кузьмич тоже рассказывал?

Настя молча кивнула.

— Тогда у вас наверняка появились вопросы, они неизменно появляются у всех, кто слышит об Эльвире. Вы не стесняйтесь, спрашивайте, мне скрывать нечего.

Ну, что ж, раз он сам предлагает... В любом случае, лучше спросить, чем строить беспочвенные догадки, которые к тому же могут оказаться неверными.

Они сидели в кабинете Богомолова, освещаемом только настольной лампой, и Настя не очень хорошо видела выражение лица Антона Сташиса. Что было на этом лице? Готовность к откровенности? Или напряженная собранность перед тем, как солгать? А может быть, не спрашивать? В самом деле, какая ей разница, почему Антон принимает услуги жены того, кто отнял у него мать его детей? Может, он беспринципный. А может, просто в отчаянном положении и уже не выбирает средств решения проблемы. Может быть, она ему очень нравится, и он готовится заменить ею погибшую жену. Зачем задавать вопросы? «Нет, — ответила Настя сама себе, — я хочу его понять. Не для того, чтобы осуждать или оправдывать, а просто для того, чтобы понимать его характер, иначе мне будет трудно с ним работать».

— Я понимаю, что вам этот вопрос, наверное, задавали тысячу раз, — начала она издалека.

— Вы хотите спросить, почему я принял помощь Эльвиры, и не коробит ли меня такая ситуация?

— Да, именно об этом я и хотела вас спросить.

— Не коробит. — Антон встал с кресла и прошелся по кабинету. — И тут есть два обстоятельства. Первое: у меня не было другого выхода. Не сочтите это напоминанием вам о возрасте, но в вашем поколении, наверное, было много людей, которые любят свою работу и ничем другим заниматься не хотят. Сегодня таких намного меньше, во всяком случае, у нас в розыске. Считайте, что я — ископаемое, музейный экспонат. Но я не хотел менять работу, а сочетать службу в розыске с воспитанием маленьких детей без посторонней помощи невозможно. Я честно пытался, вы не думайте, что я сразу опустил руки. Я пытался. И не смог. Не получилось у меня. Эля в этом смысле оказалась моим спасением. И второе: это было нужно и продолжает быть нужным самой Эльвире. Она чувствует себя виноватой за то, что сделал ее муж. У нее душа болит за моих детей, она страдает, она переживает. И помощь свою предложила от чистого сердца. Так почему бы мне эту помощь не принять? Она помогает мне растить детей, я помогаю ей обрести душевный покой.

— А вы не думали о том, что будет, если она соберется замуж? — осторожно спросила Настя. — Вы показывали мне ее фотографию, ваша Эльвира — очень красивая женщина, и брачных предложений у нее наверняка будет много, тем более что она, как я понимаю, человек далеко не бедный. Что вы тогда будете делать?

— Понятия не имею — тяжело вздохнув, развел руками Антон. — Я каждый день жду, что что-нибудь подобное начнет происходить. У меня нет денег на платную няню.

— Сколько лет вашей Эльвире?

— Тридцать пять. Я понимаю, о чем вы: ей пора заводить собственных детей, возраст уже критический. Ну, что ж, если она решит оставить работу у нас, я приму это как очередное обстоятельство моей неуклюжей жизни. Но прожить-то свою жизнь я все равно должен, я же не могу бросить ее на полпути и сказать: она мне не нравится, она мне надоела, заверните мне какую-нибудь другую, посимпатичнее, повеселее, полегче. Если случится — значит, случится, тогда и буду думать, что делать. Я ведь человек здравый, Анастасия Павловна, я понимаю, что мне нужно протянуть еще как минимум десять лет, пока Степке не исполнится четырнадцать, хотя четырнадцать — это очень плохой возраст, за парнем нужен глаз да глаз, так что лучше бы Эля проработала у меня лет пятнадцать. Но я отчетливо понимаю, что это невозможно. Человек не может испытывать чувство вины на протяжении пятнадцати лет. Даже если она не соберется замуж, ей просто надоест бесплатно работать ради чужих детей и совершенно постороннего мужика. Правда, она очень любит моих детей, очень к ним привязана, но как надолго хватит этой любви и привязанности?

— А вы не думали... — Настя запнулась, подыскивая слова. То, что она хотела спросить, было совершенно бестактным. Но спросить очень хотелось. — Вы и Эльвира...

— А, — засмеялся Антон, — я понял. Вы хотите узнать, не было ли у меня мысли жениться на ней? Отвечаю: нет. Не было. Эльвира очень красивая и очень добрая, она любит моих детей, но я для нее не мужчина, точно так же, как она для меня — не женщина. Во всяком случае, за те два года, что мы знакомы, я ни разу не посмотрел на нее с мужским интересом.

— А почему? — с любопытством спросила Настя. — Вы же сами сказали, что она красивая и добрая. Так почему бы нет?

— Просто потому, что Эля — не моя женщина. Да, она чудесная, она достойная во всех отношениях и, между прочим, прекрасная хозяйка. Но — не моя. Мне нужна другая. Если бы я женился на Эле, для ребят это было бы наилучшим выходом. Но не для меня. И, разумеется, не для нее. Зачем я ей? Нищий сыскарь с двумя детьми, к тому же моложе ее на семь лет. Есть женихи и получше. Я ответил на ваш вопрос?

— Спасибо, Антон.

— За что?

— За искренность. И простите меня, я полезла не в свое дело, но мне правда очень хотелось понять вас. Так вы категорически отказываетесь уходить сейчас домой?

— Категорически. Дома Эля, мне не о чем беспокоиться. Что у нас на сегодняшний вечер по плану?

— У нас, — Настя полистала блокнот, — сегодня звуковики и осветители, которых не было в понедельник и которые ведут сегодняшний спектакль. Кстати, спектакль вот-вот начнется, так что минут через пятнадцать можно начинать их отлавливать. Знаете, Антон, я все никак не могу привыкнуть к тому, что технический прогресс добрался до театра. Я хорошо помню театр своего детства и своей юности, тогда была осветительская ложа, в ней сидели специальные люди и вручную наводили прожекторы на разные части сцены. А теперь все заведено в компьютер и управляется автоматически. Вам моего удивления не понять, вы — дитя прогресса.

— Может, и так, — согласился Антон, — но для меня тоже было шоком, когда мы с вами пришли в будку Аллы Михайловны, осветителя, а она сидела и кроссворды там разгадывала, а прожектора двигались сами по себе. Я, честно говоря, обалдел от изумления. И в тот момент я понял вас.

— В каком смысле?

— Ну, вы с самого начала все время сомневались, что сможете разобраться в театре, а я не понимал, чего вы боитесь и что тут такого сложного. А в тот момент понял. Меня прямо как по башке шарахнуло. И еще меня их сленг убивает; когда театральные деятели между собой разговаривают, я вообще ни слова не понимаю.

Да, насчет сленга Антон прав, Настю тоже это смущает. И кстати, сам Антон, насколько она успела

344

заметить, профессиональным сленгом розыскников тоже отчего-то не пользуется. Ни разу за все дни, что они проработали вместе, Настя не слышала от него ни одного слова о «терпилах», «износах», «парашютистах», «подснежниках» и «недоносках». И Сережка Зарубин тоже отмечал эту его особенность. А что, если спросить?

— Я — приверженец марксистско-ленинской философии, — со смехом пояснил оперативник. — Помните: бытие определяет сознание? Нет, я, конечно же, пользуюсь выражениями, принятыми в нашей профессиональной среде, но только если они не касаются человека. И я, точно так же, как все, называю пистолет «волыной» и бегаю «получать корки», но никогда не скажу «обезьянник», потому что там находятся люди, живые люди, и к ним нужно относиться как к людям, а не как к обезьянам. Не зря же говорят: как корабль назовешь, так он и поплывет. Если называть людей, тем более погибших, пренебрежительными выражениями, очень скоро и относиться к ним начинаешь пренебрежительно, а это для меня неприемлемо. Каждый человек — это целый мир, неповторимый и уникальный, даже если этот человек совершил преступление. Я не говорю, что преступников надо жалеть, ни в коем случае, но, если начать относиться к ним как к быдлу, очень скоро такое же отношение сформируется и к потерпевшим, и ты перестанешь им сочувствовать, а потом начнешь точно так же думать и о коллегах, и о соседях, и о членах собственной семьи. Тут только начни — и остановиться уже невозможно. Знаете, что случилось с моей сестрой?

— Знаю, — кивнула Настя.

— Мне нестерпима мысль о том, что кто-то мог назвать ее «парашютисткой». А ведь называли, я сам слышал. Мне было очень больно. А про мою маму оперативники сказали «висельница». — Антон повернулся к Насте лицом, и ей показалось, что он сильно побледнел. Хотя в комнате царил полумрак, и она не была уверена. — Знаете, я в тот момент их чуть не убил. Я уже был слушателем и знал, что буду работать в розыске. Вот тогда я твердо решил, что ни при каких условиях не только не скажу вслух, даже мысленно не назову человека каким-нибудь гадким пренебрежительным словом. Вот такое я ископаемое. Ну что, Анастасия Павловна, вам теперь будет труднее со мной работать?

Настя задумалась. Что ему ответить? Конечно, ей будет труднее, ведь всегда трудно находиться бок о бок с человеком, у которого ТАК сложились обстоятельства жизни. Но одновременно и легче, потому что она хотя бы будет понимать эти обстоятельства.

— Пойдемте, Антон, — негромко сказала Настя, так и не ответив на вопрос. — Если вы не едете домой, нам пора приниматься за работу. Дорогу к осветителям найдете?

— Постараюсь.

Спектакль начался, все опоздавшие были рассажены по местам, и главный администратор Валерий Андреевич Семаков решил зайти к директору Бережному. Бережной сидел у себя в кабинете, листал какие-то бумаги и посматривал на экран монитора, разделенный на четыре части: на этот монитор были выведены камеры, обозревающие сцену, зрительный зал, главный и служебный входы.

— Что, Владимир Игоревич, спектакль смотрите? — поинтересовался Семаков.

— Да нет, жду гостей, из мэрии должны приехать, — пояснил Бережной, снимая очки для чтения.

— На спектакль? — переполошился администратор. — Почему мне не сказали? У меня в ложе дирекции...

— Нет, им спектакль не нужен, они хотели проверить мою заявку на ремонтные работы. Да ладно, уже восьмой час, наверное, не приедут. Кофе хотите?

— Спасибо, не откажусь. Владимир Игоревич, я вот хотел спросить насчет новой пьесы: что-нибудь проясняется? Дату премьеры хотя бы приблизительно определили? А то ведь мне нужно анонсы и программки готовить и заказывать, буклеты, аннотацию писать для «Театральной афиши».

— Какое там! — Бережной горестно махнул рукой, встал и пошел готовить кофе. — Ничего не двигается. Сеня бьется изо всех сил, старается сдвинуть работу с мертвой точки, но пьеса такая сырая... Просто не представляю, как они будут выкручиваться. Хотя Сеня, конечно, очень старается, и с тех пор, как он сам начал вести репетиции, какое-то движение наметилось. Но если Лев Алексеевич вернется к работе в ближайшее время и снова возьмется за «Правосудие», то я даже не представляю, когда мы увидим конец этой эпопеи. — Ему пришлось слегка повысить голос, чтобы перекрыть шум перемалывающей зерна кофемашины. — И еще автор этот, Лесогоров, — продолжал директор. — Написал дерьмо, быстро и качественно исправить не может, хочет всем угодить, кто какие поправки ни предложит — он тут же кидается что-то менять, на следующий день приносит новый текст, и все роли приходится учить заново. Ну, не все, конечно, только то, что он поправил, но это же тормозит работу. В общем, неразбериха полная.

— А нельзя его как-нибудь... — Семаков сделал выразительный жест, будто выпихивал кого-то из кабинета. — Пусть бы ушел совсем, не болтался тут под ногами. Семен Борисович сам бы пьесу переписал, он это сделает быстро и хорошо. Поставили бы две фамилии на афише — и все довольны.

— Ох, Валерий Андреевич, — Бережной поставил перед администратором изящную чашечку с горячим ароматным напитком, — вашими бы устами да мед пить. Сеня спит и видит, как бы избавиться от автора. И я, честно вам признаюсь, тоже. Он тут всем нам мешает, и творческой части, и дирекции, ходит, высматривает, вынюхивает, выспрашивает. Не люблю я журналистов, от них одни неприятности. Но как его выпрешь? Уйдет — и денег не будет. У нас ведь в договоре записано, что первый транш театр получает на финансирование именно постановки «Правосудия», а второй — после премьеры — на развитие. И второй транш в три раза больше первого. Представляете, какие спектакли можно будет на эти деньги поставить? И какие ремонтные работы провести? Речь ведь не о копейках — о миллионах! Если Лесогоров уйдет, то уйдет вместе с деньгами, а я как директор на это пойти не могу. Вот если бы форсмажор какой-нибудь случился — тогда другое дело, а так...

Семаков задумчиво пил кофе, покачивая ногой, обутой в модный ботинок с узким носом.

— А если сделать так, чтобы автор ушел, а деньги остались? — вдруг спросил он.

Бережной осторожно поднял глаза и искоса взглянул на администратора.

— Вы что имеете в виду? Знаете, как это можно сделать?

Семаков тонко улыбнулся и поставил чашку на блюдце.

— В любом случае, нужно принять меры, чтобы пресечь это его болтание по театру, — ответил он. — Он же отсюда не вылезает, со всеми общается, сплетни собирает. Напишет еще гадости про наш театр. А он обязательно напишет, я эту породу знаю. Нам с вами это надо?

Владимир Игоревич Бережной точно знал, что «этого» ему не надо. И театру «Новая Москва» тоже не надо. Но как же все устроить?

Продолжение следует

СОДЕРЖАНИЕ

СМЕРТЬ КАК ИСКУССТВО. МАСКИ 5

СМЕРТЬ КАК ИСКУССТВО. ПРАВОСУДИЕ. (Отрывок) 319

Литературно-художественное издание

КОРОЛЕВА ДЕТЕКТИВА

Александра Маринина

СМЕРТЬ КАК ИСКУССТВО

Книга первая

Маски

Ответственный редактор *Е. Соловьев*
Редактор *Т. Чичина*
Художественный редактор *А. Сауков*
Технический редактор *Н. Носова*
Компьютерная верстка *Л. Панина*
Корректор *Г. Титова*

Иллюстрация на обложке *И. Хивренко*

ООО «Издательство «Эксмо»
127299, Москва, ул. Клары Цеткин, д. 18/5. Тел. 411-68-86, 956-39-21.
Home page: **www.eksmo.ru** E-mail: **info@eksmo.ru**

Подписано в печать 21.07.2011. Формат 84×108 $^1/_{32}$.
Гарнитура «Гарамонд». Печать офсетная. Усл. печ. л. 18,48.
Тираж 170 000 экз. Заказ 6161.

Отпечатано в ОАО «Можайский полиграфический комбинат».
143200, г. Можайск, ул. Мира, 93.
www.oaompk.ru, www.оаомпк.рф тел.: (495) 745-84-28, (49638) 20-685

ISBN 978-5-699-36298-1

9 785699 362981 >

Оптовая торговля книгами «Эксмо»:
ООО «ТД «Эксмо». 142700, Московская обл., Ленинский р-н, г. Видное,
Белокаменное ш., д. 1, многоканальный тел. 411-50-74.
E-mail: **reception@eksmo-sale.ru**

*По вопросам приобретения книг «Эксмо» зарубежными оптовыми
покупателями* обращаться в отдел зарубежных продаж ТД «Эксмо»
E-mail: **international@eksmo-sale.ru**

*International Sales: International wholesale customers should contact
Foreign Sales Department of Trading House «Eksmo» for their orders.*
international@eksmo-sale.ru

*По вопросам заказа книг корпоративным клиентам,
в том числе в специальном оформлении,*
обращаться по тел. 411-68-59, доб. 2115, 2117, 2118, 411-68-99, доб. 2762, 1234.
E-mail: **vipzakaz@eksmo.ru**

*Оптовая торговля бумажно-беловыми
и канцелярскими товарами для школы и офиса «Канц-Эксмо»:*
Компания «Канц-Эксмо»: 142702, Московская обл., Ленинский р-н, г. Видное-2,
Белокаменное ш., д. 1, а/я 5. Тел./факс +7 (495) 745-28-87 (многоканальный).
e-mail: **kanc@eksmo-sale.ru**, сайт: **www.kanc-eksmo.ru**

Полный ассортимент книг издательства «Эксмо» для оптовых покупателей:
В Санкт-Петербурге: ООО СЗКО, пр-т Обуховской Обороны, д. 84Е.
Тел. (812) 365-46-03/04.
В Нижнем Новгороде: ООО ТД «Эксмо НН», ул. Маршала Воронова, д. 3.
Тел. (8312) 72-36-70.
В Казани: Филиал ООО «РДЦ-Самара», ул. Фрезерная, д. 5.
Тел. (843) 570-40-45/46.
В Ростове-на-Дону: ООО «РДЦ-Ростов», пр. Стачки, 243А.
Тел. (863) 220-19-34.
В Самаре: ООО «РДЦ-Самара», пр-т Кирова, д. 75/1, литера «Е».
Тел. (846) 269-66-70.
В Екатеринбурге: ООО «РДЦ-Екатеринбург», ул. Прибалтийская, д. 24а.
Тел. +7 (343) 272-72-01/02/03/04/05/06/07/08.
В Новосибирске: ООО «РДЦ-Новосибирск», Комбинатский пер., д. 3.
Тел. +7 (383) 289-91-42. E-mail: **eksmo-nsk@yandex.ru**
В Киеве: ООО «РДЦ Эксмо-Украина», Московский пр-т, д. 9.
Тел./факс: (044) 495-79-80/81.
Во Львове: ТП ООО «Эксмо-Запад», ул. Бузкова, д. 2.
Тел./факс (032) 245-00-19.
В Симферополе: ООО «Эксмо-Крым», ул. Киевская, д. 153.
Тел./факс (0652) 22-90-03, 54-32-99.
В Казахстане: ТОО «РДЦ-Алматы», ул. Домбровского, д. 3а.
Тел./факс (727) 251-59-90/91. **rdc-almaty@mail.ru**

Полный ассортимент продукции издательства «Эксмо»
можно приобрести в магазинах «Новый книжный» и «Читай-город».
Телефон единой справочной: 8 (800) 444-8-444.
Звонок по России бесплатный.

В Санкт-Петербурге в сети магазинов «Буквоед»:
«Парк культуры и чтения», Невский пр-т, д. 46. Тел. (812) 601-0-601
www.bookvoed.ru

*По вопросам размещения рекламы в книгах издательства «Эксмо»
обращаться в рекламный отдел. Тел. 411-68-74.*